Maîtres et valets
I

Éditions J'ai Lu

SÉRIE MAÎTRES ET VALETS :

déjà paru :

MAÎTRES ET VALETS I, par John Hawkesworth

à paraître :

MAÎTRES ET VALETS II, les appartements de Madame, par John Hawkesworth

MAÎTRES ET VALETS III, histoire de Sarah, par Mollie Hardwick

MAÎTRES ET VALETS IV, histoire de Rose, par T. et Ch. Brady

JOHN HAWKESWORTH

Maîtres et valets

I

Traduit de l'anglais
par Renée ROSENTHAL

Ce roman a paru sous le titre original :
UPSTAIRS DOWNSTAIRS

1

Novembre 1903

— Comment vous appelez-vous?

— Clemence Dumas.

— Française?

— A moitié française.

— Vous devez m'appeler milady quand vous répondez.

— Excusez-moi, milady.

Lady Marjorie Bellamy soupçonnait que les références qu'elle tenait à la main étaient fausses et ne croyait pas un instant que la petite fille hardie et mal vêtue des quartiers populaires de Londres qui se tenait près du canapé dans le petit salon lui disait la vérité. Mais au lieu de sonner pour faire venir son maître d'hôtel et lui dire d'éconduire Clemence Dumas, elle hésitait.

A une époque où la sous-alimentation causait une mauvaise santé chronique dans les classes pauvres, et où la tuberculose et le rachitisme étaient choses communes, cette fille avait l'air remarquablement saine, et même en dehors de cette considération importante, il y avait autre chose en elle qui impressionnait Lady Marjorie. Une sorte de classe. Lady Marjorie avait elle-même de la classe. Tout en elle et autour d'elle était élégance : sa maison, ses vêtements, sa voix semblaient parfaitement choisis pour mettre en valeur sa beauté de grande dame patricienne à l'ossature délicate dominée par la masse de cheveux d'un roux doré.

Mais la dernière en date des candidates pour l'emploi de seconde femme de chambre n'avait pas favorablement impressionné les domestiques au 165 Eaton Place. Elle avait choqué Mr Hudson, le maître d'hôtel, en entrant par la grande porte; elle avait insulté Mrs Bridges, la cuisinière, en la traitant de « cuisinière » dans sa propre cuisine; et elle s'était montrée effrontée avec Rose, la femme de chambre.

Maintenant l'heure du dîner approchait et les domestiques se rassemblaient à l'office.

L'office donnait au sud et était par conséquent la moins triste de toutes les pièces en sous-sol où les domestiques passaient la plus grande partie de leur vie diurne. Il était dominé par une longue table recouverte tout le temps, sauf aux heures des repas, d'une nappe au crochet. Autour de la cheminée en fonte il y avait un vieux garde-feu et un assortiment de fauteuils dont tous, à part celui en osier tressé de Mrs Bridges, étaient des rebuts descendus d' « en haut » comme l'étaient le reste de l'ameublement et la décoration de la pièce. Les rideaux de velours, les grosses lampes à pétrole et les grandes gravures dépeignant : « *La Bataille d'Inkerman* », « *Un rassemblement de la meute de Quorn* » et un portrait de George III d'après Reynolds étaient tous des cadeaux des Bellamy. Sur la table près de la fenêtre un grand éléphant indien en ivoire soutenait la bibliothèque, qui comprenait évidemment la Bible, l'Encyclopédie britannique (Septième Edition) et *L'enfance de la Reine Victoria* de Mrs Gurney pour descendre, à travers divers petits romans bon marché, jusqu'aux magazines populaires.

— Lady Marjorie ne prendra jamais cette fille, dit Mrs Bridges qui, dans sa robe rose, son tablier et son bonnet amidonnés, ressemblait à un pain de ménage. Elle? Jamais de la vie. Elle ne pourrait pas reconnaître un boa en plumes d'un boa constrictor.

Mrs Bridges n'expliqua pas cependant en quoi c'était une compétence requise pour une femme de chambre.

— Elle ne convient pas du tout. Elle s'est présentée par la grande porte, dit Rose avec le reniflement qui lui servait à souligner ses opinions.

— Vous avez tout à fait raison, Rose. Elle n'est pas formée, et elle est fermée à toute décence, fit remarquer Mr Hudson de la porte.

Il surveillait les rangs serrés de sonnettes dans le passage, attendant que Madame l'appelle au petit salon. Elle passait un temps inexplicablement long à interroger la méprisable Miss Dumas qui, pour commencer, était arrivée en retard à son rendez-vous.

Mr Hudson était un montagnard écossais, rude et trapu, apprivoisé par le temps et la servitude au point d'être devenu un maître d'hôtel convenable, consciencieux et plutôt dépourvu d'humour. Il avait des cheveux blonds et raides qui s'éclaircissaient et blanchissaient aux tempes, et son uniforme sombre était égayé par des touches d'or, matière à laquelle il était très attaché : une monture d'or à ses lunettes, une dent en or et la lourde chaîne en or de sa montre, héritage de son père, exposée bien en vue en travers de son gilet. Ce dernier accessoire était un privilège qui n'était pas toujours accordé aux maîtres d'hôtel dans des maisons plus grandes et plus pointilleuses.

La sonnette du petit salon retentit et Mr Hudson monta d'un pas vif l'escalier de pierre sombre qui menait du sous-sol au grand vestibule.

— Allons, c'est réglé, dit Rose avec une certaine satisfaction. Clemence Dumas! Comment peut-on espérer se faire engager pour le service avec un nom pareil?

Emily, la fille de cuisine irlandaise, était en train de mettre le couvert. C'était une pauvre petite créature dépenaillée, astiquée et briquée, ses vêtements étaient très raccommodés et rapiécés, ce qui n'avait pas d'importance, car elle n'avait jamais le droit d'apparaître en haut

— J'espère qu'on l'engagera, dit-elle avec l'accent chantant des Irlandais du Comté de Clare.

— Ce n'est pas à vous d'espérer, Emily, rétorqua Mrs Bridges, ou de ne pas espérer, d'ailleurs. Votre tâche est de veiller au feu, vous l'avez laissé s'éteindre exprès.

Il y avait eu une vive bataille sur ce sujet toute la matinée.

— Pas du tout, dit Emily. Le charbon est mouillé. Et c'est la faute d'Alfred; il laisse toujours la porte de la cave à charbon ouverte.

Alfred était en train d'accrocher son habit dans le coin.

— Je vous y mettrai, dans la cave à charbon, Emily. Les cendres retournent aux cendres, la poussière à la poussière, dit-il d'un ton sombre.

Alfred avait un long visage sardonique qui semblait fait de caoutchouc, avec des yeux de clown triste, ou de martyr. Ses membres semblaient aller de guingois, ses mains et ses pieds étaient trop grands pour son corps et quand il servait à table, ses mouvements étaient d'une solennité extravagante.

— Ne blâmez pas toujours les autres, Emily, lança Rose d'un ton sec.

— Maintenant vous êtes aussi contre moi. Vous êtes tous contre moi.

Et Emily poussa un soupir car ce n'était que la triste vérité. Comme elle se trouvait à l'échelon le plus bas de la hiérarchie domestique, elle était le bouc émissaire idéal quand les choses allaient mal.

Mr Hudson ouvrit la porte battante recouverte de feutrine verte d'un côté et d'acajou de l'autre et traversa le grand vestibule pour se rendre dans le petit salon. Il y entra sans frapper et avança de trois pas :

— Vous avez sonné, milady? s'informa-t-il.

— J'ai l'intention d'engager cette jeune femme.

Lady Marjorie s'attendait à l'attitude habituelle et à l'expression de surprise que Hudson avait du mal à dissimuler, et celui-ci répondit :

— Oui, milady.

— Elle dînera à l'office et elle ira chercher ses affaires plus tard. Rose lui dira ce qu'il faut faire.

— Et le nom de la jeune personne, milady? s'enquit Hudson après s'être éclairci la voix.

Lady Marjorie sans hésiter répondit :

— Sarah.

Clemence Dumas fut stupéfaite par cette décision qu'elle n'avait d'aucune manière prévue. Elle ne savait guère qu'en choisissant le nom de « Sarah », Lady Marjorie lui faisait un compliment. Quand elle était petite fille, elle avait beaucoup aimé un épagneul qui s'appelait Sarah.

— Mon nom est Clemence, milady.

— Clemence n'est pas un nom de domestique, dit Lady Marjorie en se tournant vers son bureau. Allez avec Hudson, Sarah, et souvenez-vous que vous êtes à l'essai.

Dans le vestibule, Sarah rattrapa le maître d'hôtel en bas du grand escalier.

— Mr Hudson?

— Quoi donc?

— Est-ce qu'il faudra que je m'appelle Sarah?

— Oui.

— Cela ne me plaît pas.

— Ce n'est pas à vous de mettre en question vos supérieurs.

— Est-ce que vous êtes mon supérieur?

— Bien sûr!

— Qu'est-ce qui fait que vous êtes mon supérieur, Mr Hudson? dit-elle d'un ton très innocent. Je ne suis pas insolente. Je veux simplement savoir.

— Je suis plus vieux que vous et par conséquent plus sage. Et j'ai appris l'humilité. (C'était une de ses remarques favorites :) C'est une dure leçon, mais une fois qu'on l'a apprise, on ne l'oublie jamais.

Il se dirigea vers la porte.

— Comment l'avez-vous apprise? dit Sarah.

Elle lui tint la porte ouverte, exagérant presque cette humilité nouvellement découverte.

— Ma grand-mère était une femme fière et elle est morte de faim, dit Hudson. Et rappelez-vous autre chose. Chez les maîtres, vous ne parlez que si on vous adresse la parole.

Et il lança à Sarah un regard pénétrant comme pour la fixer dans son esprit pour l'éternité.

Lady Marjorie se renversa dans son fauteuil et sourit toute seule à la pensée du visage de Hudson. Il ne parvenait jamais à dissimuler ses émotions, ce qui était une des raisons pour lesquelles il n'aurait jamais d'avancement dans une plus grande maison. Ce vieil idiot de Hudson; parfois il l'exaspérait par son obsti-nation et sa lenteur, mais elle ne songeait pas à le remplacer. Il était loyal et honnête et ne buvait que modérément. C'était beaucoup pour un maître d'hôtel.

Hudson était le fils du porte-carnier en chef de la propriété de son père dans le Pertshire, tandis que Mrs Bridges et Rose venaient toutes les deux de Southwold, sa maison de famille dans le Wiltshire.

Le fait que les autres domestiques ne compren-draient pas pourquoi elle avait engagé Sarah n'inté-ressait pas Lady Marjorie. Elle avait été élevée avec des domestiques toute sa vie et elle considérait leur présence comme tout à fait naturelle. S'ils faisaient quelque chose de stupide, comme voler ou avoir un bébé, on les congédiait, s'ils étaient malades ou s'ils avaient des ennuis, on les aidait, plus pour des raisons pratiques que par humanité. Lorsqu'une domestique était malade, c'était désagréable, et plus vite elle était sur pied et capable de faire son travail, mieux cela valait pour tout le monde.

Lady Marjorie ne remarquait vraiment les domestiques, que lorsqu'ils l'agaçaient, de sorte qu'elle avait tendance à penser à leurs défauts et à accorder peu de considération à leurs vertus. Quand elle songeait à Mrs Bridges, elle se rappelait les humeurs et les colères de la cuisinière, non ses délicieuses cailles en gelée; pour Rose, c'était son visage boudeur lorsqu'elle était contrariée, non la propreté impeccable de la maison; quant à Roberts, sa femme de chambre personnelle, Lady Marjorie avait beau réfléchir, elle ne comprenait pas pourquoi elle gardait dans sa maison une femme aussi stupide et bavarde.

Contrairement à beaucoup de dames, elle trouvait très inintéressant le sujet des domestiques.

Lady Marjorie aurait été surprise de découvrir combien ses domestiques s'intéressaient plus à elle, qu'elle à eux.

Un lourd silence accueillit l'entrée de Mr Hudson et de Sarah dans l'office. Le maître d'hôtel qui avait le sens de l'effet ne révéla pas tout de suite la nouvelle. Il pria Alfred d'aller chercher une chaise et Emily de mettre un couvert supplémentaire, puis il s'assit, regarda autour de la table et baissa la tête.

— Puisse le Seigneur bénir nos efforts et nous assurer de rester au rang où dans Son infinie bonté Il a jugé bon de nous placer.

A ce moment du bénédicité, Mr Hudson leva brièvement les yeux. Emily regardait fixement Sarah et Sarah examinait l'office. Il les ramena toutes les deux à la prière d'un regard.

— Et pour ce que nous sommes sur le point de recevoir de Sa grande générosité, puissions-nous trouver faveur à Ses yeux et être assis dans l'honneur à Sa droite. Amen.

Mr Hudson commença à découper solennellement le mouton :

— Sarah se joint à nous comme seconde femme de chambre, Miss Roberts.

Comme il convenait à l'ordre des préséances, Miss Roberts était assise à la droite du maître d'hôtel et Alfred, son adjoint, à sa gauche. Mrs Bridges dominait l'autre bout de la table avec Rose à sa droite et Emily sous la main à sa gauche. Les places du milieu étaient occupées par Mr Pearce, le cocher, et par Sarah.

Miss Roberts regarda Sarah sans enthousiasme. C'était une petite femme au regard sévère et à la bouche serrée.

— Ah bien, Mr Hudson, répondit-elle. A l'essai, je suppose.

— Oui, répondit Mr Hudson tandis qu'on passait les assiettes autour de la table. Rose, vous devrez lui montrer ce qu'elle aura à faire.

— Oui, Mr Hudson, dit Rose d'une voix terne.

— Avec bon cœur et bonne volonté, Rose.

— Bien sûr, Mr Hudson.

Rose lança à Sarah un regard sans aménité et commença à la présenter cérémonieusement aux autres.

— Miss Roberts est la femme de chambre personnelle de Madame, dit-elle. Alfred est le valet de pied. Mr Pearce est le cocher.

Mr Pearce, un homme grand et robuste qui, parce qu'il vivait dans plusieurs pièces au-dessus de l'écurie, derrière la maison, se prenait pour un homme du monde, était sur le point de gratifier Sarah d'un grand sourire, quand son visage se figea car Mrs Bridges frappait sur la table avec sa cuillère.

— Silence! annonça-t-elle.

Rose ferma la bouche avec colère. Elle sentait qu'elle avait été amenée par Mr Hudson à violer la règle selon laquelle seuls les domestiques de grade supérieur pouvaient parler avant qu'on eût servi les légumes.

Emily arriva en hâte de la cuisine avec les légumes et on les fit passer rapidement.

Mr Hudson regarda par-dessus ses lunettes.

— Les légumes sont servis, Mrs Bridges, dit-il.

— Merci, Mr Hudson, répondit Mrs Bridges. Vous pouvez parler, annonça-t-elle à la tablée.

Bien que la cérémonie officielle d'ouverture fût maintenant terminée, il n'y eut pas de début immédiat de la conversation, seulement une très grande concentration sur la sauce aux câpres.

— Encore du mouton, dit enfin Mr Pearce accordant son sourire à Sarah.

Il aimait l'air de cette nouvelle fille. Elle avait une jolie poitrine, quelque chose autour de quoi on pouvait vraiment mettre ses mains. Les poitrines comptaient énormément pour Mr Pearce.

— Et qu'est-ce qui ne vous plaît pas dans le mouton, Mr Pearce? dit Miss Roberts, irritée par la critique implicite de Mrs Bridges. Avec une bonne cuillerée de sauce aux câpres?

— Rien, rien du tout, répondit Mr Pearce battant déjà en retraite.

— Peut-être préféreriez-vous manger du foin comme vos chevaux, dit Mrs Bridges d'une voix forte.

— Je n'ai rien dit, mesdames, dit Mr Pearce tout à fait dérouté.

— Des millions de gens seraient reconnaissants de ce que nous avons, Mr Pearce, dit Mr Hudson pour l'achever. Vous n'êtes pas d'accord, Sarah? ajouta-t-il en la regardant.

Sarah ne parut pas l'entendre.

Rose lui donna un grand coup de coude.

— Mr Hudson vous a adressé la parole, Sarah.

— A qui, à moi?

— Oui, à vous.

— Je suis navrée, dit Sarah. Je ne suis pas habituée à ce nom. Est-ce qu'on ne pourrait pas m'appeler Clemence, ne serait-ce qu'ici en bas?

— De toute ma vie je n'ai jamais entendu ce nom en bas, dit Miss Roberts. A quoi donc pensait votre mère?

— Vous pourriez chercher dans la Bible de la première page à la dernière sans le trouver, fit remarquer Alfred la bouche pleine.

Mr Pearce fit un clin d'œil à Sarah.

— Ne vous inquiétez pas. Il a été élevé dans la religion, dit-il. Clemence, ajouta-t-il tardivement. C'est un bon nom pour une pouliche, je dois dire. Mais pas pour une femme.

— Je trouve que c'est un nom ravissant, dit Emily tendant la main pour reprendre de la sauce aux câpres.

Comme le sujet semblait maintenant complètement épuisé, Mr Hudson fit une nouvelle tentative.

— Comme je disais, dit-il en s'adressant directement à Sarah, des millions de gens seraient reconnaissants d'avoir du mouton une fois par semaine, sans parler d'une fois par jour. N'êtes-vous pas de cet avis, Sarah?

Tout le monde regarda Sarah.

— Oui, Mr Hudson, fit-elle, humblement, avec un air d'enfant abandonnée.

Mr Hudson et Mrs Bridges échangèrent des sourires satisfaits.

— Est-ce que vous avez vraiment vécu en France? demanda Emily.

— Oui, répondit Sarah d'un ton détaché.

— Vous étiez en service, là-bas? demanda Miss Roberts espérant la prendre sur le fait. (Elle était allée en France une fois avec Lady Marjorie.)

14

— Non, répondit Sarah. Je vivais dans un château. Jadis j'avais une femme de chambre personnelle. Comme Lady Marjorie.

Elle lança à Miss Roberts le regard qu'une très grande dame pourrait accorder à sa femme de chambre personnelle.

Miss Roberts eut un geste de colère.

— Je pense que nous devons nous habituer à prendre les déclarations de Sarah avec quelques réserves, annonça-t-elle avec un sourire aigre.

— Je ne mens pas, dit Sarah, brusquement agressive.

— Nous n'avons jamais dit que vous mentiez, dit Rose doucement. Mais peut-être exagérez-vous.

Mr Hudson était prêt à apaiser les esprits.

— Si Madame trouve Sarah à sa convenance, je suis certain que nous en faisons tous autant, pontifia-t-il. Il ne nous appartient pas de choisir ou de juger nos compagnons de service. Et je suis certain que nous savons tous très bien cela.

Cette dernière phrase s'adressait visiblement à Rose qui renifla, furieuse d'être remise à sa place une seconde fois devant la nouvelle venue.

Elle se tourna vers Sarah.

— Dites quelque chose en français, alors, dit-elle.

— Une autre fois.

— Vous êtes aussi anglaise que moi, rétorqua Rose en lançant autour d'elle un regard entendu.

— Je ne le suis pas, dit Sarah. Ma mère était une bohémienne et je sais lire dans les lignes de la main et prédire l'avenir (Elle regarda autour d'elle d'un air de défi :) Et jeter des sorts, ajouta-t-elle pour faire bonne mesure.

Emily en eut la respiration coupée d'émerveillement.

— Dieu nous garde! La pythonisse d'Endor elle-même, dit Alfred.

— Si ma mère était une bohémienne je n'en parlerais pas, dit Rose.

Sarah ne fut pas le moins du monde démontée.

— Un comte français l'a rencontrée et épousée, répondit-elle d'un ton important. Elle est morte en me mettant au monde. Il s'est remarié avec une très méchante femme. Quand mon père est mort, elle m'a fait vivre comme une domestique et à la fin elle m'a mise à la porte complètement. Mais j'ai des avocats qui se battent pour moi. Un jour je rentrerai en possession de mes biens. (Elle lança à la table un regard courageux.) Entre-temps, ajouta-t-elle, je dois vivre du mieux que je peux.

Personne ne dit mot. Ils étaient abasourdis devant une telle invention. Ils savaient tous que Sarah mentait, tous sauf Emily, mais c'était mentir sur une si grande échelle que cela dépassait les frontières de leur propre expérience. Tout commentaire semblait inutile.

— C'est comme une histoire dans un livre, dit Emily d'un ton émerveillé.

— Exactement, Emily, rétorqua Miss Roberts en voyant là sa chance. C'est comme un petit roman de quatre sous. C'est bien pour les filles de cuisine, mais ce n'est pas ce qu'on attend des femmes de chambre.

— Ça ne tient pas debout, ces sornettes, dit Rose. Il faudrait l'enfermer.

Mr Hudson leva les mains :

— Assez Rose! Emily, apportez le pudding à la confiture.

— Pourquoi ne veut-elle pas dire quelque chose en français, alors? cria presque Rose. Parce qu'elle ne sait pas, un point, c'est tout! (Elle se tourna vers Sarah :) Allez-y alors. Si vous savez.

Sarah se redressa de toute sa hauteur, lança un doux sourire à Rose, puis très lentement commença à chanter :

— *Auprès de ma blonde*
  Qu'il fait bon fait bon fait bon
  Auprès de ma blonde
  Qu'il fait bon dormir.

Elle avait une voix haute et juste et un accent
français parfait.

Emily se signa. Elle était certaine maintenant que
Sarah était une princesse bohémienne.

2

Rose était une très bonne femme de chambre. Elle tirait beaucoup de fierté de son travail et, comme elle n'était pas très sociable de nature, il tendait à remplir toute sa vie.

Jamais elle ne bâclait ni ne précipitait une tâche, si insignifiante fût-elle, et il n'y avait pas de coin ni de recoin dans la partie de la maison qui était son domaine où le chiffon à poussière ne passât pas : « J'aime à voir les choses faites convenablement », observait-elle souvent.

La seconde femme de chambre était une vraie croix pour Rose. Non seulement elle devait partager le même lit qu'elle, mais elle était responsable de son travail, et si la seconde femme de chambre faisait une bêtise — ce qui n'était pas rare — Rose devait en supporter le blâme.

Quand la seconde femme de chambre était renvoyée, ce qui arrivait souvent, Rose grognait qu'elle avait trop de travail; quand elle avait une aide dans la maison, elle se plaignait sans cesse que c'était plus de travail que quand elle n'était pas aidée.

Malgré ses doléances, Rose acceptait le fait que les

désirs de Lady Marjorie devaient être respectés. Tout comme elle acceptait les autres servitudes de la condition de domestique, elle accepta Sarah comme un mal nécessaire. Rose était aussi une personne pratique et quand Sarah eut avoué que les affaires qu'elle devait aller chercher plus tard étaient imaginaires, elle demanda à Mr Hudson si elle pouvait avoir quelques heures de congé pour emmener la nouvelle servante dans les magasins et lui acheter ce qu'il lui fallait.

En général, tout était fourni au domestique par son employeur, mais cela ne comprenait pas les vêtements, à l'exception des uniformes spéciaux comme l'habit d'Alfred et les bonnets et tabliers de fantaisie de la femme de chambre pour l'après-midi.

C'était dans Oxford Street qu'on trouvait aux meilleurs prix les tenues de domestiques. Dans l'omnibus qui les emmenait, Rose fit une liste des besoins de Sarah et à mesure que chaque article était acheté, elle mettait le prix à côté. Quand elles eurent terminé, on pouvait lire sur cette liste :

	Shillings	Pence
Bas de fil noir 2 paires	5	5 3/4
Camisoles à côtes : 2 à 3 3/4 chacune		7
Une paire de culottes en jersey de coton	1	6 1/2
Une paire de bottes noires	3	11
Tabliers (2 à 6 pence)	1	
Bonnets (2 à 3 1/2 pence)		7
Corsets (1 paire)	2	11
Manchettes et cols amidonnés deux ensembles pour 10 p.		10
Deux robes du matin (lilas pâle)	8	2
Deux robes après-midi en coton noir	9	6
Deux chemises de nuit (deux à 3/4 pence chacune)	4	3 1/2
Total : Livre 1	18	93/4

Sarah possédait en tout et pour tout une livre six shillings et deux pence. Comme elle n'avait pas de petits biens personnels qui vaillent d'être mis en gage, à l'exception d'un chien de faïence qui lui avait été donné par son père, Rose lui avança le liquide nécessaire. Ce serait à rembourser par versements hebdomadaires pris sur le salaire de Sarah qui était de quinze livres par an.

Sarah était aussi contente de ses nouveaux vêtements qu'une enfant au moment de Noël et bien qu'elle aimât avoir deux sortes de robes, elle ne pouvait pas comprendre le besoin de se changer jusqu'à ce que Rose lui eût expliqué qu'elles étaient bonnes à tout faire le matin (lilas pâle) et femmes de chambre l'après-midi (noir).

Sur le chemin du retour, Rose commença à faire pour Sarah une liste de ses tâches et elle trouva dans sa nouvelle aide une volonté d'apprendre et une rapidité d'esprit telles qu'elle fit remarquer à Mrs Bridges ce soir-là que, si on cherchait bien, on pouvait trouver quelque chose de bon là où on s'y attendait le moins.

Les chambres dans les greniers des grandes maisons de Londres étaient très chaudes en été et très froides en hiver, surtout à 5 h 30 du matin en novembre. Du moins fut-ce l'impression de Sarah lorsqu'elle se réveilla brusquement au matin de son premier jour, pour voir le visage non rasé d'Alfred, proche du sien, tandis qu'il secouait le lit. Rose se leva immédiatement et tira les couvertures et les draps de Sarah. Il y avait une couche de glace sur l'eau dans le pot à eau et les fenêtres étaient givrées. Quand Rose essaya d'allumer une bougie, le courant d'air l'éteignit.

— J'ai froid, gémit Sarah en frottant ses orteils devenus insensibles.

— Le travail ne tardera pas à vous réchauffer, répondit Rose en se frottant les dents avec un torchon devant la cuvette. Si nous nous mettons en retard le matin, nous serons ennuyées toute la journée. Alors, debout!

— Mes pieds sont gelés et mes jambes ne marchent pas, dit Sarah avec un grand bâillement.

— Oh si, elles marcheront, il le faut, répondit Rose.

Et elle commença à habiller Sarah comme si c'était une grande poupée frissonnante.

— Et quand vous serez habillée et descendue, que ferez-vous? demanda Rose.

Sarah se frotta les yeux.

— Je dois m'assurer qu'Emily a mis la cuisinière en route convenablement, de sorte que Mrs Bridges puisse commencer son travail, récita-t-elle comme un perroquet. Puis je mets le couvert du petit déjeuner dans l'office. Et puis il y a le plateau du matin de Lady Marjorie.

— Et ne laissez pas de marques collantes sur le pot à lait comme le faisait toujours l'autre fille, dit Rose, en enfilant sa robe et en commençant à la boutonner.

Sarah l'imita.

— Est-ce que l'autre fille dormait dans ce lit aussi, Rose?

— Oui.

— Est-ce qu'on l'appelait Sarah aussi?

— Kate.

— Oh! Qu'est-ce qui lui est arrivé?

— La curiosité est un vilain défaut, dit Rose brièvement. Qu'est-ce qu'il y a ensuite sur la liste?

— Il y a le petit déjeuner des domestiques. Je suppose que j'ai le droit de m'asseoir et de manger? dit Sarah qui se battait avec son col amidonné.

Rose vint à son secours.

— Après le petit déjeuner, assurez-vous qu'Emily ne s'est pas endormie en cirant les bottes, dit Rose. C'est un loir, cette fille. Si elle s'est endormie, dites-lemoi, pas à Mrs Bridges. Vous me trouverez à essuyer la poussière et à cirer dans le petit ou le grand salon. Ensuite ?

Sarah fut obligée de réfléchir.

— En haut, nettoyer les grilles et préparer et allumer les feux, dit-elle. Je regrette de ne pas être arrivée en été.

— Vous n'avez pas une mauvaise mémoire, je reconnais, dit Rose avec gentillesse tout en relevant ses cheveux, la bouche pleine d'épingles. Vous allez gratter les grilles en tâchant de ne pas faire plus de bruit qu'une souris et puis vous m'appellerez pour préparer le bain du maître. Vous monterez l'eau chaude; si la grande chaudière vous donne des ennuis, vous pouvez essayer la cuisinière ou la grande bouilloire.

La plomberie de la maison était moderne dans les années 1880 quand les Bellamy avaient emménagé, mais elle n'avait guère suivi son temps. Il y avait de l'eau froide à chaque étage et des salles de bains aux étages des grandes chambres à coucher; mais l'eau chaude devait être montée dans les grands pots de cuivre, une fois tirée de la chaudière du sous-sol.

— Après le bain, poursuivit Rose, vous m'aiderez à mettre la table du petit déjeuner en haut, puis il y a les bottes et les chaussures propres à monter; encore faut-il qu'Emily les ait faites, ce qui n'est pas souvent le cas. Puis il y a le journal du maître à repasser pour que Mr Hudson le monte — et aujourd'hui, c'est le jour où on change les draps et il faut se dépêcher parce qu'il faut que ce soit fait pendant qu'ils prennent leur petit déjeuner — et Lady Marjorie mange comme un oiseau et, bien sûr, il y a les serviettes à aérer.

— Je ne me rappellerai jamais, soupira Sarah en se laissant tomber sur une chaise.

— Il le faut, dit Rose d'un ton sec. De toute façon vous avez votre liste. Tenez.

Et elle la fourra dans la main de Sarah. Sarah l'étudia d'un air confondu.

— Vous la tenez à l'envers, dit Rose.

— C'est vrai, répondit Sarah l'air bizarre.

— Tst, renifla Rose. Regardez votre bonnet. Nous sommes déjà en retard.

Il n'était encore que 6 heures moins vingt.

Plus tard dans la matinée, Rose fit visiter la maison à Sarah. Derrière l'office des domestiques un passage menait à l'office personnel du maître d'hôtel où l'on rangeait l'argenterie et la verrerie; au delà, il y avait la chambre à coucher de Mr Hudson, et au bout du passage une mystérieuse porte sombre qui menait à la cave. Seuls le maître et Mr Hudson avaient les clefs de cette porte.

Il y avait un passe-plat entre l'office et l'immense cuisine où Mrs Bridges officiait, entre la longue et lourde cuisinière de fonte et l'épaisse table de bois blanche comme neige qu'Emily frottait tous les jours. Il y avait des étagères de porcelaine et un buffet de cuisine avec des casseroles et des plats en cuivre de toutes sortes et même une tortue en cuivre articulée pour servir la soupe; et tant de récipients qu'il était surprenant que la cuisinière elle-même sût ce qu'il y avait dans chacun d'entre eux.

L'arrière-cuisine où Emily trimait pendant des heures et des heures à faire la vaisselle donnait sur la cuisine près du monte-charge qui montait à une petite pièce de service donnant sur la salle à manger. Il y avait dans l'arrière-cuisine une vieille lessiveuse qui n'était utilisée qu'une fois tous les quinze jours quand les domestiques femmes avaient la permission de s'offrir le luxe d'un bain de siège devant le feu de l'office. Il y avait une prétendue salle de bains en haut mais seuls Miss Roberts, Mrs Bridges et Mr Hudson avaient le droit de s'en servir. Bizarrement, personne n'offrit une seule foi à Alfred la possibilité de se baigner, mais il ne s'en plaignit jamais, et même le nez sensible de Mr Hudson ne pouvait rien déceler de malencontreux provenant de cette privation.

Quand on passait la porte de feutrine verte, aux yeux de Sarah le monde entier semblait changer. Ici commençait le domaine de Lady Marjorie. Elle aimait les verts, les bruns et les gris doux et elle détestait l'excès d'encombrement. Dans la mesure où tant de meubles et de tableaux venaient de sa famille, l'ambiance dans la maison était plus XVIIIe siècle que victorienne. Les gens qui venaient rendre visite aux Bellamy copiaient souvent les idées de Lady Marjorie, de sorte que dans une certaine mesure elle contribua sans en avoir eu l'intention à créer le style edwardien.

Quand on entrait par la grand-porte, la salle à manger était à gauche et le petit salon juste devant, au fond du vestibule. L'escalier à droite menait en haut au grand salon qui occupait presque tout le premier étage.

Le grand salon était davantage dans le style français, crème et or. Sarah trouvait que cela rappelait plutôt une pièce de palais, ce qui était assez astucieux de sa part, car les fauteuils et le canapé étaient venus à l'origine de Fontainebleau et le grand paravent provenait du Palais d'Eté de Pékin. Rose expliqua que cette pièce n'était guère utilisée en hiver, sauf lors d'un grand dîner. Quand il y avait une réception, on ouvrait les doubles portes pour inclure une pièce sombre avec des vitraux qu'on appelait la salle de musique, parce qu'elle contenait le piano dont Miss Elizabeth se servait pour ses leçons.

Le second étage était celui des chambres à coucher principales; il contenait la chambre des Bellamy, le boudoir de Lady Marjorie, le cabinet de toilette de Mr Bellamy, une autre chambre, deux salles de bains côte à côte, pour la commodité de la plomberie, et un water-closet de proportions imposantes. Sarah n'avait rien vu de tel auparavant; l'occupant était assis sur un grand fauteuil d'acajou avec les côtés et le dos cannés, et le mécanisme hydraulique était mis en marche en soulevant une grande poignée en porcelaine décorée de roses, enfoncée dans l'encadrement bien ciré.

L'étage suivant s'appelait toujours celui de la nursery, mais les chambres d'enfants avaient été transformées en chambres à coucher pour Miss Elizabeth et Mr James, le fils des Bellamy qui avait vingt-deux ans et était officier dans les Life Guards en garnison à la caserne de Knightsbridge. Miss Roberts avait une chambre à cet étage et, de l'autre côté d'une porte au bout du palier, il y avait un placard pour les femmes de chambre et des armoires à linge. De là, l'escalier de service menait aux chambres des domestiques et aux greniers tout en haut de la maison.

Contrairement aux grandes maisons d'Eaton Square au sud, et de Belgrave Square au nord, les maisons plus petites d'Eaton Place n'avaient pas de place pour un escalier de service qui reliât le sous-sol au grenier. Et comme c'était considéré comme une grande honte pour les domestiques que d'être surpris dans l'escalier par l'un des Bellamy, ils jouaient en permanence à cache-cache. C'était même considéré comme un déshonneur d'être surpris en train de travailler en haut par un membre de la famille, et Rose expliqua qu'il convenait alors de quitter la pièce rapidement, ou de se pétrifier et de faire comme si l'on faisait partie du décor.

Sarah était en train de nettoyer le tapis de l'escalier dans le grand vestibule quand elle fut surprise exactement dans cette fâcheuse situation. Elle avait éparpillé des feuilles de thé sèches sur le tapis pour donner un arôme agréable, comme Rose le lui avait montré, et elle était en train de le brosser soigneusement quand elle entendit des voix venir d'en haut, et presque immédiatement une paire de chaussures bien cirées apparut, enfermées dans des guêtres grises avec des boutons en perle et surmontées d'un pantalon rayé également parfait. Elle se blottit contre la rampe quand elles la dépassèrent, suivies par les chaussures plus ordinaires de Mr Hudson. Sarah lança un regard oblique et eut un premier aperçu de son maître, homme grand, à l'air distingué, avec des cheveux grisonnants aux tempes, et qui portait une belle jaquette gorge-de-pigeon. Il discutait avec le maître d'hôtel pour savoir s'il fallait ou non envoyer son meilleur chapeau de soie au chapelier pour le faire repasser avant la réception à l'ambassade d'Allemagne.

Sarah se rappela que Mr Hudson était non seulement le maître d'hôtel, mais aussi le valet de chambre de Mr Bellamy, et il lui sembla que d'aussi vastes tâches devaient dépasser les possibilités d'un seul être humain.

Après le dîner d'en bas et le déjeuner d'en haut, une sorte de paix s'installait sur la maison pour quelques heures. Mrs Bridges montait dans sa chambre pour y faire la sieste. Emily persévérait dans sa vaisselle et les femmes de chambre s'installaient pour faire leur raccommodage. Quand le temps était clément, Mr Hudson faisait une promenade.

Avant de partir il aimait à s'arrêter un moment pour contempler Eaton Place. Il appréciait la perspective des rangées ordonnées de maisons en stuc blanc-crème, toutes pareilles, qui s'étendaient à l'est aussi loin que l'œil pouvait voir; par les jours ensoleillés, les façades brillantes des maisons du côté nord de la large rue paisible éclairaient d'un reflet de moire leurs pareilles moins favorisées, du côté sud. Mr Hudson était content que la maison des Bellamy fût du côté nord et il aimait à se dire que toutes les maisons étaient la propriété d'un noble grand et puissant.

Tous les jours il allait à Hyde Park, en s'accordant

exactement onze minutes de Eaton Place à Albert Gate. Une fois dans le parc, il passait quelques minutes à jouir du spectacle des voitures et des chevaux et de tous les gens dans leurs beaux atours.

Suivant que son humeur était paisible ou guerrière, Mr Hudson se tournait alors vers l'ouest ou vers l'est et marchait d'un pas vif. Vers l'ouest, son but était l'Albert Memorial, vers l'est, c'était la statue d'Achille.

De loin, l'Albert Memorial apparaissait au maître d'hôtel comme un grand arbre exotique de pierre, de bronze, de marbre et de mosaïques et, quand il arrivait plus près, la vue de l'immense prince paisible, entouré de la preuve sculptée du vaste Empire de sa Reine, donnait à Mr Hudson la plaisante assurance que c'était là en effet que se trouvait le centre même de la civilisation.

Si son humeur emmenait le maître d'hôtel dans l'autre sens, la statue de bronze d'Achille, érigée à High Park Corner en l'honneur de Wellington, ne manquait jamais d'éveiller dans son cœur des émotions ardentes et patriotiques. Il aimait particulièrement la partie de l'inscription qui disait : « Coulée avec les canons pris lors des victoires de Salamanque, Vittoria, Toulouse et Waterloo. » Un grand-oncle du côté de sa mère avait été tué à Waterloo et il en était fier.

Quand il avait plus de temps, pendant sa demi-journée de congé, Mr Hudson portait son intérêt vers le sport et le droit. Le terrain de cricket des Lords, l'été, pour regarder le grand Dr Grace ou Ranjitisinghi; le terrain du Foot-Ball Club de Falham pour voir ses héros se battre dans la boue. Mais à toutes les époques de l'année, les cours de justice étaient les lieux que Mr Hudson fréquentait le plus volontiers, non pas, comme il se hâtait de l'expliquer, pour regarder avec une curiosité morbide le visage des assassins, mais pour entendre les grands avocats plaider leurs causes.

S'il était né dans une situation sociale différente, il

aurait certainement pu devenir un grand avocat, mais tel ne devait pas être son destin. Le Seigneur en haut veillait à ce que chaque être humain fût placé à la naissance à un certain rang et, en ce qui concernait Mr Hudson, il n'y avait rien à ajouter.

Contrairement à la plupart des maîtres d'hôtel de Belgravia, Mr Hudson ne se rendait jamais dans les pubs du quartier qui étaient la contrepartie, pour les serviteurs, des clubs de St. James's street. Il considérait les potins et les bavardages, autour des chopes de bière, qui alimentaient principalement la conversation dans de tels endroits comme une grande cause de scandale dans la société.

Juste avant 4 heures, la maison commençait à se réveiller de nouveau. Emily était dans la cuisine, à montrer à Sarah comment préparer le plateau du thé de Lady Marjorie.

Tout était spécial dans le thé de Lady Marjorie. Le plateau, le napperon du plateau, la tasse en porcelaine de Chine spéciale transparente et même le thé qui venait de Chine dans une boîte émaillée et qui coûtait dans les grands magasins l'incroyable somme de trois shillings huit pence la livre.

— Que fait Lady Marjorie l'après-midi? demanda Sarah.

— La plupart du temps, elle fait des visites, ou bien elle se promène simplement en voiture, répondit Emily en soulevant le couvercle de la bouilloire qui refusait de bouillir. Pour faire passer le temps, je suppose, jusqu'à ce que Mr Bellamy revienne du Parlement. Cela ne me plairait pas.

— Oh, à moi si, dit Sarah. Me promener dans une belle voiture attelée d'une paire de solides chevaux, avec tout le monde qui me regarde!

Dehors dans la rue on entendit un bruit de sabots qui se rapprochaient puis s'arrêtèrent.

— Ce doit être elle qui revient, dit Emily, contente

que la bouilloire bouille enfin. Toujours ponctuelle. On pourrait régler une montre sur elle.

La sonnette du petit salon retentit. Emily versa l'eau bouillante dans la théière et dans le pot à eau chaude. Rose entra d'un pas vif, prit le plateau et le monta.

— Comment se débrouille la nouvelle domestique? demanda Lady Marjorie à Rose quand elle eut posé le plateau du thé.

— De façon assez satisfaisante, milady, répondit Rose sans enthousiasme.

— J'espère que vous vous occupez d'elle.

— Bien sûr, milady. Est-ce que ce sera tout, milady?

Mais ce ne fut pas tout à fait tout, car Lady Marjorie avait demandé à Sarah de raccommoder un coussin en tapisserie sans en informer la première femme de chambre.

— Elle a des doigts délicats et de jolis gestes précis, expliqua Lady Marjorie.

— Oui, milady.

Rose avait répondu d'un ton boudeur parce qu'elle sentait qu'il y avait une nouvelle favorite à la cour, et si c'était l'affaire de quelqu'un de raccommoder les coussins en tapisserie, c'était la sienne.

Emily et Sarah étaient assises près du feu à l'office en train de boire leur thé.

— Si j'étais riche, je ne lèverais jamais le petit doigt, sauf peut-être pour arranger une boucle, dit Sarah en tripotant une mèche imaginaire. Et j'aurais un tas de soupirants qui se presseraient à la sortie des artistes pour m'attendre, tous en noir et blanc comme des pingouins, avec des bouteilles de champagne cachées sous leurs beaux atours. Tout ça pour moi.

Emily fut choquée.

— Ce n'est pas convenable du tout, répondit-elle, en repliant ses pieds sur le barreau de sa chaise.

Vous savez comment sont les actrices. Si j'étais riche, j'aurais un petit cottage à la campagne et personne pour me crier après, et un tas d'enfants et je n'oublierais jamais leurs noms comme le faisait notre mère.

Rose entra, l'air pincé :

— C'est l'heure de bavarder, je vois. (Elle regarda Sarah :) Je croyais que vous étiez censée coudre le coussin de Lady Marjorie. J'espère que vous savez qu'il vaut des centaines de livres. (En disant cela elle se permettait une exagération pardonnable :) Le moins que vous puissiez faire est d'y travailler.

Sarah se pencha et sortit le coussin parfaitement raccommodé et enveloppé dans un morceau de tissu propre.

— Je vois, dit Rose affectant l'indifférence. En ce cas vous feriez mieux de le lui monter.

Quand elle vit le coussin, Lady Marjorie fut ravie et demanda à sa protégée où elle avait appris à si bien coudre.

— Dans un couvent, milady, reconnut Sarah.

— En France?

— Exactement, milady.

— Est-ce que les sœurs étaient gentilles avec vous?

— La plupart du temps, milady. Mais certaines fois elles m'habillaient d'une robe de grosse toile et m'enfermaient dans une cellule sombre pendant toute la journée, sans nourriture ni eau.

— Mais pourquoi?

— Pour m'apprendre à être reconnaissante.

— De quoi?

— De la grâce de Dieu, milady.

— Etrange manière sûrement de vous amener à la connaître.

— C'est ce que j'ai dit, milady. Alors j'y suis retournée.

Et Lady Marjorie rit, bien que ce ne fût pas le

genre de remarques que les secondes femmes de chambre étaient censées faire à leurs maîtresses et qu'elle soupçonnât fortement que le couvent français de Sarah était plus probablement une entreprise de confections de l'East End de Londres.

— Merci, Sarah, vous pouvez partir, dit-elle.

Sarah alla vers la porte.

— Sarah!

Lady Marjorie indiqua le plateau du thé que Sarah avait oublié d'emporter.

Sarah revint, prit le plateau délicatement et fit une révérence comme pour dire : « Je sais jouer aux charades comme les autres, milady. »

Très tôt le matin, quelques jours plus tard, Sarah descendit à la cuisine et trouva Emily dans un état affreux. Elle avait été terriblement effrayée dans la cave à charbon par un cafard avec des moustaches aussi longues que son bras et, par-dessus le marché, le feu dans la cuisinière refusait de marcher et fumait comme une pipe. Ce qui voulait dire que l'eau refusait de bouillir et qu'elle était en retard pour appeler Mrs Bridges et lui servir son thé.

Emily se précipita en haut, laissant Sarah se battre avec le feu récalcitrant, tandis que la sonnette de l'entrée de service retentissait. A la porte, Sarah trouva une étrange petite vieille portant un panier. L'heure semblait bizarre pour faire une visite et alors que Sarah essayait de découvrir ce que voulait la femme, Emily revint et la repoussa.

— Oh! c'est Matty... Elle va descendre, j'étais en retard pour l'appeler et elle est dans une colère folle. (Elle se tourna vers Sarah :) Vous devriez mettre le couvert pour le petit déjeuner des domestiques. Allez-y maintenant.

Il y avait quelque chose dans la manière d'Emily qui rendait Sarah à la fois soupçonneuse et curieuse. Quelques minutes plus tard, Mrs Bridges descendit l'escalier, en soufflant et grognant, et Emily lui chuchota quelque chose.

Sarah regarda par-derrière le rideau de l'office et vit Mrs Bridges prendre le panier de la vieille femme et disparaître dans le garde-manger.

Un instant plus tard elle était de retour, et quand la vieille femme souleva le morceau de tissu qui recouvrait le panier, Sarah y vit clairement un bol de graisse de rôti et un poulet bridé; elle vit aussi de l'argent s'échanger entre la vieille femme et Mrs Bridges.

Emily lui avait expliqué que la vente de graisse de rôti et de bouteilles était un des privilèges traditionnels de la cuisinière, mais elle n'avait pas parlé des poulets.

Ce soir-là les Bellamy sortirent dîner.

— C'est bien, quand ils sont sortis; toute la maison est à nous et il n'y a pas de sonnettes qui tintent, dit Emily.

Elle était assise à sa place habituelle près du feu, à lire un livre. Sarah errait à travers la pièce, incapable de se poser.

— Il y a une histoire là-dedans, juste comme la vôtre, poursuivit Emily. La princesse orpheline chassée par une méchante belle-mère.

— Comment cela finit-il? répondit Sarah distraitement.

Elle se sentait nerveuse et prisonnière.

Emily lui tendit le livre :

— Vous pouvez le lire si vous voulez.

— Je ne lis pas des bêtises pareilles.

Emily haussa tristement les épaules :

— Je suppose que vous avez reçu une bonne éducation dans votre château français, dit-elle. Personne ne m'a jamais rien appris. Tout le monde essaye de m'empêcher de grimper. Je ne suis bonne que pour faire la vaisselle et marcher sur des cafards.

Mais Sarah ne l'écoutait pas, elle mettait son manteau et son chapeau. Emily fut très surprise :

— Où allez-vous? demanda-t-elle.

— Je sors, dit Sarah d'un ton cassant. C'est mon côté bohémien, je ne peux pas supporter d'être enfermée.

— Est-ce que Mr Hudson sait que vous sortez?

— C'est seulement pour une minute.

Emily était sincèrement alarmée :

— Il faut lui demander la permission ou alors vous aurez des ennuis.

— Je ne vais rien demander à Mr Hudson et vous n'allez rien lui dire, n'est-ce pas?

Sarah regardait Emily d'un air menaçant.

— N'est-ce pas, Emily?

— Non.

— Alors, quand je reviendrai je vous lirai votre avenir.

Un sourire de plaisir plissa la drôle de figure d'Emily.

— Mais si vous dites à quiconque que je suis sortie, Emily, reprit Sarah en tendant ses mains devant le visage d'Emily, je vous maudirai et le sang se transformera en glace dans vos veines et vous mourrez avant la fin de la semaine dans des souffrances horribles.

Emily se laissa retomber, réellement terrorisée, et Sarah sortit de la pièce d'un pas vif, franchit la porte de derrière et monta l'escalier.

Pendant un long moment, Emily resta pelotonnée et immobile, comme si le sang s'était transformé en glace dans ses veines. Quand Rose arriva elle se hâta d'enfoncer son nez dans son livre.

— Vous allez vous abîmer les yeux, Emily, dit Rose en s'asseyant et en prenant son ouvrage.

— Quelle importance ça a-t-il? Je n'en aurai pas besoin beaucoup plus longtemps, répondit Emily d'une voix si tragique que Rose la regarda. Quand je res-

pire, j'ai une douleur, poursuivit Emily. Ce sont toujours les meilleurs qui s'en vont les premiers, dit-on,
et j'ai cette impression sur ma poitrine.

— J'aimerais que vous cessiez de lire ces bêtises,
fit Rose d'un ton sec.

— Ce ne sont pas des bêtises, Rose. Des choses
comme ça arrivent vraiment. (Elle respira profondément, de toute évidence en proie à une forte émo-
tion :) Je pense que Sarah est plus tragique et plus
romantique que tout ce qu'on trouve dans un livre.
Je donnerais ma vie pour elle, si on me le demandait.

— C'est vrai? dit Rose qui regarda autour d'elle
en se demandant ce qui se passait. Mais où est-elle
donc?

— Je ne sais pas, répondit Emily d'un ton dramatique. Je me tais.

— Qu'est-ce qu'il vous prend? dit Rose dont les
soupçons devenaient de plus en plus vifs.

La porte s'ouvrit toute grande et Mrs Bridges la
franchit.

— Allons bon! cria-t-elle d'un ton menaçant. Qui
est allé fouiller dans mon garde-manger? Où est
Mr Hudson? C'est une affaire qui regarde la police,
rien de moins. Mr Hudson!

Mr Hudson arriva, enfilant son veston.

— Vous m'avez appelé, Mrs Bridges, dit-il.

— Oui, en effet, Mr Hudson.

— Pourquoi cela, Mrs Bridges?

— Parce qu'un poulet vidé et bridé ne peut pas
marcher, Mr Hudson. Nous avons une voleuse parmi
nous. Un renard à deux pattes. Une voleuse de poulet. Et quand je trouverai qui c'est, je l'écorcherai
vivante, la misérable.

— Ou le misérable, dit Emily imprudemment.

Mr Hudson poussa un soupir; il était toujours dérangé par ces femelles hystériques au moment où il
s'était confortablement installé avec un des romans

de Sir Walter Scott et un verre de porto de la bonne année de Mr Bellamy.

— Depuis combien de temps cette volaille a-t-elle disparu? demanda-t-il à Mrs Bridges d'un ton résigné.

— Il n'y a pas une heure, Mr Hudson, je l'ai vue pour la dernière fois sur l'étagère de mon garde-manger.

— En ce cas, nous avons tout le personnel sous la main sauf Sarah, qui semble provisoirement absente, dit Mr Hudson, sachant qu'Alfred était en haut en train de ranger le petit salon.

Il ne se sentait toujours pas enclin à prendre Mrs Bridges trop au sérieux.

— Vous ne voleriez guère votre propre volaille pour vous en plaindre ensuite, dit-il avec un léger signe de tête en direction de la cuisinière. Nous savons que Rose ne le ferait pas et ne le pourrait pas. Et si Emily l'avait fait, poursuivit Mr Hudson dans la même veine, je parie qu'il y aurait des plumes autour de sa bouche.

— C'était une volaille plumée, Mr Hudson. (Mrs Bridges était indignée :) Pas une plume ne restait dessus. Même le duvet de derrière avait été flambé.

— Je parlais par métaphore, Mrs Bridges, dit Mr Hudson, plutôt chagriné que son trait d'esprit fût tombé dans des oreilles aussi sourdes. Je suis amené à la conclusion que la coupable n'est autre que Sarah, l'étrangère parmi nous. Pas une princesse bohémienne après tout, mais une voleuse ordinaire.

— Je le savais, dit Rose méchamment.

— Et que faut-il faire d'une créature si mons-trueuse? dit Mr Hudson d'un ton doctoral.

— C'est moi qui l'ai volé. C'est moi, pas elle, dit Emily d'un ton suppliant, mais personne ne l'écouta. On lui prêtait rarement attention.

— Toute cette histoire pour une volaille.

Mrs Bridges changea brusquement de ton, voyant que son affaire avec la vieille Matty risquait d'être découverte.

— C'est vous qui m'avez fait venir, Mrs Bridges, dit Mr Hudson qui n'ignorait rien des tractations illicites de Mrs Bridges.

— Peut-être qu'un rat est parti avec, suggéra Mrs Bridges sans conviction.

— Ou une équipe harnachée de cafards travailleurs, sans doute, dit Rose, craignant que Sarah ne puisse échapper au châtiment mérité par elle.

— Je le paierai sur mes économies, dit Emily.

— C'est une question de principe, mesdames, dit Mr Hudson, disposé maintenant à prendre l'affaire au sérieux. Un poulet aujourd'hui, des émeraudes demain, et tout le personnel soupçonné. Ce n'est pas après tout comme si Sarah avait des privilèges accordés à la cuisinière par la coutume et la simple humanité.

Cette concession diplomatique à la conscience de Mrs Bridges sembla lui redonner du cran.

— Quand elle reviendra, dit-elle, je l'écorcherai vivante.

— Si elle revient, dit Rose d'un ton significatif.

Emily eut un cri étouffé et quand les autres se retournèrent, ils virent Sarah passer devant la fenêtre.

Quand elle rentra dans la pièce, ce fut une scène de désordre indescriptible; Emily la suppliant de croire qu'elle ne l'avait pas trahie, Rose lui disant qu'elle était une menteuse et une catin qui courait les rues la nuit. Mr Hudson fut obligé de crier pour se faire entendre :

— Silence! rugit-il. (Il y eut un calme soudain :) Asseyez-vous, Sarah.

Sarah s'assit à la longue table.

Mr Hudson plaça une lampe à pétrole de manière à éclairer le visage de l'accusée.

— Nous avons des raisons de croire que vous avez volé un poulet dans le garde-manger de Mrs Bridges, dit-il regardant Sarah par-dessus ses lunettes. Que vous vous êtes glissée dehors dans la nuit pour vous défaire de votre butin et que vous êtes revenue avec vos bénéfices mal acquis cachés sur votre personne. Qu'avez-vous à dire pour votre défense?

Sarah regarda autour d'elle d'un air provocant.

— Si Mrs Bridges peut le faire, dit-elle très froidement, pourquoi diable pas moi?

Alfred, qui écoutait derrière le passe-plat dans la cuisine, faillit se trahir en éclatant de rire.

Mr Hudson se rendait compte maintenant qu'il avait une affaire sérieuse sur les bras. Dans le silence qui suivit la scandaleuse remarque de Sarah, il respira plusieurs fois à fond, prit fermement ses revers dans ses mains et s'efforça de donner à son visage l'expression grave qui convenait à la situation.

Pendant quinze bonnes minutes il décrivit les méfaits de Sarah dans un langage qui n'aurait pas déshonoré le président du Tribunal du Banc du Roi.

— Si nous allons chercher la police, expliqua-t-il enfin aux trois dames qui constituaient son jury, elle l'emmènera et l'enfermera loin des gens honnêtes jusqu'à ce qu'elle soit vieille et grise et ne puisse plus faire de mal à personne. Nous manquerons de personnel, bien sûr, et nous devrons supporter que Rose se plaigne, mais justice au moins aura été faite et nous pourrons alors tous avoir la paix.

Sarah se mit à sangloter :

— N'allez pas chercher la police, s'il vous plaît, s'il vous plaît, supplia-t-elle.

— Elle a rudement peur de la police, fit remarquer Rose. Chat échaudé craint l'eau froide que ça ne m'étonnerait pas.

— C'est une princesse bohémienne et elle mourra s'ils l'enferment, dit Emily prise d'une grande audace.

Mais personne ne l'entendit. Mr Hudson se détourna, secouant tristement la tête.

— Pauvre enfant, dit-il. On pourrait avoir pitié d'elle, je suppose. C'est une faible d'esprit sur le plan moral.

— Qu'est-ce que je vous ai fait? dit Sarah brusquement assez provocante.

— Vous faites semblant d'être quelque chose que vous n'êtes pas, fit Rose d'un ton sec. Vous vous prétendez meilleure que nous.

Dans ces deux phrases Rose avait formulé la véritable accusation qui était portée contre Sarah ce soir-là.

Ils regardaient tous Sarah qui leva la tête avec un sourire triste et suppliant.

— Pas meilleure, Rose, dit-elle. Mais peut-être plus intéressante. Cela égaie tout le monde, c'est juste pour s'amuser.

— Comment peut-on s'amuser à dire des mensonges? demanda Rose.

— Pas à dire des mensonges. A faire semblant, déclara Sarah.

— Vous ne pouvez pas échapper à ce que vous êtes, aucun de nous ne le peut, et être seconde femme de chambre, ce n'est pas si terrible.

— Je pense que ce serait merveilleux, dit Emily d'un ton rêveur.

— Dans une minute je me rappellerai que vous êtes ici et je vous enverrai au lit, l'avertit Mrs Bridges.

— S'il vous plaît, non, Mrs Bridges. Rien d'excitant ne m'arrive jamais. Pourquoi est-ce que je ne peux pas regarder la police l'emmener?

— Parce que la police ne viendra peut-être pas, Emily, dit Mr Hudson d'un ton calme. (Et il regarda Sarah :) Pas si Sarah choisit de confesser ses fautes.

Il se tourna vers Mrs Bridges et l'invita à commencer le contre-interrogatoire.

— Vous êtes une fille ignorante, commune et sans valeur, Sarah. Est-ce que vous le niez?

Sarah était abattue. Il y avait un silence terrible dans la pièce.

— Non, chuchota Sarah.

C'était le tour de Rose.

— Et une menteuse et une voleuse?

— Oui.

— Vous êtes une personne ordinaire, Sarah, c'était Mr Hudson. Comme nous tous.

— Oui.

— Et vous avez raconté des mensonges à Lady Marjorie. Vous avez menti pour entrer là où vous n'aviez pas le droit.

— Oui, Mr Hudson.

— Et vous n'avez pas de sang français et encore moins du sang noble.

— Non.

— Elle n'est pas une princesse bohémienne du tout, alors? s'écria Emily incapable de croire que son idole avait de tels pieds d'argile.

— Taisez-vous, voulez-vous? siffla Mrs Bridges.

— Et vous avez de la chance d'avoir trouvé ce foyer ici avec nous, poursuivit Mr Hudson méthodiquement.

— Oui, dit Sarah.

Et Mrs Bridges eut l'air presque contente.

— Très bien, dit Mr Hudson. Il n'y a pas besoin d'appeler la police.

— Merci, dit Sarah.

— Mais il faut tout dire en haut.

Rose n'avait pas l'intention que la nouvelle s'en tire indemne.

— Je ne veux pas que Lady Marjorie sache. J'aurais honte.

La voix de Sarah avait l'intonation de la vraie pénitente. Mr Hudson acquiesça.

— Elle n'est pas mauvaise au fond, vous voyez. Elle est capable de remords.

Le maître d'hôtel fronça les sourcils. Quelque chose dans la scène du procès manquait. L'idée lui vint que c'était l'acte rituel du pénitent. Il se tourna et prit la Bible sur la table près du feu. Il l'ouvrit très posément et la plaça cérémonieusement devant Sarah.

— Prenez cette Bible, Sarah, ordonna-t-il. Vous trouverez ici les Dix Commandements. Notez le Sixième : « Tu ne voleras point. » Répétez-le à vous-même.

— Faites-le lui copier comme à l'école, dit Mrs Bridges, inspirée par un lointain souvenir de jeunesse.

— Elle le copiera une douzaine de fois de sa meilleure écriture, Mrs Bridges, juste pour vous faire plaisir, dit Mr Hudson conciliant. Rose, allez chercher une plume et du papier.

Rose alla chercher les instruments nécessaires dans le tiroir de la table près de la fenêtre et les déposa soigneusement devant Sarah.

— Prenez la plume, dit Mr Hudson et écrivez pour Mrs Bridges : « Tu... ne... voleras point. »

Sarah prit la plume lentement et d'un geste gauche.

— Je ne peux pas, Mr Hudson.

— Ecrivez, ma fille. Mrs Bridges attend la preuve de votre repentir.

— S'il vous plaît, non, dit Sarah d'un ton suppliant, sincèrement alarmée.

— Quelle est cette nouvelle dépravation?

Mr Hudson s'exprimait presque comme un dieu. Ils attendirent tous.

— C'est juste... C'est juste que je ne peux pas écrire, Mr Hudson, je ne sais pas.

Et elle éclata en sanglots pitoyables.

— Vous ne savez pas écrire?

Rose flairait un autre mensonge.

— Pas même mon propre nom, Mr Hudson.

Sarah croyait à juste titre qu'elle obtiendrait plus de sympathie du maître d'hôtel.

— Est-ce qu'on ne vous a pas envoyée à l'école? s'enquit Rose.

— On avait besoin de moi à la maison.

— Est-ce que votre mère ne vous a pas appris?

— Je n'avais pas de mère. J'étais la mère de tout le monde depuis l'âge de cinq ans. Ils sont allés à l'école, je suis restée là et je tenais la maison.

C'était là quelque chose qu'ils pouvaient tous comprendre. Une vague de sympathie déferla sur Sarah.

— Pardon, ajouta-t-elle.

Remords, excuses, confession. Maintenant que la bataille était gagnée, Mr Hudson pensait qu'il pouvait se permettre d'être magnanime.

— Je ne pense pas qu'il soit nécessaire de leur parler en haut de ce malheureux incident, annonça-t-il. Un poulet, même un chat, un chien, qui sait? Ces choses arrivent même dans les maisons les mieux tenues.

Le sous-entendu était clair que cette maison en particulier était bien tenue.

Mr Hudson sourit, Mrs Bridges sourit, Rose elle-même sourit. Sur cette note satisfaisante, Sarah fut priée de monter se coucher.

Tandis qu'elle se glissait comme une souris dans le grand escalier, une vague silhouette émergea de l'ombre sur le demi-palier. Elle sursauta et étouffa un cri. C'était Alfred.

— Alors ils vous ont laissé aller, dit-il, sa longue figure en papier mâché près de la sienne. Il y a eu des ennuis en bas, des voix qui criaient...

— Oh! répondit Sarah très détachée en reprenant ses esprits. Ils ont un peu discutaillé. Un contretemps, pourrait-on dire.

— Ce sont tous des hypocrites, tous, répondit

Alfred d'une voix sombre. Copier le Sixième Commandement : « Tu ne voleras point. »

Il émit un son qui était une espèce de reniflement.

— Comment le savez-vous? Vous n'étiez pas là, rétorqua Sarah.

— Je sais tout ce qui se passe dans cette maison.

— Vous écoutiez par le trou de la serrure, n'est-ce pas?

Alfred lui saisit brusquement le bras et le serra très fort.

— Il y a de la bassesse et du péché en nous tous. De la saleté et de la dégradation, ajouta-t-il.

— Lâchez mon bras, Alfred.

Sarah était capable de se défendre quand il s'agissait de la plupart des hommes, mais elle n'en avait jamais rencontré un comme celui-ci. Elle était vraiment très inquiète.

— Craignez la concupiscence.

— Ça suffit. Laissez-moi monter me coucher.

Elle libéra son bras et passa devant Alfred pour monter l'escalier.

— Kate était pareille, dit Alfred d'une voix sombre.

Sarah s'arrêta :

— Qu'est-ce que Kate a fait?

Mais Alfred s'était éloigné et descendait dans le vestibule. Il psalmodiait tout seul : « Ne convoite pas ton voisin, car la colère du Seigneur te punira sûrement... »

Quelques minutes plus tard, Sarah était à l'abri sous les couvertures dans le vieux grand lit dur à boules de cuivre qu'elle partageait avec Rose. Quelle farce cela avait été! « Quelle est cette nouvelle dépravation? » se dit-elle en imitant exactement la voix de Mr Hudson, et elle rit. S'il avait pu voir sa propre figure. Pauvre Mr Hudson, pensa-t-elle, mou comme du fromage et facile comme tout à faire marcher. Et cet étrange Alfred. Elle ne l'aimerait pas dans son lit. Sarah frissonna et souhaita brusquement que Rose se dépêche de monter. Emily avait dit qu'Alfred avait juste un petit grain et qu'il n'y avait pas de mal en lui, mais Sarah n'en était pas tellement sûre. Et elle se posa des questions sur Kate et sur les appétits de la chair.

« Sans doute s'est-elle juste fanée, dit-elle à la pièce vide. Je la trouverai dans un coin toute desséchée comme un insecte mort. » Elle frissonna et se demanda brusquement combien de temps elle pourrait supporter d'être domestique avant qu'il n'y ait une rupture. La vie de Sarah semblait consister en une série de ruptures. Un prêtre dans une mission de East End lui avait dit un jour : « Vous êtes née pour les ennuis comme les étincelles volent vers le ciel. »

Sarah pensait souvent à elle-même comme à une étincelle volant vers le ciel, quand il y avait un feu dans la cheminée. Au bout d'un moment l'étincelle s'éteignait mais il y en avait toujours une autre qui suivait. Et alors qu'elle continuait à penser aux étincelles, elle s'endormit.

Deux étages en dessous, Lady Marjorie, revenue de son dîner, était en train de se faire déshabiller par Miss Roberts. Tandis qu'on lui mettait ses vêtements de nuit et qu'elle s'asseyait près de la coiffeuse pour se faire brosser les cheveux, Mr Bellamy frappa à la porte et, après en avoir reçu la permission, entra.

Il avait toujours sa chemise amidonnée, sa cravate blanche et son pantalon du soir. Quand il arriva auprès de sa femme, il tendit ses poignets pour qu'elle lui enlève ses boutons de manchette. C'était un rite qui s'était institué au cours des années.

— C'est étrange de revoir Archie Hislop à un dîner.

Et cette nouvelle femme! Mais je comprends pourquoi. Quels yeux elle a!

— Plus charmante que la première Mrs Hislop, je le reconnais, dit Lady Marjorie. C'était une femme très agaçante. Mais on ne peut guère excuser ce divorce. Ce n'était pas tellement étrange, Richard, mais surprenant.

Elle lui donna un bouton de manchette qu'il mit dans la poche de son gilet où Hudson le trouverait le matin.

— C'est un premier empiétement, continua Lady Marjorie. Bientôt nous aurons des couples divorcés partout et nous serons obligés de bavarder et de sourire comme si cela n'avait rien d'anormal.

Mr Bellamy sourit affectueusement :

— J'ai bien peur que dans une minute vous ne disiez : « Et la Vieille Reine à peine refroidie dans sa tombe. »

— C'est vrai. Je n'aime pas le changement. Une fois commencé, il va trop vite. Il devient non pas le progrès mais la désagrégation.

Et par progrès, Lady Marjorie voulait dire un pas en avant qu'elle-même et la classe à laquelle elle appartenait pouvaient contrôler.

— Bien parlé, comme une bonne Anglaise et une bonne épouse d'un homme politique tory, dit Mr Bellamy taquin.

Lady Marjorie lui tendit l'autre bouton de manchette :

— Allez me chercher un mouchoir propre, Roberts, dit-elle.

Elle prit la brosse à cheveux. Tous les articles sur la coiffeuse de Lady Marjorie étaient en argent et décorés d'anges gravés en relief.

Mr Bellamy s'assit dans la bergère :

— Je n'ose penser à demain, dit-il. Joe Chamberlain remet sur le tapis la réforme des tarifs douaniers.

Lady Marjorie avait vécu toute sa vie dans l'air capiteux de la politique et aimait à en parler.

— Le Premier ministre devrait être plus ferme avec lui. Mon père ne l'aurait jamais supporté, dit-elle.

Son père, Lord Southwold, avait souvent occupé des postes élevés et avait même failli être Premier ministre si les Conservateurs avaient gagné les élections de 1885.

— Votre père, dit Mr Bellamy en souriant, aurait dirigé l'Angleterre tout seul s'il l'avait pu.

— Il connaissait la valeur de la fermeté et de la résolution.

— Et vous êtes la fille de votre père.

— Je l'espère, dit Lady Marjorie. Vous pouvez aller vous coucher, Roberts.

— Oui, milady, dit Miss Roberts.

Miss Roberts n'aimait pas ces moments intimes du coucher entre le mari et la femme; ils diminuaient en quelque sorte sa propre autorité.

— N'encombrez pas de soucis votre jolie tête, poursuivit Mr Bellamy. Ce sont des affaires d'hommes.

— Pourquoi ne m'en inquiéterais-je pas? Je n'ai guère autre chose à mettre dans ma tête.

— Mais vous en faites tellement!

— Qu'est-ce que je fais?

C'était le sujet de récrimination favori de Lady Marjorie. Elle aurait aimé être un grand proconsul ou un ministre. Elle avait eu la malchance d'être née femme dans un monde d'hommes.

Elle se rappelait un jour d'hiver à Southwold, quand elle était encore petite fille; les hommes étaient tous partis chasser et on l'avait laissée à la maison. Elle était allée dans un endroit secret derrière la serre et avait pleuré à s'user les yeux à la terrible révélation qu'elle ne serait jamais comte.

— Vous dirigez la maison de manière parfaite, fit remarquer son mari d'un ton réconfortant.

— Ce sont les domestiques qui le font à leur manière. Certaines choses se passent dont je ne sais rien, dit Lady Marjorie refusant d'être consolée.

Elle avait senti qu'il y avait eu un drame à l'office, d'après le comportement d'Alfred quand ils étaient revenus du dîner et elle se demandait si cela concernait Sarah. Maintenant, elle avait grande envie de parler à son mari de la nouvelle femme de chambre. Mais elle dit seulement :

— Je suis assez fatiguée.

— Pourquoi ne prenez-vous pas un peu de lait chaud avant d'aller au lit? dit Mr Bellamy qui se dirigea vers le cordon de sonnette.

— Non, ne sonnez pas. (Lady Marjorie leva la main :) Tout le monde s'inquiète trop de moi. Je n'aime pas la pensée de sonnettes carillonnant tard dans des couloirs sombres. Un jour, vous savez, si les choses continuent comme cela, on pourra sonner et resonner, personne ne viendra jamais. Il n'y aura personne. Seulement les cuisines vides et les vieilles feuilles voltigeant dans les couloirs et personne pour les balayer.

Mr Bellamy comprenait cette humeur. Il se leva et embrassa doucement sa femme.

— Restez au lit demain matin, ma chérie, dit-il. Je vais dormir dans mon cabinet de toilette pour ne pas vous déranger. Bonne nuit.

Lady Marjorie lui sourit avec reconnaissance. On n'aurait pu trouver mari plus gentil ou plus prévenant dans tout Londres. Elle avait vraiment beaucoup de chance.

3

Pendant les semaines qui suivirent, Sarah s'installa dans la vie mieux que Mr Hudson ou Rose ne l'aurait espéré. Parce qu'elle était encore intéressée et amusée, elle faisait son travail vraiment bien et elle apportait à l'office un élément de gaieté qui y avait manqué auparavant.

Les domestiques des grandes maisons de Londres étaient pour la plupart des gens tristes et solitaires. Ils n'étaient jamais capables de mener une vie normale. En effet, quoique nourris, vêtus et généralement mieux soignés que les classes les plus pauvres, on s'attendait en retour à ce qu'ils acceptent des conditions proches de l'esclavage.

Une domestique ne pouvait espérer se marier avant un âge avancé, en admettant que cela arrive : aucune maîtresse ne voulait d'une femme mariée comme domestique. De plus, leur maigre salaire et leurs perspectives limitées faisaient des domestiques les moins acceptables des femmes. Aux yeux du mâle rapace qui chassait à Hyde Park, elles n'étaient bonnes qu'à une seule chose, rien d'autre.

Même quand des domestiques devenaient amis à

l'intérieur d'une maison, ils ne pouvaient jamais obtenir leurs jours de congé ensemble, de sorte que le plus souvent, les quelques heures de liberté de la semaine qu'ils attendaient avec tant d'impatience consistaient en une promenade solitaire dans les rues à regarder les vitrines, suivie d'un repas non moins solitaire dans un salon de thé.

Emily, qui était désespérément timide de nature et terrifiée devant les étrangers, avait été prévenue par son curé que Londres était une ville mauvaise, adonnée au péché, pire que Sodome et Gomorrhe, de sorte qu'elle s'aventurait rarement au delà de la boîte à lettres de la grille et de la papeterie de Pont Street. Emily passait ses demi-journées de congé au lit, à dormir comme un loir; elle mettait une moitié de son maigre salaire de côté pour acheter un billet afin d'aller rejoindre son frère à New York et gardait l'autre moitié pour l'église.

L'arrivée de Sarah changea la vie de Rose plus qu'elle ne s'en rendit compte sur le moment. Parce qu'elle aussi était repliée sur elle-même et sensible, elle s'était habituée à être sur la défensive et s'était fait peu d'amis. Sarah fit rire Rose et la fit jouer à des jeux stupides comme les cartes et les jonchets auxquels elle n'avait pas joué depuis qu'elle était petite fille et elle restait avec plaisir assise à écouter pendant des heures les histoires interminables de Sarah, fabriquées selon sa méthode particulière qui mélangeait les faits et la fiction.

Tous les jours, Rose donnait à Sarah une courte leçon de lecture et d'écriture. Rose écrivait la leçon d'abord, de sa belle écriture moulée sur du papier réglé, laissant chaque fois une ligne en blanc pour que Sarah la remplisse.

Un soir, Sarah fronçait les sourcils devant une leçon particulièrement compliquée que Rose avait inscrite dans son cahier.

« Pour nettoyer le marbre, lisait-on, mélangez avec un quart de pinte de restes de savon la moitié d'une once de térébenthine, suffisamment de blanc de terre et de vésicule de bœuf pour faire du tout une pâte assez épaisse... »

Sarah s'escrimait à recopier quand la plume éclaboussa toute la page.

— Oh! Rose, soupira-t-elle, cette plume ne m'aime pas! (Elle la posa et se trémoussa sur sa chaise.) D'ailleurs, qui a besoin de savoir comment nettoyer le marbre?

— Qui a voulu apprendre à écrire? dit Rose d'un ton fâché en levant les yeux de sa couture. De toute manière, attendez le grand nettoyage de printemps, il y aura beaucoup à nettoyer — y compris du marbre.

— Jadis, je rêvais de toutes sortes d'avenirs, dit Sarah tristement. Je ne peux vraiment pas arriver à comprendre pourquoi j'ai choisi le service.

— Bien sûr, répondit Rose. C'est très bien. Vous savez où vous en êtes et ce qui arrivera après. C'est le monde extérieur qui est dangereux. (Elle réfléchit un moment :) Ou peut-être en a-t-il seulement l'air parce que nous sommes ignorantes.

— Il y a tant de choses que j'ai envie de faire et d'être, Rose, dit Sarah impatiemment, et le temps passe si vite.

— Vous devez apprendre à accepter.

— Comme vous?

— Oui.

Sarah regarda Rose assise calmement à son travail.

— Est-ce qu'il ne vous arrive jamais... jamais, de penser à des choses de l'extérieur, Rose? demanda-t-elle.

— Si, bien sûr. J'ai été sur le point de me marier une fois.

Sarah fut brusquement intéressée.

— Qui était-il, Rose? demanda-t-elle.

— Il s'appelait Eddie. Il était second jardinier à Southwold. (Rose leva les yeux, comme pour se souvenir :) Il était rudement beau. Quand la guerre a éclaté en Afrique, il est allé dans la cavalerie, comme ils l'ont fait tous, parce que son maître le voulait. Bien sûr, il s'est fait tuer et on lui a donné une médaille — pauvre idiot.

— Je trouve que c'est très triste, dit Sarah.

— Je l'ai accepté maintenant, dit Rose bravement.

Il est triste aussi de rapporter que, bien que Rose reprochât toujours à Sarah de broder la vérité, son idylle avec Eddie était en grande partie de sa propre invention.

Il est vrai qu'Eddie Graves et Rose Barton s'étaient connus pendant de nombreuses années; il aurait pu difficilement en être autrement, étant donné qu'ils étaient nés à cinquante mètres l'un de l'autre et qu'ils étaient assis sur le même banc à l'école du village. Il est vrai aussi qu'ils faisaient de temps en temps des promenades ensemble le dimanche après-midi. Mais durant toutes les heures passées en compagnie l'un de l'autre, Eddie n'avait jamais essayé d'embrasser Rose, encore moins de mettre sur le tapis le sujet du mariage. Et il était par contre bien connu dans le village que ce qui s'était passé entre Eddie et Daisy Newton dépassait de beaucoup les simples baisers.

— Pourquoi vous êtes-vous fait engager comme domestique, alors? demanda Sarah à Rose.

Rose pinça les lèvres et leva les yeux de son travail.

— Quand j'étais petite, j'habitais un cottage à Southwold; une voiture passait devant notre porte tous les jeudis pour se rendre au marché. La Lady et le gentleman qui roulaient dedans avaient été maître d'hôtel et gouvernante dans une grande famille près d'ici. Ma mère me fit engager pour que moi aussi je roule un jour dans une voiture. Drôle d'espoir. Je regrette quelquefois que cette voiture ne soit pas allée au marché par un autre chemin.

Jamais Rose n'alla jusqu'à vraiment reconnaître qu'elle n'était pas tout à fait heureuse de son sort.

L'affaire du portrait de Lady Marjorie grondait autour de la famille depuis l'année précédente comme un orage d'été. Richard Bellamy avait eu l'idée d'offrir ce portrait en cadeau à sa femme pour leurs noces d'argent et Lady Marjorie en avait été ravie, mais elle avait été incapable de choisir le peintre.

Comme beaucoup de gens intelligents et sensibles, Richard Bellamy ne s'y connaissait pas plus en peinture qu'en musique et sur ces deux sujets, il laissait toutes les décisions à sa femme qui adorait la musique, particulièrement l'opéra, jouait du piano avec un brillant presque indigne d'une lady et s'était toujours beaucoup intéressée à la peinture.

Bien sûr, tout le monde avait suggéré Mr Sargent, mais Lady Marjorie n'aimait pas son style; elle le trouvait superficiel et facile et le fait même qu'il fût tellement à la mode le lui faisait éliminer tout autant que le fait qu'il peignait tant d'actrices et de juifs.

Au début de l'année 1903, Richard Bellamy avait été nommé Secrétaire d'Etat dans le gouvernement conservateur de Mr Balfour, un poste qu'il occupait avec calme et efficacité, bien que les Libéraux eussent critiqué sa nomination comme étant un des exemples les plus criants du népotisme tory depuis le XVIIIe siècle.

Dans le sillage de la triomphante conquête de Paris par le roi Edouard VII, les Bellamy y allèrent au début de 1904 pour une tournée de conférences et de réceptions qui devaient cimenter encore l'Entente cordiale. Ce fut à une de ces réceptions qu'ils rencontrèrent Guthrie Scone.

Scone était un jeune aristocrate écossais, cousin de Lord Abercraven, beau, dans un genre plutôt bohémien, qui avait une facture personnelle et se faisait une assez jolie réputation de peintre, car il avait travaillé à la fois dans les ateliers de Lautrec et de Whistler. Lady Marjorie et Scone se plurent immédiatement et, comme il venait à Londres dans son atelier de Chelsea pendant quelques mois au printemps, il fut convenu, pour la commodité de tous, que le peintre entreprendrait le portrait durant ce temps.

Un jour du début de mars, Scone arriva à Eaton Place pour faire quelques esquisses préliminaires et préparer sa composition. Il aima beaucoup le paravent chinois du Palais d'Eté et il fit asseoir Lady Marjorie devant sur une vieille chaise vénitienne près de la fenêtre. Puis il se mit à travailler, à dessiner et à parler à toute allure.

— Vous avez de très belles mains, fit-il remarquer à un moment. Sargent les aurait faites en cire, brillantes et moulées. J'en ferai des morceaux de brume, mais avec l'ossature suggérée par-dessous.

C'était une belle soirée et le soleil d'hiver transformait les cheveux de Lady Marjorie en un feu rougeoyant.

— C'est votre heure, dit Scone. Ces quelques précieuses minutes où la nature semble reverser les couleurs qu'elle a absorbées durant la journée, où un mur de brique rouge palpite comme une braise sur laquelle on a soufflé et où il y a une auréole de lumière autour de chaque brindille comme une vibration.

Bien que Lady Marjorie le taquinât en l'accusant d'être plus poète que peintre, elle prenait plutôt plaisir à la douce flatterie de Scone et à son langage coloré.

Le peintre était encore au travail quand le maître de maison revint de la Chambre des communes. C'était plus à dessein que par hasard, car par une amère expérience Scone savait que c'était une partie essentielle du travail du portraitiste que de s'assurer que la personne qui payait était satisfaite.

Mr Bellamy, voyant le sourire heureux de sa femme, fut content de tout ce que Scone suggéra et l'on se mit d'accord immédiatement, de la manière la plus civilisée, sur le dessin, la taille et même le prix. Scone se montra ferme sur un seul point; il insista pour être le seul arbitre de la robe que son modèle porterait pour le tableau.

Ce fut ainsi que le lendemain Sarah pénétra dans l'atelier de Scone, vacillant sous le poids d'un panier plein de robes de Lady Marjorie qu'elle déposa près de la porte.

Elle fut impressionnée par la taille de l'atelier. La moitié du plafond semblait consister en une grande fenêtre d'angle qui éclairait une masse de gravures, de sculptures, de tapis brillamment colorés et de rideaux. Il y avait des toiles à moitié terminées, d'étranges figures de bronze soutenant des lampes et du bric-à-brac partout. Sarah n'avait jamais vu un tel désordre, comme elle le confia par la suite à Rose; il aurait fallu une semaine à une douzaine de femmes de chambre pour mettre la pièce en ordre.

Scone était allongé sur une chaise longue et ne fit aucun effort pour bouger.

— Je viens de chez Lady Marjorie Bellamy, expliqua Sarah. (Et elle ajouta :) « Sir », comme à la réflexion.

— Mettez ça ici, ordonna Scone brusquement, désignant un grand coffre de mariage italien.

Quand Sarah eut fait ce qu'on lui avait dit, Scone se leva.

— Maintenant ouvrez-le, dit-il.

Sarah ouvrit le panier.

— Très bien, présentez-les, ma fille, lança le peintre, impatient devant la stupidité de Sarah.

Sarah sortit une robe et la montra au peintre. Le
seul commentaire fut :

— On dirait un chiffon à poussière. Comment vous
appelez-vous?

— Sarah... euh... Sir.

— Vous pouvez laisser tomber le « sir » avec moi.
De toute manière vous n'aimez pas le dire.

Sarah redressa la tête.

— Comment savez-vous que je n'aime pas le dire?

— La suivante.

Sarah tint la robe suivante contre elle.

— La naïve laitière, dit Scone. Je savais qu'il y en
aurait une comme ça. Elles ne comprendront jamais
que passé quarante ans, elles ne peuvent plus se permettre ce style-là.

— Quand même, dit Sarah, indignée devant l'affront qu'on faisait à sa maîtresse. Elle est tellement
jolie pour son âge.

C'était peut-être le fait qu'elle n'était pas en uniforme ou que l'oreille toujours tendue de Mr Hudson
n'était pas à côté d'elle, mais loin d'Eaton Place,
l'accent de Sarah se détériorait tristement.

— Mais un tyran par en dessous, je parie. Elle vous
traite comme de la crotte, huit livres par an, un lit
dans un sous-sol et quelques heures de congé le dimanche.

— Non, monsieur, vous vous trompez. Je suis libre
tous les mercredis après-midi et je touche deux fois
ce que vous dites et j'ai une jolie chambre au grenier
que je partage avec Rose.

— Qui est Rose?

— C'est mon amie. Un jour quand nous aurons gagné beaucoup d'argent, nous achèterons une pension
de famille à Brighton.

La révélation de l'ultime ambition de Sarah fit secouer tristement la tête à Scone.

— La suivante, lui dit-il.

— Vous devriez l'aimer, remarqua Sarah. C'est la dernière.

Scone la regarda, puis regarda Sarah. La prenant par les épaules, il la tourna pour qu'elle se vît dans le grand miroir.

— Et vous enterreriez toute cette beauté dans une pension de famille à Brighton?

Sarah ne savait que penser de cet étrange peintre. Est-ce qu'il se moquait d'elle ou est-ce qu'il était sérieux?

— J'aime beaucoup Brighton, répondit-elle. Tous ces grands bals dans le Pavillon et de beaux gentlemen pour vous conduire dans l'eau de votre machine à bain et puis peut-être une promenade le long du front de mer et peut-être une promenade en automobile.

— Vous n'êtes jamais allée à Brighton.

Sarah renifla.

— J'ai été à Southend. Les stations balnéaires sont toutes les mêmes.

Après cette déclaration finale sur le sujet, Scone dit à Sarah de plier la robe et d'informer sa maîtresse que c'était celle qu'elle devrait porter pour le portrait.

Le mardi suivant après le dîner, Sarah fit irruption dans la chambre du grenier dans un état de grande excitation tandis que Rose mettait son bonnet et son tablier d'après-midi.

— J'ai reçu une lettre, dit-elle haletante. Quelqu'un l'a poussée sous la porte de service. Elle dit : « Sarah. Par porteur. » Je ne sais pas lire ça toute seule.

Elle tendit la lettre à Rose qui la regarda froidement.

— Lisez-la-moi, Rose, supplia Sarah.

— Lisez-la vous-même, répondit Rose.

— Je ne sais pas.

— Vous savez, persévérez.

— Je ne sais pas. C'est une écriture illisible. S'il vous plaît, Rose.

— Allons, venez et changez-vous ou vous serez en retard en bas, dit Rose, pratique, mais elle prit la lettre et la regarda.

— Qu'est-ce qu'elle dit? demanda Sarah très excitée.

Rose renifla, écœurée de ce qu'elle lisait.

— Si c'est une de vos plaisanteries, menaça-t-elle. A qui l'avez-vous fait écrire pour vous? La même personne qui a écrit vos références en français, je suppose.

Elle replia la lettre, prête à la déchirer.

— Ne faites pas ça, cria Sarah. Ce n'était pas comme ça. Je vous le jure sur Dieu, Rose. Lisez-la, s'il vous plaît.

Rose commença à lire la lettre d'une voix terne et monotone.

« Divine Sarah, lut-elle. Un taxi vous attendra au bout d'Eaton Place, là où la rue rejoint Lyall Street, mercredi à 2 heures et demie. Il vous amènera à moi. Ne posez pas de questions. »

Sarah était excitée :

— De qui est-ce?

— Un admirateur, répondit Rose, mettant un monde de sarcasmes dans ces deux mots.

— Où est-ce que ça dit ça? demanda Sarah.

— Là, dit Rose en désignant le bas de la page.

Sarah prit la lettre et la tint près de ses yeux.

— Ad... mira... teur, épela-t-elle et elle mit le papier contre sa joue.

Rose se détourna vers la glace, écœurée par ce spectacle.

— Et vous vous attendez à ce que je le croie? demanda-t-elle.

— Pourquoi n'aurai-je pas un admirateur? demanda Sarah.

— Qui est-ce alors?

Lady Marjorie aurait reconnu le style de la lettre et Sarah elle-même avait une assez juste idée de son auteur, mais elle n'allait pas le dire à Rose. Pas encore.

— Oh! répondit-elle vaguement, quelqu'un qui m'a vue dans le parc ou ailleurs.

— Mais il connaît votre nom, n'est-ce pas?

Sarah serra ses épaules entre ses bras :

— Divine Sarah! s'exclama-t-elle.

— Il se moque de vous, c'est tout, dit Rose. La « divine Sarah » c'est une actrice. Française.

— Je ne vais pas en dormir de la nuit.

— Vous n'allez pas y aller? fit Rose, réellement choquée.

— Bien sûr que j'irai.

— Les gentlemen ne donnent pas de rendez-vous galants aux femmes de chambre pour le plaisir de leur conversation, dit Rose d'un ton sec.

— Un rendez-vous galant. Ça a l'air tellement romantique.

Sarah prit un air rêveur. Rose ajusta son bonnet :

— Ce n'est pas tellement romantique quand on est renvoyée, déshonorée et qu'il ne se marie pas avec vous. Ils ne le font jamais. Quand tout est fini on est rejetée comme une poupée de chiffon mangée par les mites.

— Comme Kate? demanda Sarah.

— Comme Kate. Elle allait avec des officiers de la garde dans le parc et elle a attrapé la manie des tuniques écarlates. Et c'en a été fini d'elle.

Sarah s'assit sur le lit.

— Quelquefois les filles ne reviennent pas du tout, poursuivit Rose pour bien insister. Elles finissent sur une plaque de marbre à la morgue.

— Ne dites pas ça, ça me fait... ça me donne la chair de poule.

Sarah frissonna.

— Alors, dit Rose prête à partir, je ne comprends pas comment vous pouvez même supporter la pensée de quelqu'un qui vous tripote.

— C'est seulement vous qui dites qu'il le fera, Rose. Si c'est un gentleman...

Rose l'interrompit :

— Si c'est un gentleman, il vous tripotera. Maintenant venez, sinon nous serons en retard en bas.

Néanmoins, le lendemain, quand Sarah partit pour son rendez-vous, elle était sur ses gardes pour le cas où le peintre commencerait à devenir effronté avec elle. Elle était malheureuse que son vieux manteau et sa jupe fussent si râpés et dépensa quatre pence à acheter une rose artificielle pour égayer son chapeau.

Quand elle arriva à l'atelier, Mr Scone la traita très cérémonieusement, ce qui apaisa ses soupçons, mais ils furent immédiatement ranimés par la vue d'un grand lit au milieu de la pièce, qui n'était certainement pas là au cours de sa visite précédente.

— Tiens. Ça sert à quoi? s'enquit-elle d'un ton soupçonneux.

— Oh! pour les modèles... qui posent. Quelquefois je dors là moi-même.

— Vous m'en direz tant!

Scone ouvrit une bouteille de champagne avec un bruit sec qui fit sursauter Sarah. Il lui en offrit un verre et leva le sien pour porter un toast.

— A la divine Sarah, dit-il. J'ai une proposition à vous faire.

— Je suis navrée. Je n'accepte de propositions que des gentlemen, répondit Sarah avec hauteur.

L'effet fut quelque peu compromis car elle s'étrangla avec le champagne.

— Et comment savez-vous que je ne suis pas un gentleman? demanda Scone, déconcerté.

— Vous êtes un peintre.

— Je suis le cousin d'un comte.

Sarah pensa à l'avertissement de Rose. Comme ce serait ridicule si, de tous les peintres du monde, celui qu'elle avait devant elle se révélait être un gentleman.

— Prouvez-le, dit Sarah.

— Je n'en ferai rien. Finissez votre champagne et j'appellerai un taxi pour vous ramener à la maison chez Rose.

Sarah se rendit compte qu'elle était allée trop loin. Elle lui sourit et fit un clin d'œil par-dessus son verre comme si tout cela n'avait été qu'une plaisanterie.

— Rose a dit que si par hasard vous étiez un gentleman, je ne devrais pas avoir confiance en vous, dit-elle d'un ton engageant.

— Rose est une fille sage, répondit Scone. Maintenant, revenons à ma proposition.

Sarah fut aussitôt de nouveau sur ses gardes :

— Bon, dit-elle, bien, qu'est-ce que c'est que cette proposition?

— Je veux faire votre portrait, dit Scone simplement.

Sur le moment, comme le dit Sarah plus tard à Rose, elle fut stupéfaite.

— Faire mon portrait? s'exclama-t-elle. Comme celui de Lady Marjorie?

Scone acquiesça. Cela parut louche à Sarah.

— Pourquoi?

— Votre visage m'intéresse.

— Mon visage! (Sarah leva ses mains vers son visage :) Je dois dire... (une nouvelle pensée la frappa :) je ne peux pas payer, vous savez.

— Cela ne vous coûtera pas un sou.

Sarah regarda Scone et le lit, essayant de prendre une décision.

— Bon, très bien, dit-elle enfin, au moins il fait chaud ici.

Scone entra en action.

— Mettez-vous sur le lit, ordonna-t-il.

Et, avant que Sarah ait eu le temps de protester, il la souleva et la déposa sur le lit, enlevant sa jaquette et son chapeau comme un prestidigitateur.

— Hé! qu'est-ce qui vous prend? dit Sarah un peu hors d'haleine, tandis que Scone défaisait les épingles de ses cheveux.

— C'est comme ça que je veux vous peindre, au lit, votre frêle visage blanc contre les ombres.

— C'est que je ne sais pas...

— Enlevez votre corsage.

Comme Sarah hésitait à obéir, Scone déboutonna son corsage et le lui enleva en un rien de temps.

— Voilà qui est mieux, dit-il.

— Ecoutez-moi. Je ne suis pas grand-chose...

— Cessez de parler, divine Sarah, et restez tranquille.

Sarah se souleva sur un bras.

— J'ai dit tranquille! rugit Scone.

Sarah baissa son bras, décidant de prendre la pose et d'être belle.

Pendant les quelques semaines qui suivirent, Lady Marjorie Bellamy vint dans l'atelier de Scone tous les vendredis matin et sa seconde femme de chambre tous les mercredis après-midi. Quand Lady Marjorie posait pour lui, la plupart du temps, c'était Scone qui parlait mais quand c'était le tour de Sarah c'était elle qui bavardait, racontant à Scone tous les détails stupides de sa vie à Eaton Place. Tandis que Lady Marjorie avait le droit de voir son portrait et de faire des commentaires, Scone ne permit jamais à

Sarah de jeter, ne fut-ce qu'un regard, sur la toile qu'il était en train de peindre.

Un soir, alors que la lumière avait presque disparu, Scone permit à Sarah de relâcher sa pose.

— De quelle couleur sont les cheveux de Rose? demanda-t-il.

— Ça, c'est une drôle de question, répondit Sarah. Couleur souris, en plus foncé. Elle me parle à peine ces jours-ci. Elle n'aime pas que je vienne ici.

— Jalouse?

— Oh! vous croyez? répondit Sarah. (Elle n'y avait pas pensé auparavant et cela lui faisait assez plaisir :) Elle n'a toujours pas confiance en vous, ajouta-t-elle.

— Les gens comme Rose n'ont jamais confiance en personne, répondit Scone en commençant à nettoyer ses pinceaux.

Sarah se retourna sur le lit pour lui faire face.

— Rose dit, commença-t-elle posément, Rose dit que si vous étiez honnête vous me payeriez.

Scone rit.

— Vous croyez que je le devrais?

— Les modèles se font payer, n'est-ce pas?

— Les prostituées aussi.

— Dites donc...

Sarah était indignée.

— Combien croyez-vous que vous valez? lui demanda Scone.

— Gardez votre argent — je ne suis pas comme ça, répondit Sarah vexée.

Scone se leva et rangea la toile face au mur.

— Rose a raison, dit-il. Je devrais vous rémunérer. Qu'est-ce que les filles aiment?

— Vous devez le savoir, répondit Sarah d'un ton entendu. Qu'est-ce que les filles françaises aiment?

— Qu'est-ce que les filles anglaises aiment? Il va falloir que vous m'aidiez. Qu'est-ce que ce sera?

— N'importe quoi?

— Dans des limites raisonnables.

— Le Bioscope alors, dit Sarah pleine d'audace.

— Le Bioscope?

Scone avait l'air ahuri.

— Le Bioscope quotidien à Bishopsgate. C'est dans des limites raisonnables, supplia-t-elle.

Scone parut choqué.

— Les images qui bougent sont l'ennemi de l'art créateur et des artistes, lui expliqua-t-il gravement. (Et il continua à parler des effets terribles que la photographie avait sur l'imagination artistique, s'enflammant à mesure qu'il parlait.) Nous serons bientôt si écœurés par ces images qui singent les photographies que nous ne serons plus capables de peindre un être humain, lui dit-il avec rage. Et ce sera votre faute, avec votre besoin enfantin de vérité.

Il braqua ses pinceaux vers elle d'un air accusateur.

— Ce n'est pas ma faute, dit Sarah avec indignation.

— Habillez-vous, répondit Scone.

— Nous pouvons y aller, alors?

Il y avait de l'espoir dans sa voix. Scone leva les mains :

— Qui suis-je, s'exclama-t-il, pour retenir la marche de la civilisation? Au Bioscope!

Le Bioscope était plus merveilleux que tout ce que Sarah aurait pu imaginer. Il y avait un film sur un train qui tombait dans une embuscade de Peaux-Rouges quelque part en Amérique et, quand tout semblait perdu, les Indiens étaient chassés par une poignée de courageux cavaliers. Mais la chose la plus extraordinaire était les images mouvantes du roi Edouard serrant la main au kaiser Guillaume d'Allemagne. Sarah ne pouvait le croire; c'était tout comme s'ils étaient là, sur le même quai de gare que les monarques et leurs suites. Le peintre était très déprimé par l'enthousiasme de son jeune modèle, cela renforçait sa conviction que les douleurs de la naissance du cinéma annonçaient les affres de la mort de l'art créateur.

Richard Bellamy n'aimait pas beaucoup le portrait de sa femme; mais il s'y attendait. Les couleurs semblaient trop éclatantes et le travail du pinceau incontestablement brouillé. Mais il n'en dit rien; le portrait plaisait à sa femme et c'était ce qui importait. Lady Marjorie l'avait rencontré lors d'un bal à l'ambassade britannique à Paris quand il n'était qu'un second secrétaire, brillant mais désargenté, et sa formation diplomatique lui avait souvent été d'un grand secours depuis cette époque. Quand Scone demanda la permission de soumettre son portrait à la commission de l'Académie royale, Bellamy fut dans son for intérieur assez surpris mais il ne souleva pas d'objection; il ne comprenait vraiment pas ce genre de choses.

La réaction de Sarah, la première fois qu'elle vit son portrait, fut moins mesurée.

— Bougre d'effronté! dit-elle, commentant le fait que la partie de son corps visible sur la toile était complètement nue alors qu'elle ne s'était jamais dévoilée plus loin que ses vêtements de dessous.

Le tableau montrait Sarah, allongée sur le lit avec une autre fille assise, de dos et vêtue seulement d'une paire de longs bas noirs.

Ce n'était pas le lit de l'atelier, mais exactement le grand lit des femmes de chambre à Eaton Place. En vérité Scone avait réussi une reproduction remarquablement exacte de toute la pièce.

— C'est tout à fait notre chambre, poursuivit Sarah. Quand êtes-vous monté là-haut?

— Je n'y suis pas allé, répondit Scone.

Sarah désigna la fille nue à l'extrémité du lit.

— C'est Rose? demanda-t-elle abasourdie.

— Oui. Est-ce que cela lui ressemble?

— Oui, répondit Sarah plutôt confuse. Quand êtes-vous... Je veux dire, est-ce qu'elle a été?...

— Non, dit Scone, très content. Je l'ai vue à travers vos yeux, Sarah.

— Vous êtes un drôle de magicien, dit Sarah avec admiration. Voilà mes affaires sur le paravent où je les jette toujours. Rose plie les siennes. C'est elle qui a de l'ordre.

Ils regardèrent le tableau en silence; Sarah n'en savait rien mais il devait beaucoup au comte de Toulouse-Lautrec.

— Il y a une chose, dit Sarah, si vous m'excusez de le dire...

— Allez-y, dit Scone.

— Il devrait y avoir une sorte de petit tableau encadré, juste ici sur le mur. Il dit : « Travaillez et priez ».

Scone la remercia et en prit note.

— Comment allez-vous l'appeler? demanda Sarah.

— « Les Servantes ».

Cela ne plaisait pas beaucoup à Sarah comme titre.

— Pourquoi pas quelque chose de joli... Comme... comme : « En attendant l'aube ».

Scone leva les yeux au ciel pour demander grâce pour la jeune fille.

— Qu'est-ce que vous allez en faire maintenant? lui demanda Sarah.

— Le vendre, répondit-il.

— Nous vendre, Rose et moi? (Sarah avait l'air très désenchantée.) Vous ne voudrez plus de moi maintenant, n'est-ce pas?

Scone haussa les épaules.

— Pas maintenant que vous avez fini votre sale tableau pourri. Rejetée comme une vieille chaussure, voilà ce que je suis.

Scone prit le tableau et le plaça contre le mur :

— Vous vous êtes servi de moi, dit Sarah avec indignation.

— C'est l'art qui s'est servi de vous, répondit Scone. L'art s'est servi de nous deux.

— Pourquoi ne suis-je pas votre maîtresse, alors? Vous ne me l'avez même pas demandé. Qu'est-ce que j'ai? Je suis seulement bonne pour votre sale tableau, je suppose.

Scone leva les bras avec une horreur feinte.

— Madame Bernhardt, répondit-il. Quel langage!

— Allez vous faire voir! lui cria Sarah, et prenant un oreiller elle commença à le frapper sérieusement.

— Je ne voudrais pas être votre maîtresse pour tous les bijoux de la couronne d'Europe. Mais vous auriez dû me le demander. Ça se fait.

Scone tomba sur le lit, ne pouvant s'empêcher de rire et se défendit du mieux qu'il put avec ses bras.

— Allez-y, alors, riez! cria Sarah. Ha Ha Ha! Qu'est-ce qu'il y a de si drôle?

— Votre idée des convenances, répondit Scone.

Et il l'immobilisa sur le lit par les bras. Sarah se demanda ce qu'il ferait après. Elle avait entendu parler de filles qui étaient devenues célèbres après avoir servi de modèles à des peintres illustres, et elle commença à regretter sa remarque au sujet de tous les bijoux de la couronne d'Europe. Elle était maintenant presque dans ses bras. Si elle se donnait à lui sur-le-champ, l'emmènerait-il à Paris et l'installerait-il dans un appartement à elle, la sortirait-il dans une voiture pour la montrer à toutes les autres dames du demi-monde? Après tout, c'était un aristocrate et le cousin d'un comte. Ou la rejetterait-il comme une poupée de chiffon? L'ennui avec Scone c'était qu'on ne pouvait jamais dire s'il plaisantait ou s'il était sérieux. Il se pencha et l'embrassa sur les lèvres.

— Souvenez-vous de l'horrible avertissement de Rose, dit-il. N'ayez jamais confiance dans un gentleman.

Il l'embrassa de nouveau :

— Venez, nous allons au Bioscope, et puis je vous ramènerai saine et sauve à Rose en taxi.

Ce fut la dernière fois que Sarah vit Scone, et pendant quelque temps elle trouva ses mercredis après-midi très difficiles à remplir. Une fois elle alla au Bioscope toute seule, mais ce n'était pas la même chose sans lui, et d'ailleurs cela coûtait six pence d'entrée et elle n'avait pas tant d'argent à jeter par les fenêtres.

4

Par un beau matin de juin, Sarah débarrassait le petit déjeuner des domestiques et Mr Hudson prenait sa dernière tasse de thé en lisant le journal avant de le repasser et de le monter.

— Je ne sais pas où va le monde, dit-il à Rose qui cherchait un nouveau chiffon à épousseter. Alf Common, l'avant-centre de Sunderland a été transféré à Middlesbrough pour mille livres!

— Je ne savais pas, répondit poliment Rose qui ne comprenait pas un mot de ce qu'il disait.

— Aucun footballeur ne vaut cette somme-là, poursuivit Mr Hudson s'adressant au monde en général tandis que Rose sortait. Ce n'est plus un sport, c'est un commerce florissant.

— Je suis tout à fait de votre avis, Mr Hudson, dit Sarah.

— Je ne vous ai pas demandé votre opinion, Sarah, dit le maître d'hôtel en tournant une page. Continuez seulement à débarrasser cette...

Il s'arrêta au milieu de sa phrase, l'horreur et la stupéfaction peintes sur le visage.

— Sarah, demanda-t-il d'une voix terrible, qu'est-ce que vous avez fait?

— J'ai rien fait du tout, répondit Sarah machinalement juste au moment où la sonnette du petit salon retentissait.

Mr Hudson se leva d'un bond et, à la stupéfaction de Sarah, arracha un morceau de journal, le fourra dans sa poche, froissa le reste en boule et le jeta dans les mains de Sarah.

— Mr Hudson, s'exclama-t-elle, c'est le journal d'aujourd'hui.

— Brûlez-le, répondit-il d'un ton dramatique en mettant son habit. Tout entier. Personne ne doit le voir.

A la porte, il se retourna :

— Et vous, attendez ici jusqu'à ce que je revienne.

Sarah alla lentement à la cuisine et fourra le journal dans la cuisinière. Si Mrs Bridges avait été présente à ce moment-là elle n'aurait pas approuvé. Brûler du papier faisait du mâchefer.

C'était l'un des défauts de Mr Hudson : lorsque quelque chose le bouleversait, il était capable de sortir de ses gongs et de faire un geste qu'il regrettait plus tard, et maintenant même tandis qu'il tendait à Mr Bellamy son chapeau et ses gants et qu'il bafouillait une histoire de garçons livreurs fainéants et de vendeurs de journaux paresseux, il regrettait d'avoir ordonné de brûler le journal. Par bonheur, Mr Bellamy prit la nouvelle avec sérénité. C'était un jour d'entrée sur invitation à l'Académie royale et il semblait surtout préoccupé d'avoir Mr Pearce et la voiture prête à 2 heures précises.

Sarah pliait la nappe et se demandait ce que diable elle avait bien pu faire pour irriter Mr Hudson quand ce dernier fondit sur elle une fois de plus, plus agité peut-être qu'avant.

— Maintenant, ma fille, proclama-t-il en fourrant le morceau de journal déchiré sous son nez. Que signifie cela?

Sarah prit le morceau de journal et le regarda. Il y avait deux petites reproductions de tableaux : la toile la représentant sur le lit et le portrait de Lady Marjorie.

Sarah s'épanouit :

— C'est moi. C'est mon portrait dans le journal. Imaginez ça.

— Imaginez ça, en effet, répondit Mr Hudson, les yeux levés dans un geste de supplication. Lisez ce qui est écrit. Lisez.

— Je ne peux pas, c'est trop petit.

Mr Hudson avait oublié que la malheureuse fille ne savait pas lire. Il lui arracha le journal et chaussa d'un geste vif ses lunettes cerclées d'or.

— Les deux sensations de l'Académie, cette année, lut-il avec sentiment, sont sans aucun doute les deux remarquables portraits de Guthrie Scone...

— Prononcez Scoon, corrigea Sarah.

— Taisez-vous! (Mr Hudson continua à lire :) Artiste peintre et neveu de la comtesse d'Abercraven. Accrochés côte à côte et se faisant pendant de façon fascinante, la maîtresse et les servantes, comme on appelle déjà cette paire de toiles ayant toutes les deux pour décor la maison de Mr Richard Bellamy, M.P., sous-secrétaire d'Etat à l'Amirauté... inaugurent une nouvelle mode de portraits de famille. (Il poursuivit :) Un exemple de radicalisme artistique auquel nous ne nous serions pas attendus de la part d'un jeune ministre dans un gouvernement conservateur!

Mr Hudson respira profondément et lança à Sarah un regard fou qui la fit presque rire tout haut.

— Quand on lui demanda de nommer le modèle de la domestique à peine vêtue que l'on admire sur sa toile, Mr Guthrie Scone renvoya notre reporter aux appartements des domestiques, du 165 Eaton Place.

— Quel toupet! dit Sarah. (« C'est typique du vieux Scone, » pensa-t-elle.)

— Encore un de vos tours, n'est-ce pas, Sarah? Qu'est-ce qui s'est passé dans cette maison derrière mon dos? Comment osez-vous permettre à cet homme de monter dans les chambres des domestiques...

— Mais il ne l'a jamais fait, Mr Hudson.

— Ne me mentez pas Sarah... Regardez... Regardez ce tableau. Ce n'est pas vous qui l'avez peint, je suis sûr.

— Mais, Mr Hudson, je suis allée dans son atelier... Pendant mes jours de congé.

— Et vous avez emmené votre lit, et tout le reste avec vous! Oh!... c'est très plausible!

Mr Hudson n'était pas d'humeur à écouter des explications invraisemblables. Il agita son index sous le nez de Sarah.

— Je peux vous dire une chose. Il va se passer des choses terribles dans cette maison avant la fin de la journée. Notez bien mes paroles.

Sur cette menace il partit vers son office personnel, tandis que Sarah regardait le journal. Elle n'arrivait pas à voir ce qu'on pouvait lui reprocher ni ce qui se passerait de terrible dans la maison. Ce n'était certainement pas sa faute.

— Bonne vieille Sarah, se dit-elle tout haut. Te voilà enfin avec ton portrait dans les journaux.

Quand ils arrivèrent à Burlington House cet après-midi-là, les Bellamy allèrent directement à la salle 4 où était accroché le portrait de Lady Marjorie. Près de la porte, ils rencontrèrent Mrs Graham, la femme d'un de leurs voisins à Eaton Place.

— Ma chère Marjorie, dit-elle, quel courage!

Même alors, Lady Marjorie pensa qu'elle devait faire allusion au style moderne du portrait et elle conduisit son mari à travers la foule qui s'ouvrait devant eux comme par magie, ne se rendant pas compte qu'il eût mieux valu aller à la guillotine.

Mari et femme virent au même moment les deux portraits, accrochés « de manière à se faire pendant de façon fascinante ». Ils se tournèrent l'un vers l'autre, muets et consternés, tandis que le silence tombait sur la salle.

Avec un sang-froid qui rappelait son ancêtre, le second comte de Southwold, quand il fut mené à l'échafaud, Lady Marjorie sourit.

— Mon cher, dit-elle d'un ton calme, voudriez-vous, s'il vous plaît, me ramener à la maison.

Richard Bellamy n'avait jamais aimé Scone; il l'avait toujours trouvé vaniteux et entêté et maintenant il était en rage contre le petit misérable qui avait eu l'impudence de faire de sa femme la risée de Londres. Il songea à consulter son avocat.

C'était Lady Marjorie qui avait le plus de raisons d'être en colère. C'était elle qui avait choisi le peintre et, ce faisant, avait grandement rehaussé sa réputation. Elle lui avait offert la main de l'amitié et il l'avait mordue sans aucune raison.

Mais Lady Marjorie était une réaliste; elle garda son calme. Se venger de Scone serait difficile, coûteux et, dans une certaine mesure, inutile et pourrait bien aggraver les choses. La meilleure manière de lui gâcher son plaisir serait de faire savoir au monde que les Bellamy étaient tout à fait inaccessibles à un comportement aussi enfantin.

Lady Marjorie par contre réserva sa colère à ses domestiques qu'elle estimait coupables d'une grossière déloyauté. Il fallait agir — et agir vite — ou bien la discipline de toute la maison s'effondrerait.

Mr Hudson avait redouté le retour de ses maîtres tout l'après-midi et quand enfin son tour vint d'être convoqué pour s'expliquer, il était, à en croire Mrs Bridges, « tremblant comme une feuille ».

Le maître d'hôtel n'apparaissait pas sous son meilleur jour dans ce genre de circonstances. Il se répandit en menaces, bégaya, souffla et s'excusa, blâmant les deux femmes de chambre de l'avoir laissé tomber. Il était clair pour les Bellamy que, bien qu'il eût été négligent et stupide, Hudson ne faisait pas partie du complot et en était choqué tout autant qu'eux-mêmes.

C'étaient Rose et Sarah les coupables. Sarah était nouvelle et sans expérience, et par conséquent bien moins à blâmer que Rose. Le fait que Rose, qui était depuis si longtemps à leur service et qui devait tant aux Bellamy, les eût ainsi poignardés dans le dos était vraiment une trahison et c'était profondément choquant.

Sarah et Rose attendaient déjà dans l'office de Mr Hudson quand il descendit.

— Vous devez faire vos malles ce soir et être parties toutes les deux demain matin, dit-il. Vous toucherez un mois de gages, ce qui à mon avis est généreux. Je doute qu'ils veuillent vous revoir. Ils devaient aller à un dîner ce soir. Maintenant ils se sont décommandés.

Rose se laissa tomber sur une chaise et se mit à sangloter. Elle était complètement brisée par cette terrible et soudaine catastrophe et la pensée que les Bellamy avaient annulé un dîner à cause de sa conduite était pour elle incroyablement grave.

— Ce n'est pas juste, dit Sarah d'un ton de défi. Nous n'avons rien fait de mal.

— Vous appelez ça rien de mal! lui cria Mr Hudson. Vous ne distinguez pas le bien du mal, vous ne l'avez jamais fait, c'est ce qui est ennuyeux avec vous. Vous avez seulement fait de cette maison la risée de Londres. Le maître est furieux et qui l'en blâmerait? (Il se redressa de toute sa hauteur :) Je ne sais pas comment vous avez pu. Ce sont les paroles que le maître m'a adressées, ajouta-t-il d'un ton dramatique.

— Mais qu'est-ce que vous avez fait? dit Sarah avec du désespoir dans la voix. Qu'est-ce que nous avons fait tous?

Elle s'approcha de Rose et la prit par les épaules.

— Oh! Rose, chuchota-t-elle, je suis navrée.

Elle soupira et regarda Mr Hudson.

— Qu'est-ce que vous avez dit, alors?

Mr Hudson eut l'air légèrement mal à l'aise :

— Je lui ai dit que je ne savais rien et que je ne pouvais pas être responsable de ce que je ne savais pas, répondit-il. L'ignorance n'est pas une excuse aux yeux de la loi, m'a-t-il dit, c'est votre travail de savoir. C'est ce pourquoi vous êtes payé.

Mr Hudson renifla et redevint brusquement violent :

— Je lui ai dit qu'on ne pouvait pas savoir avec vous autres, filles modernes, cria-t-il. Ce n'est pas comme dans ma jeunesse, les filles étaient convenablement élevées et contentes d'avoir une bonne place; j'ai dit que je ne pouvais être tenu responsable des changements de l'époque et que vous étiez toutes aussi malfaisantes qu'un chargement de singes.

Sarah contre-attaqua avec colère :

— Vous voulez dire que vous l'avez laissé penser ce qu'il voulait et rejeter la faute sur nous?

— Je dois songer à ma propre situation et à celle de la famille. Maintenant sortez! Sortez!

Sarah se leva et sortit, suivie de Rose. Dehors, elles s'arrêtèrent.

— Stupide vieux moulin à paroles; il ne pense à rien d'autre qu'à sa précieuse peau, dit Sarah avec colère en entourant de son bras Rose qui sanglotait. Je ne vois pas pourquoi vous devriez souffrir. Vous n'y avez même pas eu de plaisir.

Brusquement elle eut une inspiration.

— Ils ne peuvent pas vous blâmer si je leur dis la vérité, dit-elle. Venez!

— Où? demanda Rose d'une voix faible.

— En haut, répondit Sarah.

Et bien que ce fût la dernière chose qu'elle aurait faite normalement, Rose permit à Sarah de la conduire en haut, dans le grand vestibule.

— Nous ne pouvons pas entrer là si on ne nous appelle pas, dit Rose, tandis qu'elles approchaient de la porte du petit salon.

— Oh si! nous le pouvons, dit Sarah.

Et elle ouvrit la porte et entra, tenant toujours Rose par le bras.

Lady Marjorie était assise sur le canapé, son mari debout le dos au feu.

— Excusez-moi, milady, dit Sarah, faisant la révérence.

— Renvoyez-les, s'il vous plaît, Richard, dit Lady Marjorie d'une voix lasse et maussade.

— Mais milady, ce n'était pas notre faute, insista Sarah.

Lady Marjorie se leva et alla vers la porte.

— Je ne pense vraiment pas que je puisse entendre d'autres excuses, dit-elle à son mari. Je vais dans ma chambre m'allonger.

Rose lui ouvrit machinalement la porte et en retour Lady Marjorie la foudroya du regard en passant. Laissé seul, Mr Bellamy fit face aux deux domestiques.

— Votre maîtresse se sent trahie dans sa propre maison, et par des gens en qui elle avait confiance. (Il haussa les épaules d'une manière qui laissait entendre que Lady Marjorie était plus navrée qu'en colère.) C'est tout ce qu'il y a à dire.

Il se dirigea vers la cheminée et sonna le maître d'hôtel puis, prenant l'*Illustrated London News*, il s'assit et commença ostensiblement à le lire.

Sarah savait qu'elle devait agir vite : c'était sa dernière chance et très probablement Mr Hudson montait déjà en courant l'escalier de service.

— Je vous demande pardon, Sir, mais ça n'est pas tout, dit-elle. (Et avec une grande audace elle alla jusqu'au fauteuil de son maître et en tapa le bras.) Ça n'est simplement pas tout, Sir. Pas pour Rose. Elle n'a rien fait, elle ne l'a jamais vu, Scone, je veux dire. C'est uniquement moi.

— C'est inutile, Sarah, sanglota Rose derrière elle.

Mr Bellamy leva les yeux vers elle avec stupéfaction.

— Oui, c'est comme ça, reprit Sarah rapidement. Mr Scone m'a demandé d'aller dans son atelier. J'y suis allée tous les mercredis. Il n'est jamais monté dans notre chambre. Il n'a même jamais vu Rose. Je le jure sur la Bible. Vous êtes juste, Sir. Vous ne voudriez pas voir une injustice commise dans votre propre maison.

Richard Bellamy regarda vers la porte, espérant que le maître d'hôtel allait venir le secourir.

— Je n'accepte pas d'être importuné par mes domestiques dans ma propre maison, dit-il.

A cet instant, Mr Hudson entra et fit sortir les deux servantes avec un regard furibond. A la porte, il saisit le regard de Mr Bellamy et eut un léger haussement d'épaules, comme pour dire : « Maintenant vous voyez à quelle sorte de filles j'ai affaire. »

Resté seul Richard Bellamy fronça tristement les sourcils et se versa un whisky avec du soda. Il n'aimait rien moins qu'une querelle chez lui. Les domestiques étaient toujours la préoccupation de sa femme et du maître d'hôtel jusqu'à ce qu'il y ait un ennui, et à ce moment-là ils le lui mettaient sur le dos. Il commençait à se sentir irrité. Cela l'agaçait aussi d'être véritablement assailli par un sentiment de culpabilité.

Mr Hudson envoya les servantes dans leur chambre en pénitence. Elles s'assirent sur le lit en silence. Rose alla enfin d'un air las chercher sa valise.

— Je vais aller voir Scone. Je le forcerai à tout expliquer, dit Sarah, mais son ton manquait de conviction.

— A quoi bon? répondit Rose d'un ton amer. Aucun gentleman ne défendrait jamais des domestiques, quelle que soit la vérité.

— Il n'est pas comme ça, répondit Sarah. A Paris...

— Paris! (Rose parlait presque sauvagement :) Qui s'intéresse à ce qu'ils font là-bas! Ici, c'est Londres. Les gentlemen peuvent se marier avec des girls de music-hall — ça c'est romantique. Mais s'ils ont des histoires avec des boniches, ils ne l'annoncent pas dans les journaux. Il a eu ce qu'il voulait. L'idiote, c'est vous...

— Il ne l'a pas eu. (Sarah était près des larmes maintenant.) J'ai essayé de tout arranger, mais ne sois pas fâchée contre moi, Rose.

Sarah était décidée à ne pas être battue. Elle mit ses vêtements de sortie et disparut dans le passage. Au bout, il y avait une clef dans une petite boîte de verre au mur. La boîte de verre était ouverte bien qu'elle fût censée être fermée, parce qu'un mot dessous disait : « Briser le verre, à n'utiliser qu'en cas d'urgence. » Si jamais il y avait un cas d'urgence, pensa Sarah, c'en était un. La clef ouvrait une petite porte menant vers l'escalier de secours qui zigzaguait à l'arrière de la maison et se terminait dans la petite arrière-cour et la ruelle donnant sur les écuries.

Sarah regarda en bas; dans la ruelle tout en bas, les cochers et les valets d'écurie nettoyaient leurs voitures et leurs chevaux et les cuivres étincelaient au soleil du soir. Elle eut le vertige et commença à descendre les marches de fer une par une, comme si chacune était sa dernière. Quand elle arriva à la ruelle qui menait aux écuries, elle longea le mur de crainte d'être vue par Mr Pearce, jusqu'à ce qu'elle arrivât enfin à la voûte qui donnait sur Lyall Street, puis elle se mit à courir et elle ne s'arrêta que quand elle fut saine et sauve de l'autre côté de Sloane Square, au milieu de King's Road.

Quand Sarah arriva, Scone lisait. Agacé d'être dérangé il lui dit de s'en aller vite et de cesser de l'ennuyer. Il fut surpris d'apprendre que ce n'était pas de l'argent qu'elle voulait.

— Tout ce que je demande c'est que vous leur disiez la vérité, supplia Sarah.

— Oh! au nom du Ciel, quelle vérité? répondit-il avec brusquerie.

— Ils pensent que nous vous avons laissé monter dans notre chambre et que vous nous avez peintes toutes les deux nues au lit, répondit-elle.

Scone se leva et rit. Cet aspect de l'affaire ne lui était pas venu à l'idée et cela rendait en fait toute la plaisanterie plus savoureuse.

— Qu'est-ce qu'il y a de si drôle, Mr Scone? lui cria Sarah.

— L'esprit bourgeois. Je trouve que c'est vraiment tout à fait délicieux.

— Cela vous est égal que moi et Rose soyons flanquées à la porte, pour que vous puissiez avoir votre petite plaisanterie, n'est-ce pas? N'est-ce pas? lui dit-elle avec colère.

— Oh non! vous avez perdu une place plutôt sinistre, avec des gens plutôt sinistres; partez et trouvez-en une autre. Personnellement, je retourne à Paris demain matin, car l'air y est plutôt plus frais que dans cette morne cité.

Il y eut un silence. Sarah se sentit brusquement à bout de forces. Elle s'agenouilla auprès de lui.

— Ecoutez, dit-elle d'une voix calme, je viendrai vivre ici et je m'occuperai de vous et vous n'aurez pas besoin de me payer quoi que ce soit. Je ferai tout ce que vous voudrez... absolument tout, je le jure.

Scone tendit la main, lui prit le menton et la

regarda. Pour une fois elle semblait dire la vérité.

— Absolument tout? demanda-t-il.

— Absolument tout, répéta Sarah, seulement tirez Rose d'affaire.

— Vous feriez vraiment cela pour Rose? demanda-t-il.

Sarah acquiesça. Scone contempla ce petit visage taché de larmes. Est-ce que cette fille était vraiment capable d'un geste si noble; il se le demanda, il verrait.

— Enlevez vos vêtements, tous.

Sarah commença à se déshabiller et Scone la regarda en silence. On frappa à la porte. Il se leva, furieux.

— La barbe, dit-il. Vous feriez bien d'aller vous mettre derrière le paravent.

Tandis que Sarah emportait ses vêtements derrière le paravent, Scone alla à la rencontre de son visiteur.

C'était Richard Bellamy, la dernière personne qu'il désirait voir.

Bellamy expliqua la raison de sa visite. Il n'était pas venu pour échanger des cris ou pour discuter de l'affaire du tableau, il était seulement venu trouver Scone pour lui poser une simple question : était-il ou non monté dans les chambres des domestiques à Eaton Place?

— Pourquoi diable devrais-je vous donner une réponse? demanda Scone brutalement.

— En ce cas, si je comprends bien, je pense que vous êtes monté.

— Vous autres, hommes politiques, vous êtes tous les mêmes, rétorqua Scone qui commençait à s'amuser. Vous tournez n'importe quel fait de manière qu'il vous convienne. Seigneur, pensez-vous que je n'ai pas assez d'imagination pour peindre une chambre de domestique?

— Vous me donnez votre parole de gentleman?

78

— Ma parole de gentleman! (Scone cracha les mots.) Comme vous ne pouvez pas vous venger sur moi, je suppose que vous vous en prendrez à vos malheureux serviteurs.

C'était trop proche de la vérité pour le goût de Bellamy et Scone le vit.

— Je vous donne ma parole de gentleman, dit Scone d'un ton moqueur. Je ne suis jamais de ma vie allé au delà de votre salon. Je crois bien que vous devrez garder vos deux servantes.

— Ca dépend de ma femme, répondit Bellamy d'un ton plutôt hautain.

Scone s'approcha de lui.

— Imaginez les armes que cela donnerait aux Libéraux si l'on savait qu'un jeune ministre, un membre de la Commission impériale, avait renvoyé deux de ses domestiques injustement, parce que la vanité de sa femme avait été un peu froissée, dit-il d'un ton sarcastique. Oppression! Les Radicaux aiment beaucoup ce mot.

— Vous parlez comme un maître chanteur, Scone.

— Vous m'avez l'air plutôt terrifié et je vous comprends. Au revoir.

Il y eut un bruit venant de derrière le paravent. Bellamy leva les yeux.

— Je vous laisse à votre travail, dit-il en s'inclinant froidement et en faisant un signe dans la direction du paravent. Merci de m'avoir reçu.

Dès qu'il fut parti, Sarah sortit de derrière sa cachette, alla vers Scone et l'embrassa sur les lèvres.

— Merci Mr Scone, dit-elle.

Il lui sourit et commença à boutonner les petits boutons de son corsage.

— Vous feriez mieux dc retourner là-bas, dit-il, et de raconter la bonne nouvelle à Rose.

En accusant Richard Bellamy de tourner n'importe quel fait à son avantage, Guthrie Scone avait été injuste avec lui. Quand Sarah avait dit qu'il était un homme juste, elle était plus proche de la vérité. Il aurait été parfaitement simple et beaucoup plus commode pour lui de choisir la solution de facilité et de ne rien faire. Les deux filles seraient parties et auraient été remplacées par deux autres. Mais les paroles de Sarah avaient continué à ronger la conscience de Bellamy et l'avait finalement contraint à prendre la décision inhabituelle et désagréable de rendre visite au peintre.

Pour être juste, il faut dire qu'en dépit de toutes les supplications de Sarah, Scone n'aurait jamais entrepris le trajet dans le sens opposé.

En l'occurrence, Bellamy devait affronter la tâche délicate d'expliquer à sa femme et à son maître d'hôtel pourquoi il ne fallait pas congédier les deux servantes. Ils ne le comprirent pas et ne furent pas d'accord avec lui, mais parfois, quand il considérait que quelque chose de vraiment important était en jeu, Richard Bellamy était inflexible et dans de telles circonstances, et c'en était justement une, il obtenait ce qu'il voulait.

Mr Hudson était furieux. Il avait l'impression que son maître lui avait fait un affront et en tout cas il avait perdu la face devant les domestiques, et son autorité avait du même coup diminué.

Il était assez franc pour s'avouer qu'il avait bien mal mené toute l'affaire et l'idée qu'il aurait pu facilement s'épargner à lui-même et à ses maîtres beaucoup d'embarras ne faisait rien pour améliorer son humeur. Dans les quelques semaines qui suivirent, le maître d'hôtel et les deux femmes de chambre échangèrent à peine un mot. Ce fut un soulagement considérable pour tous les domestiques quand les vacances d'été arrivèrent et que les Bellamy partirent pour Southwold pour aller de là avec leur famille à Goodwood, emmenant Mr Hudson et Miss Roberts. Mrs Bridges partit pour ses deux semaines annuelles de repos dans une pension de famille à Eastbourne tenue par la sœur mariée de Mr Hudson. Comme d'habitude elle y alla en la compagnie de sa chère amie, Amy, jadis cuisinière de Lady Wallingford, maintenant retraitée et vivant à Pimlico.

Rose, Sarah, Alfred et Emily restèrent à Eaton Place pour faire le nettoyage d'été.

5

Toute la journée les quatre domestiques travaillaient dans la grande maison vide. Alfred passa en revue, dans les armoires, chaque petite pièce d'argenterie dont certaines n'avaient pas vu la lumière du jour depuis l'été précédent, et il nettoya chacune d'elles jusqu'à ce qu'elle reluise puis l'enveloppa dans du papier noir spécial ou dans un sac de feutrine verte.

Emily plongea dans des endroits sombres et inhabituels comme le fond du four et les recoins du garde-manger. Elle chantait parfois toute seule d'étranges chansons irlandaises, et poussait un petit cri quand elle dénichait une souris ou un cafard.

Rose et Sarah examinèrent toute la partie supérieure de la maison. Un jour, ce fut le tour de la peinture et Sarah apprit qu'on ne devait jamais se servir d'une brosse dure pour peindre. D'abord, elle dut enlever la poussière en actionnant un soufflet, puis laver la peinture avec une éponge plongée dans de l'eau savonneuse et enfin tout relaver et sécher. Quand il y avait du papier peint, on balayait les murs avec un balai de plumes.

Il y avait tous les tapis à nettoyer et les rideaux de

mousseline à enlever, à raccommoder et à blanchir. Toute la suie et les fumées de Londres semblaient avoir été retenues dans leurs plis bien qu'ils ne fussent accrochés aux fenêtres que depuis avril. Londres était une des villes les plus sales du monde, c'était pourquoi les brouillards en hiver étaient d'un jaune si sale et tuaient tant de vieilles gens et pourquoi l'extérieur des maisons de Eaton Place devait être lavé tous les ans et complètement repeint tous les cinq ans.

Avant son départ, Mr Hudson avait fait une liste de tout le travail qui devait être confié à des entrepreneurs de l'extérieur. Un jour, le ramoneur avec son fils vint s'assurer que toutes les cheminées étaient propres pour l'hiver et que tous les nids d'oiseaux avaient été enlevés; pour faire bonne mesure pendant qu'il était sur le toit il nettoya les gouttières. Puis ce fut le tour du menuisier et du vitrier qui passèrent en revue toutes les fenêtres, remplaçant les verres fendus et raccommodant les cordons de rideaux cassés. Pendant des semaines, les décorateurs furent dans la chambre de Miss Elizabeth, qu'ils repeignirent complètement pour son retour d'Allemagne au printemps. Le gâchis qu'ils firent faillit tuer la pauvre Rose.

C'était un travail fatigant et Rose veilla à ce que rien ne fût bâclé, mais Sarah trouvait cela plus intéressant que la routine ordinaire parce que c'était différent. On avait le sentiment d'être libéré et on ressentait un relâchement de la stricte discipline qui était habituelle quand les Bellamy étaient à la maison. Les domestiques n'avaient pas besoin de se lever de si bonne heure le matin ni de porter un uniforme, et quand le travail était terminé et qu'ils s'étaient lavés et changés ils pouvaient faire ce qu'ils voulaient de leurs soirées, à condition que l'un d'eux restât dans la maison. C'était généralement Emily, bien qu'un soir Sarah réussît à la persuader de s'aventurer aussi loin que le parc pour écouter un concert. Alfred restait tout seul. Il passait la plus grande partie de son temps et dépensait la plus grande partie de son argent aux « Grenadiers » ou bien à « L'Etoile » à s'enivrer doucement.

Un jour, Rose et Sarah travaillaient dans le petit salon. Rose avait passé en revue tous les tableaux, elle les frottait avec une rondelle de pomme de terre humectée d'eau puis les faisait briller avec un morceau de soie. Elle apporta ensuite une pelle chaude de la cuisine et versa du phénol dedans. C'était pour tuer les mouches qui étaient la plaie de Londres au mois d'août.

La tâche de Sarah consistait à nettoyer le grand lustre, décrochant chaque morceau de cristal et en le lavant dans de l'eau savonneuse. Comme c'était un travail terriblement délicat de remettre des centaines de morceaux ensemble, Sarah travailla tard.

Cela enfin terminé, elle regarda fièrement le cristal étincelant avant de le recouvrir de sa housse de coton et de tirer les stores et les rideaux. C'était comme une maison fantôme, avec tous les meubles recouverts de housses. Sarah se sentit saisie d'une brusque panique, prit son échelle et son seau et traversa en courant le vestibule pour gagner la sécurité de l'escalier de service. A sa surprise, elle découvrit qu'il y avait des visiteurs à l'office des domestiques : Enid, la femme de chambre des Graham et le valet de pied de la même maison, un homme plein d'humour qui s'appelait Henry.

Rose, assise, raccommodait une robe.

— Fini, Sarah? demanda-t-elle.

— Oui. Tout est fait, répondit Sarah.

— Sarah a nettoyé le lustre dans le petit salon. C'est le premier qu'elle ait jamais fait, expliqua Rose à Enid.

— Oh! répondit Enid, nous, nous avons une firme spécialisée. (Elle donnait l'impression qu'il y avait au moins une demi-douzaine de lustres dans chaque pièce chez les Graham :) Je veux dire que quand on casse ou qu'on perd une pendeloque, on est dans de sales draps.

— J'espère que vous n'avez rien cassé, demanda Rose, brusquement inquiète.

— J'ai fait particulièrement attention, dit Sarah en défaisant son torchon et en libérant ses cheveux.

— Mr Hudson n'est pas commode pour la casse, fit remarquer Alfred.

Il jouait au vingt et un avec Henry à la grande table, un pot de bière entre eux, et Emily les regardait, subjuguée.

— Alors, vous voyez, Sarah, vous devez faire rudement attention, ajouta Rose, en vérité pour montrer à Enid qu'elle était responsable.

— Notre vieux Mr Blacker s'en moque complètement, dit Enid en se versant un verre de la bouteille de gin qu'elle avait apportée.

— Il fait la plupart de la casse lui-même, ajouta Henry. Il est jusqu'ici dans le porto.

Il posa sa main juste sous ses yeux.

— Il n'arrive pas à s'en passer. Vous savez comment sont certains maîtres d'hôtel, expliqua Enid à Rose.

— Lady Marjorie ne supporterait pas ce genre de chose, dit Sarah en s'asseyant.

Enid lui fit une grimace derrière son dos.

— Quoi qu'il en soit, nous sommes très heureux, fit remarquer Enid. Un verre de gin, Sarah?

Sarah regarda Rose qui donna son accord d'un signe de tête.

— C'est Enid qui l'a apporté. Vous pouvez y aller, expliqua-t-elle.

— Ils ne s'aperçoivent jamais qu'il en manque? demanda Sarah, étonnée.

— Le capitaine Graham est trop occupé à refuser de voir les choses, dit Henry en riant.

— Aveugle pour presque tout, ajouta Enid, particulièrement pour Mrs Graham!

— Mr Bellamy n'est pas comme ça du tout. Il est très difficile, dit Rose.

— Pas au sujet de sa femme, qui devient apparemment la risée de Londres, dit Enid.

Rose et Sarah commencèrent toutes les deux à se hérisser comme des terriers furieux.

— Vous auriez dû entendre les Graham lorsqu'ils sont revenus de l'Académie l'autre jour, continua Enid. Le capitaine a dit...

— Enid! l'interrompit Henry qui ne désirait pas voir la paix et la tranquillité rompues par une querelle de femmes.

— Très bien, peut-être qu'il vaut mieux ne pas en parler ici, continua Enid en insistant particulièrement sur ce dernier mot.

Rose contint sa colère avec difficulté.

— Il en faudrait beaucoup plus que quelque chose d'aussi... d'aussi... (Rose chercha le mot juste :) d'aussi insignifiant pour troubler Lady Marjorie, dit-elle avec une grande dignité. Nous sommes une maison respectable.

— Oh! ceci est affreusement ennuyeux, mes pauvres chères, dit Enid d'un ton sarcastique, dans sa meilleure imitation de Mrs Graham. Oh! bien sûr, j'ai oublié, Henry, poursuivit-elle de sa voix habituelle, c'est la maison où l'on garde les vieux os et où on rend les bouteilles, le chiffonnier ne vient pas ici.

— Qu'est-ce que vous faites alors? demanda Sarah.

— Qu'est-ce que nous faisons? railla Enid. Où croyez-vous que j'ai eu ce chapeau?

Alfred pinça les lèvres.

— Que tes péchés ou tes mauvaises actions ne soient pas révélés aux enfants de Dieu dans leur innocence, dit-il d'une voix pâteuse en lançant un clin d'œil aviné à Enid.

— Ça va comme ça, Alfred, dit Rose sèchement en se tournant vers Enid. Rien de tel ne se passe dans cette maison, Enid, fit-elle remarquer d'un ton décidé.

Mais Alfred n'était pas d'humeur à se laisser réduire au silence.

— Je dis, mets de l'ordre dans ta propre maison. (Et il braqua son doigt accusateur sur Rose comme un prophète de l'Ancien Testament.) Notre Mrs Bridges ne refuse pas de s'abaisser à perdre un morceau de saindoux de temps en temps ou un poulet par ci par là, hein, Sarah?

— Cela suffit comme ça! dit Rose, et Henry fit un clin d'œil à Enid.

— Buvons, ce sont les vacances, dit Enid en remplissant les verres.

— Elle est à vous, demanda-t-elle en tâtant le tissu de la robe que Rose était en train de raccommoder.

— Elle est à Lady Marjorie, répondit Rose, sachant qu'Enid le savait tout aussi bien qu'elle.

— Pas très à la mode, Rose, répondit Enid.

— C'est que Lady Marjorie n'est pas comme Mrs Graham, n'est-ce pas? rétorqua Rose avec un doux sourire. Je veux dire qu'elle n'a pas besoin d'être à la mode.

Enid renifla :

— C'est ce que nous avons appris, répondit-elle méchamment.

— Que voulez-vous dire exactement? demanda Rose.

— Nous avons appris que l'apparition de Lady Marjorie à un certain bal n'était pas du tout ce qu'elle aurait dû être.

— Quel bal? firent Rose et Sarah simultanément et d'un ton de défi.

Enid commençait réellement à s'amuser.

— Apsley House. (Elle s'arrêta pour accentuer son effet :) Nous avons appris que sa robe avait déjà été vue.

— Jamais, dit Rose avec emphase.

— C'était une robe neuve, dit Sarah, soutenant Rose, bien qu'elle n'eût pas la moindre idée de la vérité.

— Jamais, continua Rose avec encore plus d'emphase, elle ne porterait jamais une robe de bal *deux fois*.

— Elle était neuve. Je l'ai vue arriver, intervint Sarah. De Paris, ajouta-t-elle pour faire bonne mesure, son don de l'invention venant à son secours.

— C'est exact. De Paris, dit Rose, parfaitement prête à soutenir les romans de Sarah pour une bonne cause.

— De France, expliqua Sarah. Elle avait une traîne ravissante.

— Pas aussi longue que celle de Mrs Graham, répondit Enid, contre-attaquant.

— Elle était longue, poursuivit Sarah. Nous l'avons tous vue, elle était très longue. N'est-ce pas, Emily?

— Je n'avais jamais vu une robe pareille, répondit Emily loyalement.

— Je suppose que vous n'aviez jamais vu une paire de chaussures avant de venir ici, dit Henry.

— Elle était réellement longue, dit Sarah s'en tenant au sujet traité.

— La traîne de Mrs Graham était si longue, (Enid chercha les mots pour décrire sa longueur), que quand elle a descendu l'escalier... elle... elle recouvrait toutes les marches, n'est-ce pas, Henry?

— Oui, répondit Henry passant imprudemment de la bière au gin. Oui. Elle était vraiment longue.

— Celle de Lady Marjorie était si longue, dit Rose, ne s'avouant pas battue, elle était si longue que quand elle arriva dans le vestibule, Miss Roberts, sa femme de chambre personnelle, en tenait toujours l'extrémité dans son boudoir.

L'idée de la traîne de Lady Marjorie s'étendant sur

deux étages était trop exorbitante pour pouvoir être crue et Rose regretta sa remarque aussitôt.

— Oh oui! sûrement, répondit Enid d'un ton aussi mordant qu'elle put.

Il y eut un silence. Rose releva le défi.

— Je peux vous la montrer, si vous voulez, dit Rose d'un ton calme, si vous avez des yeux assez grands pour tout voir.

La boisson avait rendu Rose hardie, et les yeux d'Enid jetèrent des éclairs à la perspective d'une aventure. Elle avala son gin d'une seule gorgée.

— Conduisez-nous, dit-elle à Rose.

— Suivez-moi, dit Rose à tout le monde.

Ils se levèrent tous, sauf Emily.

— Vous croyez? dit-elle nerveusement.

Sarah la regarda avec mépris :

— Souris, dit-elle.

L'atmosphère du vestibule obscur parut refroidir leur ardeur.

— Je ne sais pas pourquoi nous nous sommes tous arrêtés, dit Rose. Ça ne va pas nous mordre.

— Notre vestibule est deux fois aussi grand que celui-ci, dit Enid, comme on pouvait s'y attendre.

— Voulez-vous me suivre, s'il vous plaît? dit Sarah avec dignité assumant le rôle de maîtresse de maison et commençant à monter l'escalier. Les autres femmes suivirent.

Ne désirant pas empiéter sur ce qui était sans aucun doute un terrain strictement féminin, Alfred et Henry décidèrent de commencer une partie de cricket, sport éminemment aristocratique. Quant à la petite Emily, elle n'osa jamais aller plus loin que la porte de feutrine verte et, repartit hâtivement vers la sécurité de l'office des domestiques.

Tout avait été soigneusement rangé dans le boudoir de Lady Marjorie par Miss Roberts avant son départ, et Rose et Sarah eurent quelque difficulté à trouver la robe. Il y avait tant d'armoires et tant de robes, toutes soigneusement enveloppées dans des housses de coton!

Elles annoncèrent enfin qu'elles l'avaient trouvée. La robe qu'elles sortirent était en effet d'une beauté exceptionnelle. Elle était en lourd satin couleur crème et brodée de centaines de fleurs en soie de couleur, libéralement entremêlées de pierres fines. En vérité, ce n'était pas celle que Lady Marjorie avait portée au bal du duc de Wellington à Apsley House, mais celle qu'elle avait portée pour le couronnement du roi Edouard VII.

Enid eut de la peine à dissimuler son admiration.

— Pas mal. Je ne la trouve pas extraordinaire, dit-elle en tâtant le tissu, elle n'arrive pas à la cheville de celle...

— Pas à la cheville? lança Rose d'un ton furieux.

— Celle de Mrs Graham était vraiment extraordinaire.

— Je l'imagine volontiers, répondit Rose d'un ton dédaigneux. Mais, ma chère Enid, il y a quelque chose dont vous ne vous êtes pas rendu compte. Le secret d'une robe vraiment belle est dans la coupe, n'est-ce pas, Sarah?

— C'est dans la simplicité de la coupe, répéta Sarah suivant son devoir. Je veux dire qu'une robe comme ça doit être vue sur la personne.

— J'en suis sûre, dit Enid, continuant à provoquer.

— Il n'y a simplement pas d'autre moyen de la juger.

Il y eut un silence. Enid sourit.

— En ce cas, mettez-la, dit-elle.

— Vous êtes folle, dit Rose.

— Puisqu'il paraît qu'il faut la porter...

— Elle ne m'irait pas de toute manière, dit Rose, qui refusait de se laisser faire.

— Oh! je vois, dit Enid d'un ton méprisant. Eh

bien! Ce serait agréable de dire au reste de notre personnel que je l'ai vue.

Sarah n'en pouvait plus; elle commença à enlever son tablier.

— Voilà, dit Enid.

— En tout cas, si tu dois la mettre, tu ferais mieux d'avoir les vêtements de dessous qu'il faut, dit Rose avec ce besoin de perfection qui la caractérisait et se prenant au jeu.

Rose et Enid fouillèrent dans tous les tiroirs et les armoires jusqu'à ce qu'elles eussent trouvé les choses dont elles avaient besoin, tandis que Sarah enlevait ses vêtements et s'asseyait devant la coiffeuse, nue telle que Dieu l'avait faite, se brossant luxueusement les cheveux avec les belles brosses de Lady Marjorie.

La plus grande ambition pour la plupart des femmes de chambre était de devenir femme de chambre personnelle d'une lady. Rose et Enid ne faisaient pas exception à cette règle. Elles avaient toutes les deux maintes fois tenu le rôle de femme de chambre personnelle pour des visiteuses et maintenant elles rivalisaient l'une et l'autre pour habiller Sarah des parures de Lady Marjorie, aussi heureuses que des petites filles avec leur première poupée.

D'abord une combinaison-culotte en soie et laine, si fine qu'on aurait pu la passer à travers une alliance, ensuite les corsets avec les baleines couvertes de soie et décorées de rubans et de nœuds. C'était la dernière mode et il y avait quatre jarretelles élastiques auxquelles étaient attachés les bas fins de soie blanche décorés de papillons et d'oiseaux jusqu'en haut des cuisses. Ensuite une culotte de lin qui se boutonnait sur le côté et qui, d'après Rose, coûtait plus de quatre livres, et enfin le jupon français, chose compliquée, ornée d'incrustations et de lisérés en véritable dentelle de Valenciennes.

Lady Marjorie avait emporté ses bijoux avec elle

car il y avait toujours beaucoup de grandes réceptions pendant la Semaine des Régates, mais elles purent
trouver une tiare en strass et des boucles d'oreilles
en forme de pendeloques pour ajouter du lustre à
leur œuvre. Sarah étendit finalement les bras pour
que ses deux domestiques lui enfilent les longs gants
de daim couleur crème qui avaient six boutons chacun.

Dans le vestibule, Alfred et Henry s'en donnaient
à cœur joie. Ils s'arrêtèrent net devant la vision qui
descendait l'escalier. Les deux dames d'honneur de
Sarah avaient elles aussi fouillé les armoires de Lady
Marjorie et étaient équipées maintenant d'immenses
chapeaux et d'éventails.

Les deux hommes allèrent au vestiaire d'en bas et
en émergèrent avec des chapeaux claques et des capes
doublées de rouge, dignes de l'occasion.

Sarah reçut ses invités dans le petit salon où l'on
avait hâtivement ôté les housses des meubles. Naturellement la conversation en vint à des sujets de la
plus haute importance.

— J'ai appris que Mrs Graham avait retenu les
regards les plus distingués, fit remarquer Sarah à
Alfred.

— Ma chère! dit Enid dans son rôle de Mrs Graham,
ne savez-vous pas que le roi est venu droit vers moi à
Ascot cette année et m'a dit : « Vous êtes la plus jolie
fleur que j'ai vue depuis les fleurs de mon jardin. »

Elle prit une gorgée de gin pur dans sa coupe à
champagne.

— J'espère que vous servez du Voove Clickotte,
s'enquit-elle auprès d'Alfred.

— Je m'en sers comme eau pour me raser, vous
savez! répondit-il d'un ton narquois, et ils rirent
tous d'une manière très haute société.

— Il est si drôle! dit Enid.

— Divin, dit Rose pour ne pas être en reste.

Alfred trouva un gramophone et ils s'amusèrent tous à bavarder, chanter, danser et imiter leurs supérieurs avec une cruelle précision jusqu'à ce que le gin fût terminé.

— Richard, dit Sarah à Alfred dans son rôle de Lady Marjorie, ayez donc la bonté de sonner Hudson pour monter d'autres rafraîchissements. Nous n'avons plus une goutte de gin.

Alfred alla près de la cheminée tirer le cordon qui avait si souvent servi à l'appeler.

— Oh! vraiment, où est ce misérable Hudson? Sonnez de nouveau, commanda Sarah. Vraiment, je ne sais pas ce que font les domestiques de nos jours, ils ne sont jamais là quand on les veut.

Brusquement, comme si elle perdait patience, elle se leva.

— Hudson, rugit-elle de sa meilleure voix de Billinggate. Hudson, où est Hudson?

Alfred se mit à chanter et les autres se joignirent à lui en chœur, tapant du pied et frappant des mains.

— Hudson, Hudson, où est Hudson? crièrent-ils.

La porte du vestibule s'ouvrit pour laisser apparaître un grand jeune homme élégant en habit de soirée. Silencieux et sans expression, il examina la scène tandis que les voix s'éteignaient et qu'un terrible silence s'en suivait.

— Vous avez sonné, milady? dit le nouveau venu en s'inclinant légèrement devant Sarah.

Personne ne dit mot. Le jeune homme alla vers la bouteille de gin et la retourna la tête en bas sur le plateau.

— Peut-être désireriez-vous quelque chose d'autre à boire? dit-il, et il ferma la porte derrière lui.

— Qui était-ce? dit Henry rompant le silence.

— Mr James Rupert Bellamy, des Life Guards. Le fils et l'héritier de la maison, c'est tout. Venez vite, dit Rose, et ils se dirigèrent tous vers la porte.

Elle était fermée à clef.

— Il est parti chercher la police, dit Henry d'un ton sinistre.

Enid s'assit et se mit à pleurer.

— Il va le dire à Mrs Graham, nous serons tous perdus.

Même à moitié ivres comme ils étaient, ils savaient tous que toute révélation sur leur soirée ne pouvait mener qu'à une chose : le renvoi immédiat. Le mieux qu'une femme de chambre sans références pouvait espérer était de devenir bonne à tout faire chez un commerçant de banlieue; quant au valet de pied en disgrâce, mieux valait ne pas penser à son avenir. Seule, Sarah semblait avoir gardé tout son sang-froid. Rose se tourna vers elle.

— Qu'allons-nous faire, Sarah? demanda-t-elle.

— Que pouvons-nous faire? répondit Sarah. Attendre. Simplement attendre.

Elle s'assit et commença à s'éventer, pas le moins du monde énervée, tout comme si elle était vraiment Lady Marjorie.

Quand James Bellamy revint dans la pièce, il était en manches de chemise et portait le tablier de gros tissu vert de Mr Hudson et aussi un plateau avec trois bouteilles de champagne dessus.

Il ouvrit l'une des bouteilles et s'approcha de Sarah.

— Champagne, milady? dit-il. Rien de tel que le champagne pour animer une soirée.

Il commença à faire le tour avec sa bouteille.

— Non, merci, Hudson, dit Rose quand vint son tour.

— Oui, s'il vous plaît, Hudson, répondit James. C'est une réception et aux réceptions nous buvons.

Il remplit son verre et continua vers Alfred :

— Mr Bellamy ne dira pas non, fit-il remarquer. Mr Bellamy aime le champagne.

— Par-dessus le gin, dit Alfred tristement avec un hoquet.

— Par-dessus n'importe quoi. Tout lui convient. Quelle charmante réception!

Et, refusant de les laisser s'échapper, James fit à plusieurs reprises la tournée du groupe, triste et silencieux, remplissant leurs verres jusqu'à ce que les bouteilles fussent vides. Seule, Sarah resta sobre, et versa son champagne dans le pot de fleurs sur la table à côté de son fauteuil quand le dos de son bourreau était tourné.

James Bellamy les laissa enfin et Sarah put traverser le vestibule en chancelant et descendre au sous-sol. Elle laissa les autres à leurs propres affaires et remonta lentement et tristement dans le boudoir de Lady Marjorie pour enlever sa parure.

C'était une tâche assez lourde : aucune lady n'aurait jamais pensé à se déshabiller sans l'aide de sa femme de chambre, et les agrafes étaient pour la plupart inaccessibles.

Elle luttait pour délacer le corset quand elle vit quelque chose bouger dans la longue psyché ovale.

C'était James Bellamy, bouteille et verre à la main, qui la regardait du seuil de la porte.

6

James Bellamy était très grand avec un teint pâle, des cheveux sombres et une moustache soyeuse. Il avait d'excellentes manières quand il était avec des gens de son rang et il était toujours parfaitement élégant. A tous égards il apparaissait comme le type même de la jeunesse dorée edwardienne. C'était un bon tireur, il allait à la chasse en hiver, jouait au polo en été, il aimait l'opérette, les séjours à la campagne pendant les week-ends et les réceptions de toutes sortes.

Quelquefois, il s'endettait aux cartes ou aux courses et sa mère payait parce que ce genre de chose apparaissait comme presque naturel chez un jeune officier de cavalerie. Lady Marjorie était fière de son fils, bien qu'ils ne se connussent pas très bien, car il avait passé la plupart de sa vie loin d'elle, à la nursery, à l'école ou à Sandhurst, et maintenant dans l'armée. Il ne venait que rarement à Eaton Place pour prendre le thé et dîner ou pour aller chercher quelque chose dans sa chambre.

Les autres domestiques étaient fiers du jeune héritier, parce que son nom était souvent cité dans les chroniques mondaines et toujours associé avec les gens les plus distingués. Au-dessus de la cheminée, dans l'office des domestiques, il y avait un dessin encadré découpé dans l'*Illustrated London News*, où on le voyait chevauchant à côté de la voiture du couronnement dans l'escorte du souverain.

Avant cette soirée, Sarah n'avait vu le lieutenant Bellamy qu'une demi-douzaine de fois au plus, et elle n'avait jamais échangé ne fût-ce qu'un mot avec lui.

Elle se demanda comment venir à bout de cette situation. James Bellamy était encore un peu ivre, mais il était réellement dangereux comme il l'avait montré tout à l'heure en bas.

— Vous ne pouvez pas entrer ici, dit Sarah d'une voix calme et ferme. La réception est terminée, Sir.

— Ce n'est plus Hudson, répondit-il en entrant dans la pièce. c'est Mr Bellamy, Sarah.

Elle fut surprise qu'il connût même son nom. Il s'assit sur la chaise longue et se versa un verre de champagne. Sarah ne bougea pas. C'était à lui de montrer son jeu et s'il apparaissait amical Sarah pensait qu'elle pourrait tirer de lui une promesse de silence.

— Vos amis ne se sentiront pas très en train demain matin, dit James.

— Cela fera une bonne histoire pour vos amis répondit Sarah, ajoutant prudemment un « Sir » au bout.

— C'est bien fait pour vous. (James haussa les épaules :) Faire des incartades dans toute la maison !

Sarah se demanda s'il pensait par là qu'ils avaient été punis suffisamment pour leurs péchés.

— La fin idéale pour une soirée idéale, poursuivit-il en appuyant ses pieds sur le rebord de la chaise. Il fallait s'y attendre.

— On vous a posé un lapin, Sir? demanda Sarah, voyant que James avait envie de parler.

Il la regarda, se demandant si elle était impertinente ou simplement clairvoyante.

— Oui, Sarah, répondit-il, on m'a laissé tomber.

— Quel dommage!

Est-ce que c'était dangereusement effronté? se demanda Sarah en le regardant avec attention. Qui ne risque rien n'a rien. Elle n'en avait pas l'impression.

— Oui, dit James, pour l'un de mes meilleurs amis. C'est la dernière fois que je lui raconterai quelque chose. (Il s'arrêta pensif :) Elle était absolument épatante. (Il se leva et s'approcha de Sarah.) Est-ce que vous êtes absolument épatante, Sarah? demanda-t-il.

Sarah demeura silencieuse et immobile tandis que James faisait le tour de sa personne et l'examinait.

— Auriez-vous aimé qu'on vous emmène au Savoy, Sarah? Danser toute la nuit? Recevoir en cadeau du parfum français très cher?

Sarah pensa brusquement au nombre de bonnes choses qui semblaient venir de France, et elle devint pensive parce que les choses dont James avait parlé étaient exactement celles dont elle avait rêvé.

— Quelle ravissante petite taille!

James plaça ses mains autour de la taille de Sarah et ses doigts se touchèrent. Il l'embrassa sur l'épaule.

— Est-ce que vous aimeriez de jolis vêtements? demanda-t-il.

Et, reculant comme s'il avait brusquement perdu son intérêt pour ce qu'il faisait, il examina les vêtements de dessous de sa mère qui étaient posés sur le tabouret de la coiffeuse.

— Enlevez ces vêtements, tous, dit-il.

Sarah avait eu affaire à beaucoup d'hommes en son temps, mais jamais avec aucun qui pût être classé dans la catégorie des officiers et des gentlemen. Elle connaissait les opinions de Rose sur le sujet et d'après ce qu'elle avait vu dans les magazines il semblait hautement probable que James Bellamy allait la jeter sur le grand tapis de fourrure devant la cheminée et attaquer son état de fille sur-le-champ. Elle envisagea une taloche sur l'oreille mais cela ne semblait guère convenir aux circonstances.

— Voudriez-vous défaire les lacets s'il vous plaît, Sir?

Il vint et défit les lacets, et attendit qu'elle eût enlevé le corset. Il y avait encore la combinaison-culotte en soie et en laine.

— Maintenant, remettez vos vêtements.

Il alla vers la porte. Sarah se rendit rapidement derrière le paravent et poussa un soupir de soulagement. De toute évidence les gentlemen n'étaient pas tous aussi prévisibles que le disait Rose. Elle enfila sa culotte de toile grossière, frissonnant sous sa rugosité, et enleva la combinaison-culotte. Sa robe était toujours sur le tabouret de la coiffeuse. Quand elle alla la prendre, James Bellamy était là qui riait. Il lui avait joué un tour et Sarah se couvrit les seins avec ses mains.

— Oh Dieu! c'est ça que vous portez, dit-il.

Tandis que Sarah se précipitait pour prendre sa robe, il la tira vers lui. Sarah garda son sang-froid.

— Est-ce que vous pouvez me la rendre, Sir, s'il vous plaît? dit-elle avec une politesse glacée.

Il la lui rendit, puis la retira au dernier moment, jouant au toréador.

— S'il vous plaît? demanda-t-elle.

Elle la saisit de nouveau et attrapa la manche. Ils se livrèrent une brève lutte et la robe se fendit dans le dos.

Sarah prit la robe déchirée, s'assit et se mit à sangloter. James regarda la fille échevelée et pathétique et parut brusquement horrifié de l'humiliation qu'il lui avait causée.

— Je suis absolument navré, dit-il d'une voix faible.

Je voulais plaisanter. Je ne savais pas ce que je faisais. (Il s'approcha d'elle :) Ecoutez, Sarah, comment puis-je arranger les choses?

— Vous ne pouvez pas arranger les choses, répondit Sarah amèrement, à travers ses larmes. Les gens comme vous ne peuvent pas arranger les choses, pas pour des gens comme moi.

Il fit mine de la réconforter et elle se déroba. Il laissa tomber ses mains et haussa les épaules en signe d'impuissance.

— Je suis vraiment navré. Je n'ai tout simplement pas réfléchi.

— Bien sûr, vous n'avez pas réfléchi, dit Sarah en le regardant, mais vous n'avez pas besoin de réfléchir, avec des gens comme nous, nous ne ressentons rien.

C'était presque la vérité, et James le savait. Il alla vers la grande armoire de sa mère et en sortit une robe en soie.

— Tenez, mettez ça, dit-il à Sarah.

— Elle n'est pas à moi, répondit-elle

— Vous ne pouvez pas rester là comme ça.

— C'est ce que vous vouliez?

Il lui offrit de nouveau la robe :

— Au nom du ciel, prenez-la, gardez-la, elle ne s'apercevra pas qu'elle manque.

— Je la mettrai la prochaine fois que le roi viendra en visite, répondit Sarah qui reprenait courage.

Elle lui permit de mettre la robe autour de ses épaules. James parut soulagé.

— Y a-t-il autre chose que je puisse faire? demanda-t-il.

— Non, répondit Sarah. Enfin... Vous pourriez ne rien dire au sujet de nos incartades.

— Vos incartades?

Il avait oublié.

— Sur ce que vous avez trouvé quand vous êtes rentré, continua Sarah. Nous perdrions tous notre place, voyez-vous. Et vous savez ce que c'est de cher-cher une place.

James n'en savait rien. Il regarda Sarah un instant, pensivement.

— C'est mauvais, n'est-ce pas? dit-il.

— Oui, c'est mauvais.

— Alors, je ne dirai pas un mot.

— Oh merci!... Je ne... (Sarah s'interrompit, se souvenant de sa fierté.) Merci, Sir, dit-elle d'un ton calme et elle se dirigea vers la porte.

— Je n'en avais pas l'intention, de toute manière, dit James.

Sarah s'arrêta, surprise.

— Je crois bien que je me vengeais sur vous tous pour ma soirée gâchée, poursuivit-il. Je m'en prenais à vous.

— Oui, dit Sarah.

— Ça n'a pas été une soirée très réussie dans l'en-semble, n'est-ce pas?

Sarah était près de la porte. Comme les choses sont étranges! pensa-t-elle. James Bellamy n'était pas l'arrogant jeune goujat qu'il aimait paraître; sous cet aspect, il semblait solitaire et avoir besoin d'ami-tié. Ou peut-être était-ce encore un de ses trucs?

— Je suppose que non, Sir, sauf que c'était une robe ravissante.

— Vous aimeriez avoir une robe ravissante?

— Oui.

— Alors vous en aurez une.

— Non.

— Pourquoi pas?

— Non.

— Je ne demanderai rien en retour, Sarah.

— J'en aurai une à ma propre manière, merci, Sir.

James lui sourit.

— Sinon une robe, des vêtements. Je veux dire : quelques jolies choses.

— Je n'ai pas beaucoup l'occasion de porter de jolies choses. (Elle regarda sa robe déchirée.) Mais j'en aurai l'occasion, un jour.

James était près d'elle et la regardait, il était bien de trente centimètres plus grand que Sarah.

— Vous n'êtes pas heureuse de votre sort?

Il avait posé cette question lentement et gravement.

— Non, répondit Sarah, et vous? Que désirez-vous?

— Que devrais-je désirer? Je ne manque de rien.

— Vous êtes heureux d'être soldat?

Il parut surpris et déconcerté par cette question que personne ne lui avait encore jamais posée, de sorte que Sarah se hâta d'ajouter :

— Je vous demande pardon, Sir.

James réfléchit un moment :

— Je suis heureux de faire ce que l'on attend de moi, répondit-il assez pompeusement.

— Alors, vous êtes heureux, dit Sarah.

— Je ne vois vraiment pas en quoi cela vous regarde, répondit-il d'un ton assez irrité. Personne ne m'a jamais demandé ce que je voulais, continua-t-il avec un petit haussement d'épaule.

— On ne le fait jamais, répondit Sarah d'une voix calme. On est mis dans les choses, c'est tout. On vous refile ce qu'on peut, de n'importe quelle manière.

James la regarda intensément comme s'il se rendait compte tout à coup que même les secondes femmes de chambre étaient humaines.

— C'est exact, dit-il.

— Un jour, dit Sarah d'une voix très calme.

— Vous ne devriez pas tant réfléchir, dit James doucement, c'est mauvais pour des gens comme nous de mettre en doute les choses.

— Les gens comme nous? demanda Sarah.

— Vous devez vous rappeler ce qu'on nous a appris, chaque chose à sa place, répondit James.

— Ça dépend de ce qu'est votre place.

Sarah restait intraitable.

— Oui, dit James. (Il la regarda un long moment en silence, examinant chaque partie de son visage. Sarah savait ce que ce regard voulait dire.) Quelquefois je pense que nous nous sommes complètement trompés, marmonna-t-il. (Et brusquement il rit :) « Un officier qui réfléchit, c'est de la chair à canon », se récita-t-il à lui-même comme un avertissement. Je n'aurais pas dû rentrer à la maison ce soir.

C'était trop tard maintenant, trop de choses s'étaient passées.

— C'est toujours ce que dit Mr Hudson, dit Sarah en riant.

Les pensées de James étaient ailleurs.

— Quoi? demanda-t-il.

— A propos de réfléchir, expliqua-t-elle.

— La barbe avec Hudson, dit James.

Il prit sa main et la regarda et laissa ses doigts remonter lentement le long de son bras. Sarah ne bougea pas. Il plaça doucement ses mains à l'intérieur de la robe lâche et prit son corps dans ses bras.

— Au diable les régiments? dit Sarah, et elle lui sourit.

Il la désirait et elle le désirait. Elle le désirait brusquement plus qu'elle n'avait jamais désiré un homme.

— Au diable tout, chuchota James à son oreille. Vive la République!

Il laissa ses lèvres toucher les siennes, elle mit ses bras autour de lui et serra très fort.

— Venez, dit-il, allons dans ma chambre.

Ils s'embrassèrent de nouveau.

Quelque part en bas il y eut un cri immédiatement noyé par l'horrible fracas de verre cassé, suivi de bruits moins violents de tintements de verre.

James leva vivement la tête comme un animal qui

sursaute. Il fronça les sourcils avec colère. Sarah le tenait toujours, mais il se dégagea et sortit de la pièce en courant.

Sarah resta complètement immobile. Elle entendait juste ses pas dans l'escalier. Elle imaginait que c'était Alfred qui avait laissé tomber un plateau en s'efforçant dans son ivresse de débarrasser la table. Mais quelle importance? Elle tapa du pied de fureur, maudissant sa malchance. Elle sortit de la pièce et descendit rapidement.

Du palier du salon, elle aperçut James dans le vestibule, la bouteille de champagne et les verres cassés à ses pieds, et Alfred se coulant vers la porte de feutrine verte comme un chien fouetté.

Elle frissonna et resta à observer. Longtemps James ne bougea pas, puis il retira son pied et retourna un morceau de verre brisé avec dégoût comme s'il venait brusquement de se rendre compte que tout ce gâchis était de sa faute.

Puis il se détourna et entra lentement dans le petit salon. Sarah savait que la seule chose raisonnable était d'aller au lit. Si James l'avait désirée, il serait revenu vers elle. Mais un mélange de curiosité et d'espoir la força à descendre.

La porte du petit salon était grande ouverte et il était planté devant le feu à fumer un cigare.

Elle entra doucement et lui sourit.

James la regarda.

— Ne restez pas là comme ça, dit-il, allez chercher une brosse et une pelle et nettoyez ce gâchis.

La première pensée de Sarah fut d'assener à ce salaud arrogant quelques phrases bien choisies de l'East End qu'il n'oublierait pas de si tôt, mais elle retint sa langue. L'expérience lui avait appris que, même si cela pouvait soulager ses propres sentiments, cela n'arrangerait pas la situation et pourrait changer les idées de James sur le fait de tout dire à ses parents, ne fût-ce que pour se venger d'elle. Le James Bellamy qu'elle avait vu quelques minutes plus tôt avait disparu, le garçon arrogant avait pris sa place.

Alfred avait brisé la toile ténue d'intimité qu'ils avaient commencé à tisser ensemble aussi sûrement qu'il avait mis en miettes le contenu du plateau à champagne.

Elle se retourna et sortit sans un mot. Dans l'office, Alfred était assis à la table et geignait, la tête dans les mains. Rose essayait de casser un œuf cru dans une tasse à thé. Sarah trouva qu'ils avaient l'air dégoûtants et avinés. Elle fut tentée de casser le bol d'œufs sur leurs têtes stupides. Quand elle monta avec ce qu'il fallait pour nettoyer, James était parti et la lumière était éteinte dans le petit salon.

Furieuse et navrée, Sarah nettoya le gâchis puis fit monter Rose au lit. Rose, trempée et ivre, offrait un spectacle qu'elle trouvait écœurant. Bizarrement elle se rappelait un gros Espagnol que les hommes du pub où allait son père avaient l'habitude d'enivrer avec de la bière. Pour couronner le tout, Rose se mit à ronfler. Sarah entendit Alfred monter l'escalier en trébuchant et en jurant à chaque marche, mais elle ne fit pas un geste pour l'aider. Sarah resta pendant des heures à réfléchir. Elle était faite pour les ennuis comme les étincelles pour monter vers le ciel.

Quand vint l'aube, elle se leva et commença à emballer ses affaires, en essayant de ne pas faire de bruit, mais au bout de quelques minutes Rose se réveilla.

— Qu'est-ce qui se passe? dit-elle en geignant. Oh! ma tête!

Sarah ne fit pas attention à elle. Rose s'assit dans son lit.

— Sarah, dit-elle d'une voix embrumée, qu'est-ce que tu fais?

— Je m'en vais, répondit Sarah froidement. Est-ce que ce n'est pas évident? Même dans ton état.

Rose vit la valise et les vêtements de dehors.

— Mais, Sarah. Il ne va peut-être pas... Il peut ne pas... (Rose revenait difficilement au monde de la réalité :) Il ne racontera peut-être rien sur nous, on ne peut jamais savoir... De toute manière...

Sarah l'interrompit d'un ton sec.

— Il ne parlera pas. Il me l'a promis. Tu peux le dire aux autres, mais personnellement je ne reste pas ici... pas après hier soir.

— Tu es folle.

— Peut-être. (Sarah prit les bottines que Rose lui avait prêtées.) Tiens.

Elle les mit sur le lit.

— Tu peux les garder, dit Rose.

— Je n'en aurai pas besoin, pas là où je vais.

— Où vas-tu?

— Chez ma cousine, à Ilford.

— Je ne savais pas que tu avais une cousine à Ilford.

Sarah était devant la glace et mettait son vieux chapeau de tweed.

— Pourquoi le saurais-tu? Je ne t'appartiens pas.

— Mais qu'est-ce que tu vas faire, Sarah?

Rose se frotta les yeux pour essayer de mieux comprendre.

— Je ne sais pas.

— Tu ne peux pas partir d'ici sans références — je veux dire, convenables — et trouver une place comme ça.

Pour Rose le monde était limité par les quatre murs du 165 Eaton Place.

— Regarde Kate, continua-t-elle. « Je peux me débrouiller » — c'est ce qu'elle m'a dit dans cette même pièce. Et alors le bébé est mort et elle est dans la rue à se débrouiller.

— Je ne suis pas enceinte, répondit Sarah refusant de discuter tout en emballant ses vêtements de dessous et sa chemise de nuit.

— Qu'est-ce que tu en sais? répondit Rose.

Sarah continua à refuser la sympathie.

— Tu ne trouveras jamais une autre place. Jamais, dit Rose au bout d'un moment.

— Tu te trompes, Rose, répondit Sarah, les places ne m'intéressent pas. Ce qui m'intéresse c'est que quelque chose arrive. (Elle se retourna et se pencha par-dessus les barreaux du lit.) Ce qui se passe ici ne m'intéresse pas! dit-elle. Vivre tout à travers *eux*, comme si nous n'étions pas faits de chair et de sang. Comme si nous étions des sortes de légumes qui n'ont pas de sentiments, qui dépendent d'eux pour tout. Parler d'eux tout le temps. Recoller leurs lettres stupides pour pouvoir les lire et nous exciter. (C'était une pratique commune chez le personnel féminin, aidé et encouragé par Alfred, mais très mal vue par Mr Hudson.) Les habiller des pieds à la tête, poursuivit Sarah, admirer leurs parures, porter leurs vêtements. (Elle rangea son uniforme, soigneusement plié, au pied du lit.) Je ne veux pas d'une vie de seconde main, je veux une vie à moi, continua-t-elle.

Elle commença à mettre son manteau. Rose se rendit compte brusquement que Sarah parlait sérieusement et que ce n'était pas une autre de ses plaisanteries.

— Ecoute, Sarah, dit-elle en se levant et en prenant un ton désespéré. Ce n'est pas parce que James Bellamy t'a fait l'amour que les portes de la haute société vont s'ouvrir toutes grandes devant toi. (Elle renifla.) Personne ne te regarderait deux fois.

— Un peintre célèbre a fait mon portrait et j'ai été accrochée à l'Académie royale; il m'a regardée plus de deux fois, dit Sarah. James Bellamy m'a regardée. James Bellamy pense beaucoup de bien de moi.

— Assez pour te rendre ridicule, rétorqua Rose.

— Il pense beaucoup de bien de moi, répéta Sarah.

— Alors pourquoi pars-tu? répliqua Rose.

— Parce que, répondit Sarah, à cause des circonstances.

— Quelles circonstances?

— Vraiment il y a des choses dont je préfère ne pas discuter, dit Sarah laissant Rose imaginer ce qu'elle voulait.

Elle avait fini d'emballer ses affaires et maintenant elle ramassa la robe de Lady Marjorie que James lui avait donnée. La sensation de ce beau et doux tissu ramena brusquement dans son esprit le souvenir du boudoir.

— Remets ça dans la garde-robe de Lady Marjorie, dit Sarah.

Rose prit la robe et la regarda.

— Est-ce qu'il a fait l'amour avec toi? dit-elle d'une voix calme.

Sarah se détourna.

— Réalité ou fiction? dit-elle, essayant d'en faire une plaisanterie.

— Est-ce qu'il a fait l'amour avec toi? insista Rose.

— La question n'est pas là, Rose, répondit Sarah, ça n'a rien à voir, tu ne vois donc pas!

Brusquement quelque chose se rompit dans la tête de Rose. Elle saisit les vieux magazines sur la valise de Sarah et les déchira furieusement, les jetant par terre comme si elle pouvait ainsi détruire à jamais le monde de fantaisie de Sarah.

Sarah s'agenouilla et commença à ramasser les morceaux. Au bout d'un moment, Rose s'agenouilla à côté d'elle et commença à l'aider.

— Pourquoi as-tu fait ça? demanda Sarah. Tu sais ce qu'ils représentaient pour moi.

— Est-ce que tu peux les remettre comme il faut? demanda Rose d'une petite voix.

— Je suppose que oui, répondit Sarah en mettant toutes les pages dans sa valise.

Sarah se leva. Elle était prête à partir. Rose commença à s'accrocher à des fétus de paille.

— Ne pars pas encore, prenons une tasse de thé, supplia-t-elle avec espoir, toujours à genoux, je vais en faire.

— Non merci, Rose, répondit Sarah.

— Ça ne prendra pas plus d'une seconde. Nous pourrons parler.

Sarah ne se laissa pas tenter.

— Je dois partir, dit-elle d'un ton ferme.

— S'il te plaît. S'il te plaît, reste. Je ne sais pas ce que je ferai.

Avant que Sarah ne puisse bouger, Rose lui mit les bras autour des jambes. Sarah l'aida à se relever.

— Tu es tout ce que j'ai, dit Rose, tu es tout ce que j'ai n'importe où.

C'était très difficile pour Sarah.

— Tu sais que je dois partir, Rose, dit-elle, pesant ses mots. Il faudra continuer, c'est tout.

Elle s'arracha à Rose et, ramassant sa valise, sortit rapidement de la pièce sans se retourner.

Rose s'assit sur le lit, rendue muette par le malheur, puis elle se mit à pleurer.

Sarah descendit l'escalier et pénétra dans le vestibule glacial et vide. Au pied de l'escalier, elle s'arrêta comme si elle venait brusquement de se rappeler quelque chose. Elle releva la tête avec un sourire de défi et au lieu de descendre par la porte de service, passa droit par la grande porte et l'ouvrit.

Emily était sur les genoux en train de frotter les marches. Elle leva les yeux vers Sarah, stupéfaite.

— Sarah! Où donc allez-vous?

— Je sors par la grande porte. De la manière dont je suis pour ainsi dire entrée, répondit Sarah.

Elle passa devant Emily et tourna à gauche le long d'Eaton Place, passa devant le laitier et le boulanger et les innombrables autres filles de cuisine qui toutes frottaient leurs marches, jusqu'à ce qu'Emily la perdît de vue dans la brume du petit matin.

Quand les Bellamy revinrent d'Ecosse au milieu de septembre, et qu'on dit à Lady Marjorie que Sarah était partie de son propre chef, elle ne fut pas le moins du monde surprise. Elle s'était toujours rendu compte que cette fille n'était pas faite pour le service et ne l'avait engagée en fait que par caprice. Après l'affaire de l'Académie royale, Sarah avait cessé de l'amuser.

Mr Hudson ne cacha pas sa satisfaction à cette nouvelle.

La pauvre Rose le prenait très mal. Pendant quelques semaines, elle refusa de croire que Sarah ne reviendrait pas, mais à mesure que les soirées passaient et qu'il n'y avait ni lettre ni message, elle commença à abandonner tout espoir. Pendant un de ses jours de congé elle se rendit à Ilford et découvrit que c'était beaucoup trop grand pour y chercher toute seule. Tandis qu'elle marchait péniblement dans les rues de banlieue, le découragement la prit à la pensée que la cousine d'Ilford n'était probablement qu'une autre des soudaines inventions de Sarah.

La nuit, elle restait éveillée à s'inquiéter, à placer Sarah dans toutes sortes de situations pénibles nécessitant son aide; quelquefois elle se reprochait d'avoir laissé Sarah partir et d'autres fois elle était saisie d'accès de colère amère.

Un jour, avant Noël, elle cirait la rampe de l'escalier quand James Bellamy, rentrant d'une séance de cheval, lui demanda si elle avait vu Sarah ou entendu parler d'elle.

Sa demande répondait au moins à l'une des questions que se répétait Rose. Si James Bellamy ne savait pas où était Sarah, il ne l'avait certainement pas installée comme sa maîtresse. D'un autre côté, il était de toute évidence toujours intéressé par elle. Etait-ce parce qu'il redoutait de l'avoir mise enceinte?

Rose devint de plus en plus mince et des cernes sombres se formèrent sous ses yeux. Lady Marjorie et Mr Hudson commencèrent à s'inquiéter sérieusement à l'idée qu'elle allait s'effondrer complètement. A l'office elle parlait à peine. Elle refusait toute suggestion d'engager une seconde femme de chambre pour remplacer Sarah.

Ce ne fut qu'au début du printemps de 1905 que Lady Marjorie eut une inspiration. Sa fille devait revenir de son collège de jeunes filles à Dresde pour passer son année de débutante à Londres et elle aurait besoin d'une domestique pour s'occuper d'elle. Durant les dix années que Rose avait passées au service des Bellamy, elle et Elizabeth s'étaient beaucoup attachées l'une à l'autre. Rose avait souvent joué le rôle de nurse les jours de congé de Nanny et elle avait aidé Elizabeth à faire sa couture et même à apprendre ses leçons durant les années d'école.

Quand Lady Marjorie lui en fit la suggestion, Rose parut ravie et ne fit pas la moindre objection lorsqu'une fille paisible qui s'appelait Ivy, ayant des références convenables, fut engagée comme seconde femme de chambre.

Ce fut un soulagement pour tous dans la maison que le fantôme de Sarah parût avoir disparu pour de bon.

7

Il y avait eu un télégramme de Dresde et maintenant Lady Marjorie attendait l'arrivée de sa fille, le
cœur agité.

Elizabeth n'avait jamais été une enfant facile. Très
jeune, la nurse des Bellamy l'avait décrite comme
« volontaire » et il y avait des jours où elle était
obligée de reconnaître qu'elle ne pouvait rien obtenir
de l'enfant qui lui était confiée. Lady Marjorie avait
ardemment désiré une gentille petite fille sachant
tout naturellement coudre, peindre et danser, et dont
le charme et la beauté feraient l'envie des autres
mères.

Hélas! Elizabeth était devenue en grandissant un
garçon manqué, plutôt empoté, qui semblait se désin-
téresser royalement de son aspect physique et qui,
parce qu'elle était en réalité très timide, apparaissait
aux réceptions plutôt maussade et boudeuse. Elle
avait surtout toujours été heureuse à Southwold dans
la compagnie des gardiens et des valets d'écurie, à
parcourir la propriété sur son poney.

Après une succession de gouvernantes qui étaient
toutes parties en déclarant qu'elles ne pouvaient

rien en tirer, les Bellamy avaient décidé d'envoyer Elizabeth au collège de Frau Beck à Dresde, réputé pour sa discipline et ses autres vertus.

En l'attendant, Lady Marjorie espérait que la baguette magique de Frau Beck avait changé sa fille, sinon en cygne accompli, du moins en jeune cygne.

En bas dans la cuisine, Mrs Bridges mettait la dernière main à un gâteau au chocolat :

— Maintenant, Emily, dit-elle, ne restez pas dans mes jambes et aidez Rose à faire des sandwiches au concombre. Et rappelez-vous que vous ne les faites pas pour des éléphants.

— De jolies tranches minces, expliqua Rose à Ivy et à Emily, et coupez toujours les croûtes. Ne mettez le concombre qu'à la dernière minute, sinon elles deviendront toutes détrempées.

— Quelle drôle d'idée de mettre des concombres! fit remarquer Emily.

Mrs Bridges apporta le gâteau.

— Je suppose que vous n'avez jamais entendu parler de cela chez vous parmi les païens, dit-elle à Emily.

— Non, jamais, reconnut Emily qui goûta un morceau de concombre et fit la grimace.

— Les Irlandais ne mangent rien que des restes, dit Ivy pour l'information des autres.

— C'est vrai, reconnut Emily.

Alfred entra, tout en enfilant une paire de gants propres.

— Réveillez-vous, les filles, dit-il. Ayons l'air un peu gais dans cette maison. Je me demande si nous remarquerons la différence maintenant qu'elle a fini ses études, etc.

— Je suis certaine que de toute manière rien ne pourrait changer Miss Elizabeth en pire, dit Rose loyalement.

— Elle est très bien, reconnut Alfred. Elle ne fait pas de manières.

— Elle a toujours été difficile pour sa nourriture depuis qu'elle est petite, dit Mrs Bridges, exprimant son opinion personnelle.

— Oh! vous devez pouvoir en dire davantage, s'exclama Rose en déposant soigneusement les sandwiches en cercle sur une serviette pliée.

— Je dis ce que je sais, répondit Mrs Bridges d'un ton définitif.

Rose ajouta du persil pour parachever l'effet.

— Vous pouvez dire à Mr Hudson que nous serons prêts quand ils le seront, dit-elle.

On sonna à la porte d'entrée, mais ce n'était pas Elizabeth; c'était Kate, la tante de Lady Marjorie, une imposante personne d'une grande prestance qui avait bien voulu aider à lancer sa nièce dans la société. En tant que marquise et sœur d'un comte, elle pouvait se mesurer à n'importe quelle duchesse et l'emporter haut la main.

Lorsqu'elle entra dans le salon, tante Kate trouva Lady Marjorie, James Bellamy et un ami, Billy Watson, des « Blues », qui attendaient tous Elizabeth.

— James, tu as pris du poids, annonça tante Kate. (Elle s'assit.) Voyons, continua-t-elle, en regardant autour d'elle, un thé pour accueillir Elizabeth, sans thé et sans Elizabeth...

Entendant le bruit d'une voiture qui approchait, James se dirigea vers la fenêtre et put annoncer la bonne nouvelle qu'Elizabeth était enfin arrivée.

Rose attendait dans le vestibule et Elizabeth courut se jeter dans ses bras et l'étreignit.

— Vous nous avez tellement manqué à tous! s'exclama Rose.

— Vous m'avez manqué aussi, Rose. Terriblement, dit Elizabeth en arrachant son chapeau et en rejetant ses mèches folles. J'ai tant de choses à vous raconter.

Rose l'aida à enlever son manteau. Elizabeth tourbillonna sur elle-même.

— Sapristi, dit-elle, la tête me tourne. Londres n'est que bruit et remue-ménage après ce vieux Dresde tout endormi.

— Ils vous attendent pour le thé au salon, Miss Elizabeth, dit Rose.

— Oh! Seigneur! s'écria Elizabeth, et elle monta les marches de l'escalier trois par trois.

L'entrée explosive d'Elizabeth au sein de sa famille fut suivie par tant d'étreintes et d'embrassades qu'il fallut un moment pour qu'on puisse faire sortir Billy Watson de l'ombre afin de le présenter à l'enfant prodigue.

— Qu'est-ce que vous faites, Mr Watson? demanda Elizabeth en lui serrant la main.

— Je... suis... soldat, en fait, expliqua Mr Watson assez timidement.

Il n'était jamais très à l'aise avec les jeunes dames.

— Comme c'est décevant! répondit Elizabeth en prenant une expression triste. J'avais plus ou moins décidé que vous étiez poète.

Cette déclaration réduisit Mr Watson au silence et Lady Marjorie et tante Kate échangèrent un regard désespéré. Elizabeth n'avait certes pas encore acquis toute la grâce d'une jeune fille, du monde.

Tandis que Rose et Edward faisaient passer les sandwiches et les gâteaux et que Mr Hudson surveillait l'infusion du thé, Lady Marjorie commença à exposer à Elizabeth le programme de l'été.

Elle avait déjà reçu un grand nombre d'invitations et le point culminant de la saison serait bien sûr la soirée à Buckingham Palace en juillet, mais pour le moment il importait surtout de se préparer pour le grand bal de Londonderry House. Il devait avoir lieu dans trois semaines et le Premier ministre lui-même avait demandé aux Bellamy de dîner à Carlton Gardens. Tante Kate saisit cette occasion pour faire remarquer que peu de jeunes filles avaient la chance de faire un début aussi prometteur et aussi excitant dans la société.

— Oui, tante Kate, dit Elizabeth docilement. J'aurais voulu seulement... J'aurais voulu seulement que ça ne vienne pas si vite.

On aurait dit à l'entendre qu'il s'agissait d'un rendez-vous chez le dentiste.

Billy Watson fit une nouvelle tentative. Il se montra enthousiaste au sujet de l'armée allemande, mais Elizabeth trouvait plus intéressants les philosophes et les musiciens allemands; il lui demanda si elle aimait le tennis et Elizabeth avoua qu'elle préférait le piano; quand il essaya le polo, Elizabeth lui dit franchement qu'à son avis c'était un jeu ennuyeux.

Mr Watson posa sa tasse, prit son chapeau, ses gants et sa canne et quitta les Bellamy après être resté les quinze minutes requises par l'étiquette.

— Je ne pense pas que tu viennes de faire une grande conquête, Elizabeth, dit sa mère, quand James eut raccompagné son ami jusqu'à la porte.

— Etais-je censée la faire? demanda Elizabeth en prenant deux sandwiches au concombre à la fois d'une manière peu digne d'une lady. Vraiment, mère, je viens de descendre du train et de toute manière, il avait l'air d'un jeune homme très obtus.

Tante Kate leva son face-à-main et lança à sa petite-nièce le célèbre regard qui avait réduit plus d'une fois tout un groupe de ministres au silence.

— Un homme obtus peut être digne de confiance, déclara-t-elle, feu ton grand-oncle était un homme obtus. Tu dois écouter ta mère, Elizabeth. Elle connaît les règles à suivre dans le monde. La philosophie allemande ne t'aidera pas à remplir ton carnet de bal à Londonderry House. Souviens-toi de cela ma fille, et sois humble.

Elizabeth prit l'air contrit qui convenait.

— Oui, tante Kate, dit-elle. Je suis navrée, mère.

Et immédiatement elle attaqua le gâteau au chocolat.

— Vraiment, Elizabeth, n'engloutis pas la nourriture de cette manière, dit Lady Marjorie. Est-ce qu'on vous a affamées chez Frau Beck?

— Non, mère, répondit Elizabeth la bouche pleine. Nous avions toujours des tonnes de nourriture délicieuse. Je crois que ça m'a donné du ventre.

Tante Kate secoua la tête.

— Je crains bien que l'Allemagne n'ait pas fait grand-chose pour Elizabeth, dit-elle.

Mrs Bridges était la seule personne qui détectait une nette amélioration.

— On peut dire en tout cas que les voyages à l'étranger lui ont donné bon appétit et c'est déjà quelque chose, fit-elle remarquer en posant les ruines du gâteau au chocolat.

Après le thé, Rose reçut des instructions urgentes et secrètes de Lady Marjorie afin d'essayer d'améliorer l'apparence extérieure d'Elizabeth avant le retour de son père de Westminster. Quand toutes les affaires furent déballées, elle assit la jeune personne dont on lui avait donné la charge devant la coiffeuse et entreprit de la coiffer. Ce n'était pas facile car Elizabeth ne cessait de bouger.

— Essayez de rester tranquille, Miss Lizzy, suppliait Rose.

— Oh! misérables, misérables cheveux! s'écria Elizabeth. (Et elle leva les mains et les ébouriffa de nouveau.) Pourquoi ne peut-on pas les laisser pendre ou les couper? Pourquoi ne peut-on pas vivre comme une personne ordinaire?

— Je ne sais pas ce que voulez dire par là, répondit Rose, les lèvres pincées en recommençant. Toutes les vendeuses sont aussi difficiles pour leurs cheveux.

— La différence étant que les vendeuses les peignent elles-mêmes comme je le faisais à Dresde! rétorqua Elizabeth en se faisant une grimace dans la glace.

— Nous n'avons pas besoin de fantômes sortis de la tombe pour nous dire ça, dit Rose, la bouche pleine d'épingles.

— Quelle drôle d'expression! Où l'avez-vous entendue, Rose?

— Je ne sais pas. Voilà qui est mieux.

Et comme Rose avait remis un peu d'ordre dans sa chevelure, Elizabeth se leva et commença à chercher dans la pile de livres récents non encore déballés comme un terrier cherche un rat.

Les *Citations Familières* de Bartlett étaient au fond.

— Voilà, cria Elizabeth triomphalement. C'est dans *Hamlet*. Oh! Rose, que vous êtes intelligente!

Rose pensa qu'il lui faudrait être intelligente si elle devait avoir une emprise quelconque sur cette jeune lady; avant qu'elle puisse dire un mot de plus, Elizabeth avait disparu au salon pour s'exercer au piano.

James trouva sa mère dans l'escalier qui écoutait.

— Elizabeth joue vraiment bien, dit-elle.

— Oui, dit James dont l'appréciation personnelle de la musique n'allait pas beaucoup plus loin que les chansons de Marie Lloyd. J'aurais seulement aimé qu'elle soit devenue plus... plus raisonnable.

— Tu ne peux pas espérer d'une sœur de dix-huit ans qu'elle soit raisonnable, James.

— Peut-être ne veux-je pas dire raisonnable. J'aimerais seulement qu'elle soit un peu plus comme les autres filles. Un peu plus sensationnelle.

— Je pensais qu'elle avait fait sensation au thé, répondit Lady Marjorie.

— J'aime beaucoup Elizabeth, fit remarquer James avec un soupir et un haussement d'épaule.

Il avait espéré avoir une sœur à Londres qu'il pourrait présenter à ses amis, mais Elizabeth de toute évidence n'était pas encore présentable.

— Tu n'étais pas tellement civilisé toi-même à cet âge-là, lui rappela sa mère avec un sourire affectueux.

— Non, je suppose que non, reconnut James en se rappelant combien il était prétentieux et boutonneux à dix-huit ans. Quel dommage que nous ne puissions envoyer Elizabeth à Sandhurst!

Elizabeth Bellamy et son père se comprenaient et s'aimaient d'une manière très particulière. Bellamy savait exactement pourquoi elle ne voulait pas aller au Londonderry's : « A ce bal, ou bien j'aurai l'air d'un perroquet empaillé, ou bien je me trémousserai sur la piste avec un tas de jeunes gens insipides portant monocle. » Il savait qu'elle considérait sincèrement ce genre de choses comme une totale perte de temps et qu'elle était au fond terrifiée.

Il comprenait cela parce qu'il avait ressenti exactement la même chose à son âge et qu'il continuait à trouver que rencontrer un tas d'étrangers était un gros effort pour ses nerfs. Il savait aussi que si elle voulait réussir dans le monde dur dans lequel elle était née, Elizabeth devrait affronter les tortures qui l'attendaient et se conformer aux règles.

— Vois-tu, Elizabeth, lui expliqua-t-il, assis ce soir-là sur la petite chaise recouverte de chintz, dans sa chambre, j'espère un poste au Cabinet, et ce qu'il y a de terrible, que cela te plaise ou non, c'est que la famille en la matière compte pour beaucoup. Le genre d'impression que nous faisons tous sur Mr Balfour.

— Oh! père, non! répondit Elizabeth, incrédule. Chacun sait combien vous êtes important.

— Aucun homme politique n'arrive jamais au sommet tout seul, continua Bellamy en masquant cette déclaration assez pompeuse sous un petit sourire :

Une femme brillante, une fille qui enchante tout le monde. C'est très important, crois-moi.

— Je ne promets pas d'avoir beaucoup de talents d'enchanteresse, répondit Elizabeth d'un ton dubitatif.

Bellamy se pencha en avant et l'embrassa :

— Pour moi.

— Oui, père.

C'était un argument contre lequel elle n'avait rien à opposer.

Tous les matins, quand elle avait fini sa conférence quotidienne avec Mrs Bridges au sujet des repas, Lady Marjorie donnait à Elizabeth des leçons d'étiquette.

D'abord Elizabeth dut mettre un livre en équilibre sur sa tête.

— Maintenant, marche vers moi, Elizabeth. Tourne-toi. Eloigne-toi. Tourne-toi. Souris. Tourne-toi. Deux doigts pour une relation, trois pour des amis de la famille. Voilà qui est beaucoup mieux. Bien. Maintenant, assieds-toi.

Elizabeth s'effondra sur une chaise.

— Assieds-toi, ma chérie, ne t'affale pas, dit sa mère. Maintenant, la conversation. Rappelle-toi que la philosophie allemande est hors de question. Le temps qu'il fait, c'est toujours un sujet sûr; mais suis toujours le chemin que ton partenaire t'indique. S'il veut parler de courses, intéresse-toi aux courses.

— Mais je ne m'y intéresse pas, soupira Elizabeth.

— Ne sois pas stupide. Tu peux lire des articles là-dessus dans les journaux. Une règle importante : pas de personnalités, pas de politique.

— Pas même avec des hommes politiques.

— Surtout pas avec les hommes politiques. Ils veulent s'amuser.

Elizabeth rit brusquement.

— Vous savez ce que James m'a dit, mère. Ils n'ont pas le droit de parler de femmes ou d'argent au mess parce que cela provoquait toujours des duels. N'est-ce pas que c'est drôle?

— C'est très raisonnable, répondit Lady Marjorie.

— En tout cas, je ne pense pas qu'un jeune homme s'approchera à des kilomètres de moi, dit Elizabeth en faisant la grimace.

— Bien sûr que si. Toutes les jeunes filles pensent cela. Mais si tu fais tapisserie, ne reste pas là avec un air désespéré — parle avec animation à ton chaperon. Et ne cesse pas immédiatement si un jeune homme s'approche — continue à parler et à sourire —, sers-toi de ton éventail.

Lady Marjorie fit la démonstration de l'art délicat de ne pas faire tapisserie. Sa technique et son élégance lui avaient toujours évité d'être elle-même dans ce cas-là.

— Fais-lui sentir qu'il interrompt une conversation amusante, que tu avais complètement oublié que tu avais promis cette danse, que tu n'avais même pas entendu la musique commencer. Puis accepte-le avec une surprise ravie comme s'il était la personne la plus importante de la pièce.

— Oh! mère! (Elizabeth poussa un profond soupir.)

— Oui, Elizabeth.

— Quelle différence y a-t-il entre une débutante et une actrice?

Cette remarque n'amusa pas Lady Marjorie.

— Ne sois pas délibérément choquante, ma chère.

Un jour, Richard Bellamy rentra pour leur apprendre la grande nouvelle qu'il venait de rencontrer Sir Francis Knollys, le secrétaire privé du roi, et que le nom d'Elizabeth était sur la liste extrêmement restreinte des heureuses jeunes personnes qui auraient l'honneur d'être personnellement présentées à Leurs Majestés à Londonderry House.

Cette nouvelle eut pour effet de plonger Elizabeth dans une espèce de dépression.

Le soir du bal, Mr Hudson demanda la permission pour les domestiques de regarder le départ dans le vestibule.

Aller à un grand bal et être présenté au roi et à la reine, c'était presque un conte de fées et le fait que leur Miss Elizabeth était vraiment sur le point de faire cette chose merveilleuse donnait l'impression aux domestiques qu'ils participaient eux-mêmes à la fête.

Quand Elizabeth descendit, elle était si belle dans sa robe blanche et ses plumes qu'Emily fondit en larmes et que Mrs Bridges dut la pousser rapidement dans l'escalier de service.

Peu après 8 heures un quart, tante Kate entra avec la majesté d'un bateau de guerre surmonté de la tiare de Castleton, et sous son pavillon toute la famille s'embarqua pour le voyage de Carlton Gardens.

Le dîner aurait pu être pire. Tante Kate, qu'on avait déjà entendue déclarer qu'elle considérait Mr Balfour le plus inefficace des Premiers ministres depuis Lord North, était assise à côté de lui et limita sagement sa conversation aux jardins italiens de Southwold.

Le cœur de Lady Marjorie cessa presque de battre lorsqu'elle entendit Elizabeth citer Hegel à Lord Hugh Cecil, mais le brillant jeune ministre semblait plus amusé qu'autre chose par sa précoce voisine.

Quand ils arrivèrent à Park Lane, toute la rue était encombrée de belles voitures déposant les invités, et tandis qu'Elizabeth suivait sa mère et tante Kate à travers la foule qui remplissait le vestibule de la grande maison, elle commença à sentir les premières crispations de son estomac à la vue de tant d'imposants étrangers.

Un valet de pied en livrée donna à Elizabeth une petite carte pliée pour qu'elle y inscrive les noms de ses danseurs et après que les Londonderry les eurent reçus au sommet de l'escalier, Richard Bellamy lui fit faire la première danse et James réclama la seconde. Tout se passa si bien qu'Elizabeth commença presque à s'amuser et les duchesses, lorgnant la nouvelle venue, comme une rangée de vautours somptueusement vêtus, tombèrent d'accord pour penser que : « la fille de Southwold », comme elles l'appelaient, faisait meilleure impression que les commérages ne le leur avaient laissé supposer.

Billy Watson avait poliment demandé les troisième et quatrième danses, pensant que le fait de danser réduirait au minimum le besoin de faire la conversation. La troisième danse était une polka et ne put passer pour autre chose qu'un désastre. Billy n'était pas un grand danseur et la polka était une danse à la fois trop nouvelle et trop rapide pour lui. Il marcha deux fois sur les orteils d'Elizabeth et une fois sur sa robe, déchirant légèrement l'ourlet, et heurta pour finir un vigoureux hussard.

A la fin de la danse, Elizabeth eut l'impression que tout le monde dans la salle parlait d'eux et sa confiance en elle s'évapora rapidement. A peine s'étaient-ils assis que la musique recommença et que Billy Watson se leva, offrant son bras.

— Je crois que c'est notre valse, dit-il.

Elizabeth oublia complètement le sourire animé de rigueur et l'élégant jeu de l'éventail.

— J'ai encore le vertige après cette polka. S'il vous plaît, excusez-moi, répondit-elle, et surtout sentez-vous libre de trouver une autre partenaire!

— Si vous insistez absolument...

Billy s'inclina avec un soulagement non feint et prit congé.

Restée seule à regarder les jeunes filles minaudant

et les jeunes gens stupides qui mangeaient des glaces, buvaient du champagne, et avaient l'air de beaucoup s'amuser, Elizabeth commença à se sentir de plus en plus tendue et désespérée.

Elle vit James, mais n'alla pas le rejoindre parce qu'il buvait des yeux une fille à l'air de poupée, qui s'appelait Cynthia Cartright et qu'Elizabeth détestait cordialement depuis des années.

Elizabeth ne connaissait personne d'autre dans la salle de bal et décida qu'elle n'en avait pas envie. Quand elle entendit retentir l'hymne national, elle s'imagina soudain traînée devant le roi comme une pouliche qui avait gagné un prix, et ses nerfs la lâchèrent complètement. Elle sortit en courant par la porte la plus proche.

Quand un écuyer de la maison royale vint appeler tante Kate et que personne ne put trouver Elizabeth, ce fut une terrible consternation dans le camp des Bellamy. Tous les gens de la famille fouillèrent les lieux, mais en vain, et enfin tante Kate dut s'avancer et expliquer — avec de profondes excuses — que sa petite-nièce avait été prise d'un évanouissement.

Mr Hudson, miss Roberts et Rose attendaient dans le vestibule quand les Bellamy revinrent, mais aucun d'eux n'avait vu la jeune fille ni entendu parler d'elle. Le maître ne crut pas bon de les éclairer sur ce qui s'était passé; il envoya le maître d'hôtel se coucher et dit à Rose d'attendre, puis il entra dans le petit salon pour une réunion de famille. Comme ils étaient tous très énervés, cela tourna vite à la querelle.

— Comment a-t-elle pu nous laisser tomber comme ça? Comment a-t-elle pu? s'exclama Lady Marjorie. Après tout ce que vous avez fait pour elle, Richard, se conduire ainsi!

Ainsi, elle faisait carrément de Bellamy la personne la plus atteinte par l'incident.

— Peu importe cela maintenant, dit-il en se versant un cognac avec du soda, ce dont il avait grand besoin. Une innocente fille de dix-huit ans, lâchée dans les rues de Londres!

Il était hors de lui d'inquiétude.

— Est-ce que nous ne devrions pas prévenir la police? suggéra James, essayant de se rendre utile.

— Quelle affreuse idée! dit sa mère. Et si les journaux s'en emparaient? Cela va faire le tour de Londres de toute manière.

— L'idée ne vous est-elle pas venue que quelque chose a pu arriver à notre fille? rétorqua Bellamy sèchement.

Le choc avait révélé un côté du caractère de sa femme qui par bonheur restait généralement caché.

— Elle a simplement fait cela pour nous contrarier!

Lady Marjorie commença à verser des larmes de fureur. Il y eut un silence gêné.

— C'est assez ennuyeux, je dois dire, dit James, l'air désemparé. Je serai la risée du mess.

— Je crois qu'il vaudrait mieux que vous alliez tous les deux au lit, dit Bellamy d'un ton glacé en essayant de garder son sang-froid.

Quand ils furent partis il s'assit dans le grand fauteuil à oreillettes et sommeilla par à-coups; à l'office des domestiques, Rose faisait exactement la même chose. 2 heures sonnèrent; puis 3; puis 4.

Soudain, Rose sursauta, réveillée par un bruit de pas dehors.

C'était Elizabeth, ses cheveux si joliment arrangés pendant sur les épaules, toute dépenaillée, sa robe couverte de boue.

— Où étiez-vous, Miss Elizabeth? dit Rose, fâchée et toujours à moitié endormie. Votre père en a presque perdu la raison!

Elizabeth entra dans la cuisine et s'assit sur une chaise près de la table. Elle avait l'air épuisée.

— Oh! Rose, c'est terrible! dit-elle.

— Là, là, pauvre petite, dit Rose, réconfortante. Toutes ces rues affreuses et vous, perdue.

Les rues entre Park Lane et Eaton Place étaient mouillées et pleines de boue mais pas vraiment affreuses, pas moitié moins affreuses que le tumulte qui agitait l'esprit d'Elizabeth. Elle aurait bien accueilli les sarcasmes et la dérision tandis qu'elle marchait à travers les rues dans ses beaux vêtements, mais en croisant des balayeurs, des prostituées, des marchands ambulants et des policiers, elle constata que tous rivalisaient pour la secourir, et leur gentillesse ne faisait qu'ajouter à sa rage.

— Oh! pas ça, répondit Elizabeth à Rose en secouant la tête. Le bal!

Rose ne comprit pas.

— Que voulez-vous dire, Miss Elizabeth?

— C'était écœurant, dit Elizabeth d'un ton farouche. Ecœurant! Tous ces flirts répugnants, ces femmes minaudantes. Qu'est-ce que vous pensez du temps? Qu'est-ce que vous pensez de la crise? (Elle eut un reniflement furieux...) Qu'est-ce que vous pensez de l'orchestre? Jouez de votre éventail comme on vous l'a appris. Un, deux, trois, un deux, trois! Oh! Rose! C'était plus que je n'en ai pu supporter. Alors je suis partie en courant par la grande porte. Vous auriez dû voir la figure du valet de pied! (Elizabeth rit nerveusement.) Quelle honte que tout ça! dit-elle. Quelle honte, toute cette extravagance, ce gâchis, quand dehors il y a tant de pauvreté et de privations!

— Quelle honte en effet! répondit Rose, donnant un sens très différent à ce mot. Votre père vous attend.

— Je ne peux pas l'affronter maintenant, répondit Elizabeth affectant un épuisement extrême.

— Lâche! dit Rose d'une voix calme.

Elizabeth ne pouvait en croire ses oreilles. Elle leva la tête et regarda Rose.

— Qu'est-ce que vous avez dit, Rose? interrogea-t-elle.

— Lâche! répéta Rose.

Elizabeth ouvrit ses yeux tout grands.

— Je vais vous gifler! dit-elle.

— Je vous giflerai aussi, répondit Rose, pleine de fureur.

— Rose!

— Assez de Rose! lança la femme de chambre. Vous êtes là dans votre parure — un gâchis complet — et tout ce que nous avons fait pour vous a été tourné en ridicule. Alors assez de Rose!

Elizabeth détourna la tête avec un haussement d'épaule.

— Vous ne comprenez pas ce que vous dites.

— Non, je suis ignorante, c'est sûr, je ne suis pas allée en Allemagne. Je sais seulement que votre père et votre mère sont inquiets à perdre la raison pendant que vous êtes assise là à gémir parce que vous avez eu la chance d'être invitée au plus grand bal de la saison, alors que la plupart des filles auraient donné leur bras droit pour y aller.

Elizabeth l'interrompit.

— La saison! s'exclama-t-elle. Quelle saison! Toutes les saisons sont pareilles pour les pauvres et les nécessiteux.

— Qu'est-ce que vous savez des gens pauvres? (Le mépris de Rose était beaucoup plus cinglant que celui d'Elizabeth.) Vous ne vous préoccupez que de vous-même. Vous êtes une lâche et vous vous êtes enfuie. Vous allez briser le cœur de votre père.

Parce que c'était vrai, cela mit Elizabeth vraiment en colère :

— Tenez votre langue, cria-t-elle. Mon père comprendra. J'imagine que je le connais mieux que vous.

— Bien sûr, il comprendra, dit Rose plus calmement, parce qu'il vous aime. Il vous pardonnera peut-être même avec le temps, quoique je doute que votre mère en fasse autant.

Normalement Rose n'aurait jamais osé faire une déclaration aussi insolente, mais cela montrait comme elle connaissait bien son maître et sa maîtresse. Lady Marjorie avait été élevée dans une société stricte avec des règles bien définies; maintenant elle était l'un des arbitres de cette société. Elizabeth avait violé l'une des règles et elle ne pouvait espérer aucune pitié.

— Je ne vais pas discuter avec vous, dit-elle avec hauteur. Ça n'est pas ma place.

Rose n'allait pas être réduite au silence si facilement.

— Oh non! continua-t-elle, vous ne pouvez pas supporter quelques bonnes vérités, vous êtes comme n'importe laquelle de ces autres jeunes dames — vous êtes la plus gâtée de toutes!

— Je ne pourrai pas retenir ma main beaucoup plus longtemps, cria Elizabeth.

— Quelle lady! fit Rose méprisante.

Elizabeth se jeta sur Rose, mais Rose lui prit le bras, le tournant derrière son dos et la forçant à s'asseoir. Le travail de la maison l'avait rendue sèche, nerveuse et forte.

— Vous me faites mal, cria Elizabeth agacée par son impuissance. Je le dirai.

— Je parie bien que oui, rétorqua Rose en s'asseyant en face d'elle. Maintenant taisez-vous et écoutez-moi... Je me lève fraîche et joyeuse à 6 heures du matin et je vais au lit morte à 11 heures du soir, commença-t-elle. Je fais mon travail du mieux que je peux et un jour je serai peut-être une femme de chambre convenable pour une lady convenable — pas pour une gamine mal élevée.

Elizabeth se leva, mais d'une poussée Rose la força à se rasseoir.

— Restez tranquille et écoutez!

Et Elizabeth resta tranquille et écouta.

— **Bien.** Mr Hudson fait tourner la maison comme une horloge et Mrs Bridges est peut-être une vieille vache quelquefois, mais elle fait une merveilleuse cuisine et ses repas sont un plaisir à mettre sur un plateau. Nous sommes les roues de la charrette et nous sommes contents que ce soit comme ça; parce que le maître est un vrai gentleman dont nous sommes fiers et qu'il fait son travail comme il faut au Parlement et que Milady est belle et comme il faut, qu'elle vient d'une grande famille. Nous avons l'impression... nous avons l'impression que nous — toute cette maison — faisons partie de la société de Londres.

Elizabeth écoutait à moitié amusée, à moitié grave.

— La société de Londres, dit-elle d'un ton méprisant, plutôt la volière du zoo.

— J'ai dit la société de Londres, et je veux dire la société de Londres, poursuivit Rose. C'est le centre de l'Empire, non? L'Empire sur lequel le soleil ne se couche jamais et si vous ne pouvez pas sentir, comme moi, un peu de cette chaleur, je suis navrée pour vous.

L'Empire avait toujours été cher au cœur de Rose et maintenant elle poursuivait en avouant combien elle était fière d'en faire partie et comme elle sentait son grand cœur battre quand elle prononçait Piccadilly dans un bus; et Elizabeth se dit que Rose était une créature chère, sotte et fidèle, et qu'elle l'aimait vraiment beaucoup.

— Qu'est-ce que ce serait si j'entrais en chantant et en dansant dans le salon? Ou si je descendais sur la rampe en glissant? demanda Rose. Vous ne devez pas plus sortir de la ligne, Miss Elizabeth. Si vous n'êtes pas une lady convenable, alors je ne peux pas être votre femme de chambre. Et c'est tout ce que j'ai à dire et c'est plus qu'assez déjà, je le sais. Alors maintenant vous pouvez me faire renvoyer.

Elle se mit soudain à pleurer.

— Oh! ciel! dit Elizabeth en riant. J'aimerais que vous descendiez sur la rampe en glissant. (Elle mit son bras autour de Rose :) Rose, je vous aime beaucoup et je suis navrée d'avoir été grossière. Ce n'était pas juste. Je sais que ce que j'ai fait était horrible pour père et je vais essayer d'arranger cela. Mais je ne serai pas comme un chien battu toujours, Rose. Il y a quelque chose qui ne va pas et il y a des idées nouvelles, des gens nouveaux qui veulent essayer de faire que les choses aillent bien. Je ne comprends pas tout, ma tête est embrouillée et je suis indécise. Mais j'ai l'intention de comprendre un jour.

— Je suis navrée, Miss Elizabeth, de ne pas être restée à ma place, dit Rose d'un ton d'excuse.

Elle n'avait pas entendu un mot de ce que Elizabeth avait dit.

— Oh! la barbe avec votre place! dit Elizabeth d'un ton fâché.

— Miss Elizabeth! s'exclama Rose.

— Et maintenant, poursuivit Elizabeth avec un sourire, juste pour vous je vais être brave et affronter père. Maintenant, embrassez-moi et dites que nous sommes amies à nouveau.

Elle étreignit Rose et l'embrassa, ce qui n'amena la femme de chambre qu'à sangloter de plus belle.

— Séchez vos yeux, Rose, et emmenez-moi au massacre.

Elles montèrent ensemble la main dans la main. Quand elles arrivèrent au petit salon, Rose ouvrit la porte.

Richard Bellamy était éveillé. Elizabeth courut se jeter dans ses bras et Rose referma la porte.

Elle s'étira et bâilla. Elle avait l'impression de veiller depuis une semaine.

8

Il n'était pas rare que, à l'occasion de leur première saison, les jeunes filles fussent prises d'un malaise lors d'un bal, n'étant pas encore habituées aux effets conjugués des pièces chaudes et des corsets serrés; de sorte que lorsque cette raison fut avancée pour excuser la conduite d'Elizabeth, elle fut facilement acceptée.

Naturellement on en discuta beaucoup dans la famille et la seule personne qui ne fût pas consultée fut Elizabeth elle-même. Bellamy se reprocha et reprocha à sa femme d'avoir imposé à leur fille une situation qu'elle n'était pas prête à assumer. Il refusa de blâmer Elizabeth pour sa conduite. Lady Marjorie ne partageait pas cette opinion, considérant que sa fille était gâtée et entêtée et n'avait besoin de rien tant que d'une bonne fessée. Dans l'intimité de son boudoir elle versa des larmes amères à l'idée de se trouver affligée d'une fille aussi inadaptée et exaspérante.

Ils firent venir tante Kate pour servir d'arbitre et, au grand dépit de Lady Marjorie, elle se rangea du côté de Richard Bellamy et leur conseilla de mettre Elizabeth au vert pendant une année pour la laisser grandir un peu.

Sur un point, quoique pour des raisons bien différentes, ils étaient tous d'accord : ils ne pouvaient risquer un autre désastre comme celui du bal de Londonderry House. Elizabeth fut donc expédiée pour le reste de l'été avec ses cousins, les Dunmantons, qui menaient une vie à demi barbare dans un château sur la côte ouest de l'Irlande.

Quand elle revint à Londres à l'automne, tout était oublié et pardonné et Elizabeth parut à sa mère avoir tourné une nouvelle page. Elle occupait ses journées à lire, à jouer du piano, à aller dans les musées et aux concerts.

Comme les jeunes personnes ne pouvaient aller dans un lieu public sans chaperon, Elizabeth obtint la permission d'emmener Rose avec elle. Tant qu'on lui permettait d'emporter de la couture, Rose était parfaitement heureuse de rester des heures et des heures à entendre des quatuors de Beethoven, et elle en tirait un plaisir pervers du fait que Mr Hudson désapprouvait cet arrangement.

Cet automne-là il y eut du changement dans l'air à Westminster. Le Parti conservateur, dirigé par Mr Balfour, était depuis longtemps au pouvoir et au cours de l'année 1905 il y avait des signes de plus en plus nombreux montrant que l'opinion publique se tournait vers les Libéraux. Les Conservateurs avaient perdu une série d'importantes élections partielles et Mr Winston Churchill avait accompli sa célèbre traversée de la salle des Communes pour se joindre aux bancs des Libéraux.

Les élections générales devaient avoir lieu au début de 1906 et Mr Balfour, politicien très rusé, décida que le seul espoir d'être réélu, pour son parti, était de donner d'abord au pays un avant-goût du gouvernement libéral pendant quelques mois.

Balfour remit sa démission assez tard parce qu'il était décidé à renforcer la défense du pays. La crainte que l'Allemagne ne devînt trop avide de conquêtes avait été renforcée par l'attitude menaçante du kaiser vis-à-vis de la France, à Tanger, au début de l'année. C'était une des raisons pour lesquelles Balfour avait renforcé la Commission de la défense impériale en y ajoutant le formidable amiral Sir John Fischer.

Richard Bellamy était déjà membre de cette commission et il avait été très préoccupé par les estimations et les plans du premier des grands bateaux de guerre de Fischer, le *Dreadnought*. Au début de décembre celui-ci était presque terminé, trois de ses pareils étaient en chantier et Mr Balfour estimait qu'il n'y avait plus de risques à donner sa démission. Le roi fit venir Mr Campbell-Bannerman, le leader libéral, et lui demanda de former un gouvernement intérimaire. Richard Bellamy n'occupait plus de poste ministériel, mais il restait à la Commission de la défense impériale.

Par un froid après-midi, peu préoccupée par les importants événements qui avaient lieu non loin de là à Westminster, Elizabeth, escortée de Rose, revenait d'un récital donné par la célèbre chanteuse allemande, Elena Gerhardt.

Quand elle entra dans le salon, elle trouva un jeune homme distingué et élégant en train de prendre le thé avec sa mère. Il fut présenté comme le baron Klaus von Rimmer et sans perdre de temps il rappela à Elizabeth qu'ils s'étaient rencontrés une fois à une réception donnée par les Winterstein pendant son séjour en Allemagne.

Il semblait que le baron, descendant d'une famille de banquiers, était à Londres pour quelques semaines afin d'étudier les méthodes utilisées pour mener les affaires dans la Cité de Londres. Il se confondait en excuses pour avoir eu la présomption de venir sans avoir été officiellement présenté.

— Ce n'est pas de la présomption, lui dit Lady

Marjorie avec un sourire gracieux. Nous sommes ravies de vous recevoir, n'est-ce pas, Elizabeth?

Elle fit à sa fille un petit signe de tête d'encouragement : « Ma mère, pensa Elizabeth, serait ravie de recevoir n'importe qui portant pantalon, aussi onctueux et ennuyeux soit-il, pourvu qu'il soit riche et constitue un bon parti. »

— Nous devrions être d'autant plus ravies, chère mère, et plus profondément honorées, répondit-elle tout haut, que, de tous les gens que le baron doit connaître à Londres, il nous ait choisies. Nous avons à peine échangé trois mots, si je m'en souviens bien, chez les Winterstein...

Il y avait des moments où Lady Marjorie aurait pris plaisir à étrangler sa fille.

— Elizabeth! dit-elle en fronçant les sourcils.

— Non, je vous en prie, dit le baron en tendant la main, et apparemment pas le moins du monde offensé. Par malheur, j'ai très peu d'amis à Londres; j'avoue que je me sentais assez solitaire dans mon appartement quand je me suis souvenu que parmi les six mots que j'avais échangés avec une charmante et belle Fräulein Bellamy, il y avait les noms de Schubert et de Goethe qui à eux deux ont composé ou écrit certains des plus beaux lieder.

Elizabeth fut surprise :

— Mais n'est-ce pas drôle, je viens justement de...

— C'est ce que je disais au baron, intervint Lady Marjorie. Quelle coïncidence!

Elizabeth se rendit compte trop tard qu'elle était tombée dans un piège soigneusement préparé par sa mère et par le baron et refusa désormais de parler. Ce ne fut que vers la fin de la visite, quand le baron mentionna en partant qu'il connaissait personnellement Elena Gerhardt et qu'il avait étudié quelques mois avec elle, qu'Elizabeth commença à le considérer avec plus de chaleur.

Laissant Alfred présider aux dernières phases du thé et débarrasser, Mr Hudson se retira vers l'office des domestiques pour prendre un rafraîchissement. Rose avait laissé le programme du concert sur le manteau de la cheminée; il le prit et l'examina avec répugnance.

— J'espère que vous n'avez pas eu la bêtise de penser que c'était le summun du divertissement musical, dit-il à Rose.

— J'ai un cerveau pour penser, merci, répondit-elle.

— J'espère que vous le conserverez, Rose, répondit Mr Hudson en la regardant à travers ses lunettes cerclées d'or. Il y a des dangers à être femme de chambre d'une jeune lady volontaire comme Miss Elizabeth.

— Qu'est-ce qu'elle a fait qui vous dérange maintenant, Mr Hudson? demanda Rose, sachant qu'il désapprouvait beaucoup le comportement d'Elizabeth depuis son retour d'Allemagne.

— Rien, poursuivit Mr Hudson sèchement, rien de particulier. Je fais allusion au problème du respect. Le respect doit se manifester dans les deux sens...

— Je sais, répondit Rose avec précaution.

— C'est très bien d'expédier les jeunes filles dans les pays étrangers pour parfaire leur éducation, poursuivit Mr Hudson, mais ce n'est pas entièrement une bonne chose à mon avis. On profite d'elles.

« Espèce de vieux birbe, qu'est-ce qu'il en sait? » pensa Rose.

— De quelle façon? demanda-t-elle.

Mr Hudson se frotta les mains pensivement :

— Oh! poursuivit-il, on leur emplit la tête d'idées nouvelles; on oublie les manières, on met en doute le loyalisme. Ne croyez pas que ce ne soit pas calculé de la part des maîtres étrangers. (Il leva la main en guise d'avertissement :) Ça a un nom : (il se pencha en avant et prononça le mot suivant très bas et très distinctement.) la subversion, dit Mr Hudson, si vous voulez savoir. On tire délibérément sur les racines du pays à travers ses jeunes hommes et ses jeunes femmes, on leur fausse les idées de sorte qu'en temps de crise...

Il s'interrompit dramatiquement, laissant Rose s'imaginer la suite.

— Vraiment Mr Hudson, vous ne voulez pas dire que notre Miss Lizzy...

Rose ne put s'empêcher de rire tant c'était absurde.

— Je ne veux rien dire du tout, poursuivit Mr Hudson de son ton le plus pompeux. Je vous donne simplement un avertissement. Les signes sont tous là, plaise à Dieu que je me trompe.

Alfred arriva du salon avec le plateau du thé.

— Quels signes, Mr Hudson? demanda-t-il.

— Mr Hudson a de drôles d'idées, expliqua Rose.

— Vous recommencez au sujet de ces sales étrangers, n'est-ce pas, Mr Hudson? demanda Alfred avec un clin d'œil dans la direction de Rose.

— Vous avez assez parlé, Alfred, dit le maître d'hôtel.

— Si c'était seulement vrai, Mr Hudson, répondit Alfred triomphalement. Mais Madame me demande de vous informer que le baron reste dîner.

Mr Bellamy n'était pas présent à ce repas, étant retenu à la Chambre des communes, mais pendant le dîner, le baron ravit tellement son hôtesse par son charme et ses bonnes manières qu'elle lui demanda d'emménager sur-le-champ dans la chambre d'amis à Eaton Place pour le reste de son séjour à Londres. Le fait timidement reconnu par le baron qu'il était de loin lié à la famille royale peut aussi avoir influencé la décision de Lady Marjorie.

Comme c'était l'habitude quand il y avait des visiteurs masculins qui séjournaient à Eaton Place, Alfred assuma la charge de valet de chambre du baron von Rimmer. Le valet de pied fut profondément impressionné par la qualité des vêtements de son nouveau maître, particulièrement les chemises et le linge de dessous qui tous étaient faits à la main à Paris, dans le plus beau des tissus, et brodés d'une couronne. Avec sa principale femme de chambre et son valet de pied absents la moitié de la journée, occupés à d'autres charges, et étant donné l'approche de Noël, Mr Hudson continua à considérer comme fâcheuse la présence du baron, mais le visiteur étranger s'acquit un autre admirateur. Un jour il insista pour visiter la cuisine et féliciter Mrs Bridges pour ses cailles en croûte. Comme le reconnut Mrs Bridges par la suite, c'était une chose qu'un gentleman anglais n'aurait jamais faite, et après cela personne — pas même Mr Hudson — ne put dire que certains étrangers n'avaient pas de bonnes manières.

Dans le monde plus vaste de la société, le baron fit aussitôt impression par ses belles manières et son irréprochable naissance facile à vérifier dans l'Almanach du Gotha. Par bonheur, ses occupations à la banque ne l'empêchaient pas d'accompagner son hôtesse et Elizabeth à plusieurs réceptions précédant Noël, et le bruit ne tarda pas à courir à Mayfair et à Belgravia que Lady Marjorie avait peut-être bien capturé un lion pour la main de sa fille.

Lady Marjorie se hâta naturellement d'étouffer de telles rumeurs. Quand Lady Prudence Fairfax, son amie la plus intime, lui demanda carrément si le baron était amoureux d'Elizabeth, elle repoussa absolument cette idée, disant qu'il était beaucoup trop tôt pour parler de pareilles choses.

— En fait, je crois que c'est plutôt le contraire, confia-t-elle. Elizabeth ne semble pas le moins du monde impressionnée.

— En ce cas, répondit Lady Prudence, vous devez

l'amener dîner chez nous sans tarder. **Agatha** est à la maison et elle est ravissante.

Agatha Fairfax était une grande fille fort aimable, de vingt-trois printemps, mais en dépit des efforts inlassables de sa mère, aucun gentleman ne s'était encore présenté pour la lui ravir.

Bien sûr, Lady Marjorie n'avait absolument pas l'intention de se laisser voler sa capture sous le nez et elle était secrètement ravie que le baron fît impression sur Elizabeth plus qu'aucun autre jeune homme auparavant.

Leur premier point de contact était la musique. Le baron chantait et jouait du piano très brillamment et bientôt, lui et Elizabeth jouèrent à quatre mains. Lady Marjorie renonça au chaperon quand ils allèrent à l'Albert Hall entendre Henry Wood diriger un chef-d'œuvre, *Le Rêve de Gerontius*. Après cela ils allèrent voir le merveilleux mémorial dédié au parent du Baron, le prince Albert, ce qui amena dans les jours qui suivirent à explorer d'autres monuments et curiosités de Londres.

Tout dans la grande ville plaisait au baron et l'excitait, et il connaissait beaucoup plus de son histoire (grâce au Guide de Herr Baedeker) qu'Elizabeth elle-même, et elle trouva l'enthousiasme de son compagnon si contagieux que cette vieille ville morne à laquelle elle n'avait jamais prêté beaucoup d'attention devint pour elle un endroit fascinant.

Richard Bellamy avait été beaucoup trop occupé par toutes les passations de pouvoir, les ajustements et la confusion générale qui accompagnaient un changement de gouvernement, pour donner à l'hôte étranger qui logeait sous son toit plus que le plus cérémonieux des saluts.

Le seul moment dans la journée où les deux hommes se retrouvaient, c'était au petit déjeuner, qui n'est jamais un repas où la conversation brille de tout son éclat dans une salle à manger anglaise. Néanmoins, Bellamy eut l'impression que sa fille et leur invité semblaient s'entendre très bien et qu'Elizabeth était d'humeur plus gaie et plus joyeuse qu'elle n'avait été depuis quelque temps.

Un matin il mentionna ce fait à sa femme et elle reconnut avoir remarqué quelque chose du même ordre.

— C'est un Junker, vous savez, dit Lady Marjorie en redressant la cravate de son mari avant qu'il ne parte pour la Chambre. Une des meilleures et des plus estimables familles. Elle pourrait choisir plus mal.

— Oh! bien sûr, répondit Richard Bellamy. Ce pourrait être un fils de commerçant avec des idées radicales.

Il sourit et embrassa sa femme pour prendre congé.

Quand la voiture tourna dans Birdcage Walk, un froid vent d'est balayait St. James's Park et Mr Pearce gonfla ses joues et tendit ses épaules. Victoria Street aurait offert un chemin plus court et plus abrité vers la Chambre des communes, mais Mr Pearce ne pouvait supporter les trams, ces nouveaux monstres électriques avec leurs cloches qui résonnaient et leurs rails d'acier étroits exactement faits pour prendre au piège les roues des voitures. Sur la place de la Caserne de Wellington, la nouvelle garde était déjà alignée en capotes grises, et une mince couche de neige poudreuse blanchissait le côté de leurs bonnets à poil. Ils avaient l'air d'avoir aussi froid que lui, pensa Mr Pearce, et il aspirait au moment où les Bellamy achèteraient une automobile. A l'intérieur de la voiture, l'esprit de Richard Bellamy était tourné vers d'autres problèmes. Bien qu'il l'eût admirablement dissimulé, l'idée que sa fille et le Baron devenaient plus que de simples amis l'avait considérablement secoué, et le fait que sa femme encourageait ces relations encore plus. Il essaya d'analyser ses impressions concernant le visiteur et découvrit que dans l'ensemble elles étaient plutôt désagréables. L'intuition de Bellamy lui disait qu'il y avait quelque chose de louche chez le baron von Rimmer. Le vent politique soufflant d'où il soufflait, il serait raisonnable de faire quelques recherches. Richard Bellamy sortit son mouchoir de soie parfaitement plié et y fit un nœud.

A l'office, on ne nourrissait pas de tels doutes au sujet du baron. Alfred descendit d'humeur joyeuse après avoir accompagné Mr Bellamy jusqu'à sa voiture.

— Oh! emmenez-moi, emmenez-moi, emmenez-moi au Parlement! chanta-t-il, improvisant malencontreusement à la fois l'air et les paroles.

— Vous êtes très content de vous ce matin, dit Rose qui repassait l'une des robes d'Elizabeth.

— Nous sommes amoureux, dit Alfred.

— Qui ça? répondit Rose sèchement.

— Nous, continua Alfred d'un ton sucré. Façon de parler.

— Parlez pour vous, dit Rose.

— N'étant que le reflet de nos maîtres, répondit Alfred.

Et il enveloppa Rose dans ses bras et la fit tourbillonner.

— Lâchez-moi immédiatement, Alfred! A quoi pensez-vous? s'exclama Rose très contrariée.

Mr Hudson les regardait du seuil comme s'il venait de découvrir un poisson pas frais dans son office.

— Qu'est-ce qui se passe, Mr Hudson? lui demanda Alfred gaiement. Vous ne croyez pas à l'amour?

— S'il reste à sa place, oui, répondit Mr Hudson sans enthousiasme.

— Mais pas entre eux et nous, hein? Des étrangers, dit Alfred d'un ton moqueur. Tenez, vous voulez savoir? continua-t-il, s'adressant à Rose et s'asseyant dans le fauteuil. L'Allemagne commence à me séduire. Un schloss en Bavière, un palais à Dresde, un hôtel particulier à Berlin... Vingt jardiniers et un larbin poudré derrière chaque chaise... Qu'en pensez-vous, hein?

— Pourquoi n'y allez-vous pas, alors? répondit Rose d'un ton acerbe en pliant la robe.

— Il se pourrait bien que j'y aille, répondit Alfred en se tournant vers Mr Hudson et en lui brandissant sous le nez une grande épingle avec un diamant.

— Qu'est-ce que c'est que ça? demanda Mr Hudson en levant la tête.

— Ça alors, je ne l'avais jamais vue! s'exclama Rose.

— Je me demandais quand vous la remarqueriez, répondit Alfred. Ça vous plaît?

— Où l'avez-vous eue?

Mr Hudson soupçonnait une supercherie.

— C'est un cadeau, dit Alfred en souriant. De mon maître.

Il regarda, ravi, Mr Hudson et Rose échanger des regards stupéfaits.

— Qu'est-ce qu'il y a? Il n'y a pas de lois qui interdisent de recevoir un cadeau, non? (Il fit délibérément une grimace au maître d'hôtel :) C'est Noël, Mr Scrooge!

Et avant que Mr Hudson puisse répondre, Alfred sortit de la pièce, sur un tour de valse.

Elizabeth avait prévu d'emmener Klaus à la Chambre des communes. Ils écoutèrent plusieurs discours assez ennuyeux sur la pêche en haute mer avant de sortir sur la terrasse qui donnait sur le fleuve pour attendre que Bellamy vienne les chercher pour le thé.

— C'est vous qui avez voulu venir, dit Elizabeth d'un ton d'excuse. Je crains bien que ce n'ait été terriblement ennuyeux.

— J'ai été comme pris sous le charme, répondit Klaus sérieusement. Tant de pompe et de tradition!

Le soleil de l'après-midi brillait à travers la brume légère et donnait au fleuve et au pont l'air enchanté d'un tableau de Monet.

Klaus devint lyrique à propos du grand Empire britannique à l'épicentre duquel ils se trouvaient, et Elizabeth pensa à Rose. Si Rose et Klaus devaient se lancer ensemble sur le sujet de l'Empire, pensa-t-elle, comme ils seraient ennuyeux.

— Et les hommes que votre pays produit; incorruptibles, pas comme en Allemagne. Des hommes comme votre père.

Klaus poursuivit sans comprendre pourquoi Elizabeth riait.

— Père est le fils d'un pasteur, expliqua-t-elle. Cela doit se voir. Il ne vous en remerciera pas. Cela le fait apparaître comme un réactionnaire endurci.

— Réactionnaire endurci! répéta Klaus. Mais sûrement votre père est plus libéral.

— Attention, c'est un mot dangereux ici, dit Elizabeth en riant de nouveau. Disons plutôt à l'esprit ouvert. Flexible.

— Flexible?

Klaus ne comprenait pas.

— Ce que vous devez comprendre à propos de père, c'est qu'il est marié au Parti, expliqua-t-elle. Il était très intelligent et il est allé à Cambridge et tout, mais il doit sa carrière entièrement à la famille de mère.

— Ces réactionnaires endurcis?

— Oui. Très.

142

— Je suppose, d'après ce que vous dites, qu'il dépend de la famille de votre mère financièrement?

— Oh oui! Tout le monde le sait.

Ils furent interrompus par l'arrivée de leur sujet de conversation, navré de les avoir fait attendre.

Tandis qu'elle se changeait pour le dîner ce soir-là, Elizabeth brusquement ne put plus supporter de se taire. Elle regorgeait d'amour; il fallait qu'elle le dise à quelqu'un. Elle le dit donc à Rose.

— Cela cause une telle douleur! dit-elle.

— Où ça? demanda Rose, qui n'avait jamais ressenti rien de tel.

— Oh! partout, répondit Elizabeth en s'étirant et en serrant ses bras contre elle. C'est plutôt agréable.

Elle fut brusquement pensive.

— Ce qu'il y a de drôle, Rose, c'est qu'il continue à ne pas me plaire beaucoup. Peux-tu croire cela? Je l'aime. Je le crois. Mais il ne me plaît pas.

Son regard intrigué disparut et elle saisit brusquement Rose et la serra contre elle :

— Oh! Rose, n'est-ce pas merveilleux? N'es-tu pas heureuse pour moi?

— Si Miss Lizzie. Je suis heureuse pour vous.

Elle ne paraissait pas très enthousiaste en tendant son jupon à Elizabeth.

— Mais quelqu'un ne l'est pas? demanda Elizabeth d'un ton soupçonneux. Qui est-ce, Rose?

Elle était intensément curieuse de le savoir.

— Je ne devrais pas le dire vraiment, reconnut Rose. Mais c'est Mr Hudson.

— Hudson! dit Elizabeth incrédule.

— Il n'a rien contre le baron personnellement, expliqua Rose en arrangeant le jupon d'Elizabeth. Mais il a cette antipathie envers les étrangers en général et il en parle tout le temps. Il a appris qu'il y avait déjà des milliers d'Allemands dans notre pays sur la côte sud travaillant comme serveurs ou comme coiffeurs, mais que c'étaient en réalité des soldats bien entraînés et que si jamais il y avait une invasion, ils arriveraient tous pour nous massacrer dans nos lits.

Elizabeth eut un sourire, puis rit carrément et Rose fut prise de contagion et bientôt elles furent toutes les deux pliées en deux.

C'était vraiment ridicule que, en dépit du fait que la Grande-Bretagne eût de loin la plus grande marine du monde, il y eût toujours des hommes comme Mr Hudson, obsédés par la crainte que le pays soit envahi d'un instant à l'autre.

Après le dîner, quand on eut fait passer une fois le porto et que les dames se furent retirées, Richard Bellamy demanda au baron von Rimmer s'il voulait bien le rejoindre dans le petit salon pour une conversation privée. Il s'attarda un moment pour donner au maître d'hôtel les instructions destinées à Mr Pearce pour le matin et quand il rejoignit son invité, il trouva le baron debout devant le feu, fumant son cigare, jambes écartées, dans une position qui ressemblait beaucoup à celle qu'avait généralement son hôte.

— Je suppose que vous vous demandez, Sir, commença Klaus, pourquoi, quand je dis que je suis banquier, je ne suis en fait rien de tel.

Bellamy s'arrêta. Comme c'était précisément la question qu'il était sur le point de poser à son invité allemand, cela lui coupa l'herbe sous les pieds.

Klaus s'avança et, s'inclinant légèrement, présenta sa carte. Bellamy la regarda. Le baron Klaus von Rimmer était le représentant particulier du directeur d'une très célèbre firme d'armement allemande.

— Alors ils emploient de jeunes barons pour s'occuper de leurs ventes, fit remarquer Bellamy, plutôt pour dire quelque chose. Un peu de cognac?

Klaus accepta le cognac :

— Je pensais que vous auriez pu le savoir, Sir, dit-il.

Je suis un homme pacifique, poursuivit-il, mais tous les pays ont le droit de protéger leurs frontières. Et plus chacun est protégé, moins il y a une possiblité de guerre.

Bellamy rit :

— Vous pouvez épargner votre souffle, baron, je connais ce refrain.

A travers le monde entier, la crainte de la guerre poussait les pays à s'armer presque jusqu'à la panique; les grandes firmes internationales d'armement, Vickers, Krupp, Skoda, étaient toutes florissantes et leurs agents devenaient rapidement millionnaires.

— Mr Bellamy, dit Klaus d'une voix très grave, nous sommes nombreux dans mon pays — artistes, musiciens, philosophes et gens ordinaires — à être consternés devant la poussée du nationalisme et à ne désirer que vivre dans une Europe pacifique et unie.

— Certains d'entre eux travaillent pour des firmes d'armement?

— Et pourquoi pas?

Bellamy sourit.

— Allons donc, baron, dit-il. Nous connaissons tous les deux ces gentlemen qui vendent des armes aux deux camps, puis qui reculent et les regardent se faire la guerre. Qu'est-ce que vous vendez?

Sans hésitation Klaus mit la main dans sa poche intérieure et en sortit une épaisse enveloppe.

— C'est une nouvelle façon de monter les canons pour vos dreadnoughts. Il y a ici quelques devis descriptifs préliminaires et des estimations. Vous verrez en les examinant que le montage est de loin supérieur à tout ce que Vickers a à offrir pour le moment.

L'attitude franche du jeune baron emplissait Bellamy de stupéfaction.

— Comment le savez-vous? demanda-t-il.

— Nous le savons, répondit Klaus.

— Alors, pourquoi n'êtes-vous pas entré en rapport

avec notre gouvernement par les voies habituelles?

— Je suis navré, répondit Klaus avec un sourire. Vous êtes un ancien sous-secrétaire à l'Amirauté et un membre de la Commission de la défense impériale. N'êtes-vous pas une voie normale?

— Je faisais allusion à la manière dont vous vous êtes lié avec ma fille en Allemagne et à vos manœuvres ultérieures dans ma maison.

Klaus fronça les sourcils.

— Mon cher ami, poursuivit Bellamy, je n'y vois pas d'inconvénients particuliers. Je suis juste curieux d'apprendre comment vous autres travaillez en ce moment.

— Je l'avoue, Sir. J'avais besoin d'accéder à votre confiance.

— En vous servant d'Elizabeth?

— Oui. (Klaus haussa les épaules de nouveau et sourit :) Cela a été ma méthode, mais c'était dans votre intérêt aussi. Mais j'aimerais dire une chose en ce qui concerne les sentiments qui se sont développés entre Elizabeth et moi, c'est une affaire séparée et qui restera telle.

— Je ne vois pas exactement comment vous pouvez séparer les deux choses. (C'était au tour de Bellamy de hausser les épaules :) Je ne doute pas qu'elle puisse se débrouiller toute seule. (Il montra l'enveloppe :) Que comptez-vous que je fasse de cela?

— Quand vous vous serez convaincu que c'est authentique, expliqua Klaus, je voudrais que vous usiez de votre influence et que vous persuadiez votre gouvernement de passer un contrat avec ma société. Peut-être faudrait-il ajouter que le contrat devrait, pour des raisons politiques évidentes, se faire par l'intermédiaire d'une filiale suisse que ma société contrôle.

— Je vois, dit Bellamy quelque peu ahuri.

Mais Klaus n'en avait pas fini.

— Il va sans dire, poursuivit-il d'une voix calme,

que s'il vous intéressait d'avoir un nombre substantiel d'actions dans cette société suisse — je veux dire, vous personnellement, Sir — cela peut s'arranger.

Cette offre de pot-de-vin non déguisée coupa presque le souffle à Bellamy. Les méthodes diplomatiques avaient bien changé depuis son temps.

— Un tel arrangement financier entre nos deux pays ne peut qu'augmenter les perspectives de paix, ajouta Klaus pour mettre fin à son discours.

Bellamy était tenté de dire : « Amen », mais il se retint.

— Nous devrions peut-être rejoindre les dames.

— Oui, Sir, répondit Klaus. Et peut-être serait-ce faire preuve de tact de notre part si pour le moment elles continuaient à me connaître comme Klaus von Rimmer, le banquier.

Le lendemain, Richard Bellamy demanda à l'amiral Sir Adam Blake de déjeuner avec lui à son club. Sir Adam était quelqu'un d'important dans les services de renseignement de la Marine et, comme tant d'officiers supérieurs de ces services, il cachait un esprit fin et rusé derrière des manières quelque peu stupides.

La principale inquiétude de Bellamy était que l'histoire d'armement de von Rimmer ne fût en réalité une couverture pour installer une organisation d'espionnage.

— C'est tout à fait possible, mon vieux, dit Sir Adam gaiement. A première vue cela paraît trop honnête. Je veux dire qu'ils ont l'air d'avoir vraiment quelque chose à offrir, et politiquement cela se tient, compte tenu de l'élection et des Libéraux.

— Je suppose que nous pourrions créer une panique à propos de Tirpitz et de sa flotte sans cesse grandissante, reconnut Bellamy.

— Bien sûr. A. J. avalerait ça, répondit Sir Adam.

Les proches de Mr Balfour avaient l'habitude d'appeler le grand homme par ses initiales.

— Sur le front personnel, continua Sir Adam, je suppose qu'on vous a offert un assez solide pot-de-vin?

Bellamy eut l'air plutôt coupable.

— Ce n'est pas le cas? demanda Sir Adam de nouveau.

— Des actions dans une filiale suisse, reconnut Bellamy.

Sir Adam demeura impassible.

— C'est l'habitude, dit-il. Bien sûr, j'avais oublié. Vous êtes nouveau dans ce jeu. (Il renifla pensivement :) Alors personnellement, continua-t-il, nous gagnerions.

— Nous? demanda Bellamy surpris.

— Vous compteriez avec moi, n'est-ce pas? Il le faudra, vous savez. Le prix du silence.

A entendre Sir Adam, tout cela était une sorte de jeu d'enfants.

— Deux profiteurs retors, dit Bellamy en grimaçant un sourire.

— N'apprendrez-vous donc jamais? demanda Sir Adam.

— Je ne peux pas échapper à mes humbles et pieuses origines, avoua Bellamy.

— Je sais, Dick, dit Sir Adam avec affection, et ce sera votre épitaphe.

Entre-temps ils tombèrent d'accord pour tendre un piège au baron.

— Nous ne pouvons rien faire contre lui tant que nous n'aurons pas vraiment accepté d'être achetés, expliqua Sir Adam à Bellamy. Ces gens ont généralement quelques pièces à conviction qu'ils aiment à vous faire signer, vous verrez!

Noël n'était que dans une semaine et von Rimmer devait quitter Londres le mardi suivant afin de rejoindre sa famille pour les fêtes.

Lady Marjorie avait déjà parlé à son mari d'un dîner d'adieux pour leur hôte allemand le lundi soir, et il fut par conséquent très facile à Bellamy de présenter Sir Adam comme l'un des invités sans éveiller les soupçons de quiconque.

La perspective du départ de Klaus rendait Elizabeth presque désespérée. Le lundi du dîner, ils passèrent l'après-midi à marcher dans le Park; puis ils allèrent prendre le thé chez Gunter, l'endroit favori d'Elizabeth.

Klaus décrivait Noël en Allemagne quand Elizabeth lui prit affectueusement la main et lui dit qu'elle l'aimait.

Jusqu'à ce moment, ni Klaus ni Elizabeth n'avaient parlé d'amour ou de mariage, ni même d'un sujet qui s'en rapprochât. Considérant les conventions de leur classe il était peu probable qu'ils le fissent après de si brèves relations, mais Elizabeth ne s'embarrassait pas de conventions. Klaus dissimula sa surprise de façon magistrale et, alors que la plupart des jeunes gens auraient été terrifiés par la révélation d'Elizabeth, il se contenta de lui sourire gentiment et lui dit qu'il était très honoré. A la réflexion, Elizabeth pensa qu'il l'avait traitée comme son grand-père traitait son épagneul trop affectueux quand il lui sautait dessus et lui léchait la figure.

Quand Rose entra dans la chambre de sa jeune maîtresse, pour sortir sa robe pour le dîner, elle la trouva dans un état de total désespoir.

— Il s'en va, je veux partir avec lui et il ne veut pas m'emmener, dit-elle à Rose.

— J'espère bien que non, répondit Rose. Regardez donc la façon dont vous avez défait votre lit.

Elle commença à le remettre en ordre :

— Il reviendra, ajouta-t-elle d'un ton encourageant.

— Je ne vois pas pourquoi il reviendrait puisqu'il ne m'aime pas, dit Elizabeth d'un ton tragique.

— Bien sûr qu'il vous aime. Qu'est-ce qui vous fait penser cela ? dit Rose.

— Je ne sais pas, gémit Elizabeth.

— En tout cas, vous feriez mieux de prendre votre bain avant qu'il ne monte se changer pour le dîner. Alfred lui donne toute l'eau chaude, c'est terrible.

Elizabeth roula sur le lit.

— Je vais entrer dans la baignoire avec lui, dit-elle d'un ton rêveur.

— Miss Elizabeth!

Rose était suffoquée.

— Ne soyez pas si choquée! lui dit Elizabeth. Nous vivons à une époque moderne.

Quelques minutes plus tard, quand Rose entra dans la chambre du baron von Rimmer pour apporter des serviettes propres, elle eut réellement un choc.

Il y avait une petite pièce avant la chambre et quand Rose entra elle put voir ce qui se passait par la porte à moitié ouverte : le baron et Alfred étaient ensemble sur le lit, tous deux à moitié dévêtus et, semblait-il, passionnément enlacés.

Un jour, quand elle était très jeune, Rose avait vu un couple en train de faire l'amour dans le coin d'un champ de foin près du bois, derrière le cottage dans lequel elle était née. Mais rien, dans sa faible expérience de la vie, ne l'avait préparée au choc de voir deux hommes en train de faire l'amour. Un instant, elle crut qu'ils jouaient à un jeu d'enfants, chahutant ensemble comme des écoliers, mais un long regard horrifié la convainquit que ce n'était pas le cas. Elle émit un sanglot étouffé. Alfred regarda dans sa direction et Rose s'enfuit, laissant choir les serviettes dans sa hâte.

Elle courut dans sa chambre et bloqua une chaise devant la porte, remerciant Dieu que ce fût la soirée de sortie d'Ivy. Puis elle resta assise longtemps sur le lit, à serrer et desserrer les doigts, se sentant malade et prête à s'évanouir.

Elle entendit la porte d'entrée sonner loin en bas et sut que les invités arrivaient et que Mr Hudson allait la chercher. Elle se lava la figure à l'eau froide et s'arma de courage pour descendre.

Mr Hudson était dans un état de grande agitation :

— Pour une fois seulement, essayez de vous rappeler que Miss Elizabeth n'est pas votre unique responsabilité dans cette maison, lui lança-t-il. Maintenant, montez au salon et aidez à servir les boissons.

La vue d'Alfred, froid comme si de rien n'était, versant du champagne dans le verre du baron, suffit à faire de nouveau trembler Rose. Elle réussit à parvenir jusqu'à la porte mais Mr Hudson, déjà soupçonneux, remarqua que quelque chose n'allait pas et la coinça dans le couloir pour lui demander une explication. Une fois mis au courant de la situation, Mr Hudson ne perdit pas de temps pour informer son maître des étranges événements qui se passaient sous son toit. Richard Bellamy était fort embarrassé : lui et Sir Adam avaient leur proie dans le collimateur et si tout allait bien il pourrait être arrêté avant minuit. Toute nouvelle diversion les priverait de cette proie. Il dit au maître d'hôtel de continuer comme si de rien n'était.

Quand il revint à ses invités, Bellamy découvrit que le baron avait été appelé dans le petit salon pour prendre un coup de téléphone urgent de Berlin.

Le dîner avait été annoncé depuis quelques minutes. Bellamy devint soupçonneux et on commença à chercher l'invité d'honneur qui n'avait pas réapparu. Il était parti avec tous ses bagages et avait emmené Alfred. Sir Adam et Bellamy tinrent un bref conseil de guerre et décidèrent que, étant donné les circonstances, toute poursuite serait vaine. Elizabeth eut la permission de se retirer dans sa chambre où elle resta pendant des heures à sangloter sans pouvoir s'arrêter, se demandant ce qui avait bien pu amener Klaus à s'enfuir d'une façon aussi mystérieuse. Elle en arriva à la conclusion que c'était sa brusque déclaration d'amour qui avait dû lui faire peur.

Après l'un des dîners les plus difficiles dont les Bellamy et leurs domestiques puissent se souvenir, et une fois les invités enfin partis, Bellamy expliqua la situation à sa femme.

Elle prit la nouvelle très calmement; c'était un fait accepté dans la haute société que beaucoup d'Allemands bien nés étaient pédérastes.

— Si Alfred était comme cela, c'est aussi bien que nous soyons débarrassés de lui, dit Lady Marjorie raisonnablement. Ils sont probablement faits l'un pour l'autre. Mais ce que je ne peux pardonner, c'est la manière dont Klaus a traité notre pauvre Elizabeth. Elle était tellement amoureuse de lui. Que vais-je lui dire? Elle est beaucoup trop jeune pour être exposée à de telles choses.

— Je veux que vous me laissiez faire, ma chérie. (Richard Bellamy embrassa sa femme tendrement :) Et ayez confiance en moi.

Quand Rose entra dans la chambre d'Elizabeth, plus tard dans la soirée, pour ranger et lui souhaiter bonne nuit, elle-même avait tout à fait retrouvé son sang-froid. Ce qui l'inquiétait maintenant, c'était sa jeune maîtresse. Mais Elizabeth semblait calme et indifférente. Ce fut elle qui amena sur le tapis le sujet du baron.

— C'était un espion, expliqua Elizabeth. Savez-vous ce que sont les espions, Rose?

— Oui, miss Elizabeth, répondit Rose ne voulant pas en dire trop.

— Un agent qui vend des armes terribles... et qui s'est servi de moi pour approcher de père et le compromettre. N'est-ce pas affreux?

152

Rose pliait les vêtements d'Elizabeth. Elle ne dit rien.

— Mais père a été très habile, poursuivit Elizabeth. Il est allé chercher Sir Adam qui est un chasseur d'espions célèbre dans la Marine. On ne le croirait jamais, n'est-ce pas?

Rose pensait que le père d'Elizabeth avait vraiment été intelligent — très intelligent.

— Ils allaient probablement l'arrêter. Il a dû le découvrir. C'est pourquoi il s'est enfui sans dire au revoir. Pour rentrer chez lui pour Noël. C'est mieux qu'une cellule à Brixton.

Elizabeth bâilla et elle était endormie avant que Rose eût ouvert la fenêtre et éteint la lumière.

Tandis qu'elle redescendait lentement, Rose se mit à penser un moment au jeune amour : la flèche aiguisée de Cupidon n'avait certes pas laissé dans le cœur d'Elizabeth la plaie profonde et longue à guérir, si souvent décrite en détail dans les magazines de Rose.

On ne découvrit jamais si le baron Klaus von Rimmer était un véritable agent pour une firme d'armement ou un espion professionnel, car Richard Bellamy décida, pour des raisons personnelles, de se laver les mains de toute l'affaire. Le destin d'Alfred fut un sujet de discussions furtives à l'office pendant des années, mais on n'eut jamais aucune nouvelle de lui, et avec le temps on l'oublia.

9

Tandis que Mr Hudson regardait la lanterne magique du *Daily Mail* projetant sur un grand écran de Trafalgar Square les résultats des élections il lui sembla que la fin du monde était venue. Les Libéraux avaient gagné avec l'incroyable majorité de trois cent cinquante-sept sièges. Deux cent cinquante Conservateurs avaient perdu leurs sièges. Mr Balfour était parmi eux. Pour la première fois, vingt-cinq candidats travaillistes avaient gagné des sièges à la Chambre des communes et Mr Hudson sentait presque le vent brûlant qui avait donné naissance aux massacres de décembre à Saint-Pétersbourg.

La seule consolation était le fait que Mr Bellamy avait gardé sa circonscription du sud de Londres, bien que sa majorité fût réduite de deux mille voix.

Pendant de nombreuses semaines après les élections, le 165 Eaton Place fut comme une maison plongée dans le deuil; les dîners se terminaient invariablement en analyses de la situation et les dames qui venaient prendre le thé discutaient des pertes parmi leurs amis avec des airs solennels.

Elizabeth trouvait tout cela très accablant et elle

commença à avoir des migraines et des vertiges. Certes, elle l'aurait elle-même nié, mais le Dr Foley, le médecin de famille des Bellamy, diagnostiqua ces symptômes comme les conséquences de sa malheureuse histoire d'amour. Les Bellamy avaient de grands amis appelés de Tocqueville qui habitaient près de Bordeaux et on prit des dispositions pour qu'Elizabeth passe le printemps et l'été à aider les enfants de Tocqueville à apprendre l'anglais.

Quand la nouvelle session parlementaire commença, Richard Bellamy découvrit que nombre des nouvelles idées de réformes du gouvernement le séduisaient. Il était très partisan du contrôle de la main-d'œuvre abusivement exploitée et avait souvent eu l'impression que son propre parti avait trop longtemps ajourné les réformes de l'instruction.

Lady Marjorie n'était pas d'accord avec son mari. Pour elle, les Libéraux avaient toujours été et resteraient toujours l'ennemi. Une atmosphère tendue se développa entre mari et femme et, pendant des jours, ils échangèrent à peine un mot. L'une des principales sources de friction était le programme d'éducation de Mr Augustine Birrell qui commença à faire lentement son chemin dans les Communes au début de l'été. Un jour, au petit déjeuner, Bellamy annonça tout à fait en passant qu'il était en faveur de certains aspects de ce programme et pourrait très bien s'abstenir de voter contre.

La violence avec laquelle sa femme condamna cette idée surprit Bellamy, et il s'entendit promettre qu'il ne se déciderait que quand il aurait eu une conversation avec l'un des chefs conservateurs, de préférence Lord Southwold.

Quand il revint à l'heure du thé, Lady Marjorie attendait dans le petit salon.

— Alors, comment avez-vous voté? demanda-t-elle immédiatement.

Et il était clair qu'elle n'avait pensé qu'à cela toute la journée.

— Ma chérie, il n'y a aucun risque d'un vote pendant des jours, dit Bellamy, et il sourit d'un air conciliant.

— Avez-vous parlé à père?

— Il est encore à la campagne.

— Ou à Arthur Balfour?

— Non.

Lady Marjorie eut une expression de mécontentement.

— Vous m'aviez promis que vous le feriez, dit-elle.

— J'ai dit que je le ferais si je le rencontrais, mais je ne l'ai pas rencontré! répondit Bellamy, perdant un peu son calme. Vraiment, Marjorie, je ne crois pas que vous vous rendiez compte de la situation, maintenant que nous sommes dans l'opposition et qu'il n'y aura pas d'autres élections pendant au moins quatre ans. Je suis un membre parfaitement ordinaire des Communes et je n'ai pas de portefeuille.

— Vous êtes conservateur, néanmoins, intervint Lady Marjorie.

— Oui. Mais les membres qui n'ont pas de portefeuille sont censés montrer quelque indépendance — exprimer leurs propres opinions. Je pourrais citer Disraeli sur ce sujet.

Lord Southwold avait été lui-même membre sans portefeuille, du temps de Disraeli.

— Quoi qu'il en soit, poursuivit Bellamy, mon opinion personnelle est que ce programme est bon sous bien des angles. Je n'ai jamais été convaincu que l'instruction devait être un problème de parti politique.

— Je sais que père a toujours estimé qu'on dépensait beaucoup trop d'argent pour l'instruction, rétorqua Lady Marjorie. Particulièrement pour la classe des travailleurs, elle peut être un inconvénient réel.

— Très bien, répondit Bellamy, refusant d'être pris

à parti, il a droit à son opinion. J'ai droit à la mienne.

Lady Marjorie haussa les épaules avec colère.

— S'il vous plaît, sonnez pour le thé, Richard, dit-elle avec raideur.

Bellamy tira le cordon.

— Tout ce que je me propose de faire, c'est de m'abstenir de voter contre une petite partie du programme, un petit geste personnel, expliqua-t-il.

— Ce sera considéré comme un geste de défi contre notre propre parti, répondit Lady Marjorie.

Bellamy haussa les épaules.

— Quoi qu'il arrive, les Lords jetteront tout le programme par la fenêtre. Votre père et Lansdowne y veilleront.

C'était tout à fait vrai, mais ce n'était guère le meilleur moment pour le dire.

Edward, le remplaçant d'Alfred, entra dans la pièce, et Lady Marjorie lui demanda de monter le thé. On manquait de laquais à Londres ce printemps-là, et Edward, jeune homme effronté avec des références douteuses de riches commerçants de Putney, avait été engagé en désespoir de cause.

Les tempêtes aux étages produisaient invariablement un grand vent à l'office. Les femmes en particulier n'hésitaient jamais à exprimer leur opinion dans les termes les plus précis.

— Moi, je pense qu'après tout ce que Madame fait pour lui, c'est honteux, dit Mrs Bridges en s'asseyant pour prendre son thé. Il y a des gens qui n'ont pas de gratitude.

— Moi, je pense qu'elle a fait claquer le fouet une fois de trop, dit Rose, qui généralement prenait le parti de Mr Bellamy. Et maintenant il en a assez de se faire mener par le bout du nez.

— Nous ne pouvons ni dire ni faire grand-chose qui y changera quoi que ce soit, dit Mr Hudson, le conciliateur.

— Elle veut son thé, dit Edward sur le seuil.

— Qui ça? elle, la mère du chat? demanda Mrs Bridges sèchement.

Elle n'aimait pas Edward. Mr Hudson se leva et mit son habit.

— Ils continuent à discuter bon train, annonça Edward à la compagnie.

— Tâchez de montrer un peu de respect, mon garçon, ou vous ne durerez pas longtemps dans cette maison, l'avertit Mr Hudson. Et apportez le plateau.

— Dans ma dernière place, il était servi par la femme de chambre, dit Edward imprudemment.

— Moins nous entendrons parler de votre dernière place, mieux cela vaudra — d'après ce que l'on m'en a dit, fit Mrs Bridges.

Edward fit une grimace derrière son dos.

— Je suppose que dans votre dernière place vous ne portiez pas de gants! fit remarquer Mr Hudson tandis qu'ils sortaient.

Les deux hommes partis, les femmes pouvaient vraiment se laisser aller. Miss Roberts se versa une autre tasse de thé.

— Je me rappelle la première fois que Lady Marjorie a amené Mr Bellamy à Southwold; avant qu'ils ne soient même mariés, dit-elle d'un ton de confidence. J'ai dit alors qu'il y aurait des ennuis un jour; et je le répète aujourd'hui.

La femme de chambre avait pris un air pincé.

— Et ce n'était pas hier, expliqua Mrs Bridges aux femmes de chambre plus jeunes. J'étais fille de cuisine alors, comme vous aujourd'hui, Emily.

Emily écoutait bouche bée.

— Fermez votre bouche, vous allez avaler des mouches, dit Mrs Bridges avant de retourner au thème principal. Je me rappelle la vieille Nanny Lucas disant qu'elle avait entendu que Lord et Lady Southwold n'étaient pas ravis du tout. (Elle baissa la voix comme si le comte et la comtesse pouvaient écouter ce qu'ils disaient.) Tout au contraire. Et ils n'avaient pas de raison d'être contents non plus : un fils de pasteur, en fin de compte, ce n'est pas un grand parti, pas pour la fille aînée d'un comte, aussi ravissante que n'importe quelle autre jeune fille anglaise.

— Oh! elle était vraiment à peindre en ce temps-là! reconnut Miss Roberts avec enthousiasme.

— Mais Lady Marjorie ne voulait en faire qu'à sa tête, poursuivit Mrs Bridges. Elle a toujours été comme ça et elle le sera toujours, j'en suis sûre.

— On peut dire qu'il n'était pas vraiment de sa classe! dit Miss Roberts.

Rose refusait d'admettre cet affront.

— Mr Bellamy est un gentleman accompli, s'exclama-t-elle avec indignation.

— Il ne serait pas allé loin si Lord Southwold ne lui avait pas trouvé un siège, bien sûr, je peux vous le dire, dit Mrs Bridges.

— Et cette maison et tout, ajouta Miss Roberts. Mr Bellamy n'a pas un sou vaillant.

Rose foudroya la femme de chambre du regard.

— Je pense parfois que le pauvre homme est plus un domestique que nous, dit-elle. Je ne lui en voudrais pas s'il devenait libéral — comme Mr Winston Churchill. Après ces élections, les Tories sont finis de toute manière.

— Je suis tory et j'en suis fière. Ne commencez pas à me dire que mon parti est fini, lança Mrs Bridges.

— Ce n'est pas moi qui entre chez les Libéraux, répondit Rose avec chaleur.

— Vous répandez des calomnies quand vous n'en avez pas le droit, dit Mrs Bridges, et Miss Roberts acquiesça. Je lui donnerai quelques bons coups de fouet, s'il était à ma place.

Ivy étouffa dans sa tasse à la pensée de Mrs Bridges donnant quelques bons coups de fouet à Mr Bellamy, et elle s'attira un coup d'œil furieux de la cuisinière.

— Une bonne vieille famille tory comme les Southwold, trahie comme ça, poursuivit Mrs Bridges. C'est à peine croyable.

— Mais si c'est sa conscience qui le trouble, dit Rose.

— Si vous êtes tory vous n'en avez pas besoin, dit Mrs Bridges pour remettre Rose à sa place. Vous savez que vous avez raison.

Mr Hudson revint pour continuer à prendre son thé et les femmes se turent. Elles savaient que le maître d'hôtel n'approuvait pas les discussions politiques à l'office, étant fermement d'avis que la politique était l'affaire des gentlemen et que quand les gens du commun s'en mêlaient, cela entraînait invariablement des ennuis et des querelles.

Malheureusement, il n'y avait pas d'influence aussi contraignante en haut. Comme toujours, Lady Marjorie avait pris le dessus.

— Un geste stupide, inutile — vous l'admettrez vous-même — inutile, et vous gâcherez à jamais vos chances d'entrer au Cabinet. Les gens n'oublient pas, vous savez... et quand nous reviendrons au pouvoir, on vous écartera. On n'oubliera pas et on ne vous pardonnera pas.

On aurait dit qu'elle chapitrait un domestique; Mrs Bridges l'aurait entièrement approuvée.

— Je ne vois pas les choses de cette façon, répondit Bellamy d'une voix plutôt faible.

— Moi si, dit Lady Marjorie, et eux feront comme moi.

Elle s'assit, l'air profondément contrariée :

— Après tout ce qu'on a fait pour vous, Richard, dit-elle d'un ton blessé. C'est tellement, tellement déloyal.

La porte s'ouvrit, et James Bellamy fit son entrée sans du tout se rendre compte du soulagement qu'il apportait à son père. Il avait un ami avec lui, le capitaine Hammond des Khiber Rifles, qu'il décrivait comme un « véritable Guerrier de la frontière » et il demanda à ses parents de recevoir le jeune officier pendant qu'il se changeait.

Quand le capitaine Hammond eut été ainsi présenté, il apparut comme la parfaite image de l'officier de l'Armée des Indes dans les romans; hâlé par le soleil, beau, fort et silencieux.

Comme le leur dictaient les bonnes manières, les Bellamy se hâtèrent d'enterrer leur hache de guerre et s'ingénièrent à essayer de mettre leur hôte à son aise. Ce n'était pas facile.

Bellamy parut sur le point de réussir avec une question à propos des Afridis et du siège de Chitral, mais il n'en sortit rien.

— Ce doit être très... très triste là-bas, suggéra Lady Marjorie.

— Oh! non répondit le capitaine Hammond. C'est en fait très gai.

Par bonheur, ils tombèrent sur le sujet de l'opéra, et le vaillant capitaine commença à émerger de sa coquille. Aux Indes, il avait des disques de Caruso, mais il devait reconnaître que l'Association d'amateurs d'opéra de Peshawar n'était pas Covent Garden. Cela rappela à Lady Marjorie qu'elle et son mari devaient justement aller à une représentation de gala de *Tristan et Iseult* la semaine suivante. Cela rappela aussi à Bellamy, à son grand déplaisir, qu'il avait une réunion spéciale de Commission ce soir-là et qu'il avait oublié de le dire à sa femme.

Lady Marjorie fut prise au dépourvu.

— Vraiment, Richard, dit-elle, comment avez-vous pu manquer de considération à ce point?

Ils furent tous gênés par cet éclat inattendu.

Ce fut Richard Bellamy, toujours diplomate, qui trouva la solution. Il pria le capitaine Hammond de prendre sa place et d'accompagner sa femme à la représentation.

Le capitaine Hammond accepta sans se faire prier. Il lui aurait d'ailleurs été très difficile de refuser, étant donné les circonstances, comme le fit remarquer plus tard Lady Marjorie à son mari.

— Il devrait être ravi, dit Bellamy, assez fier de la manière dont il s'était tiré d'un si mauvais pas. On lui a demandé d'emmener une des plus belles femmes de Londres entendre quelques-uns des plus grands chanteurs du monde.

— Il avait l'air assez gentil, dit Lady Marjorie en souriant à ce compliment. C'est bien pour James.

— C'est le sel de la terre, des hommes comme Hammond, dit Bellamy. Je me demande parfois pourquoi nous les gâchons à les laisser claquer des talons sur les frontières lointaines de l'Empire.

Lady Marjorie acquiesça pensivement.

— Je me demande d'ailleurs pourquoi ils vont là-bas, dit-elle.

Quelques jours plus tard, quand le capitaine Hammond l'escorta à Covent Garden pour entendre *Tristan et Iseult*, Lady Marjorie trouva la réponse à sa question. Il lui dit que depuis son plus jeune âge il ne s'était jamais entendu avec son père qui, d'après lui, était une brute égoïste. Le mariage de ses parents s'était rompu alors que Hammond était encore à l'école; sa mère était morte quand il était à Cambridge, au cours de la première année d'une carrière universitaire prometteuse. Profondément misérable et perdu, il avait usé de quelques relations avunculaires pour obtenir directement un commandement dans l'Armée des Indes. Aux Indes, il avait trouvé le bonheur, l'aventure et la paix de l'esprit.

Lady Marjorie lui demanda comment c'était là-bas.

— Sur la frontière, chaque pas vous amène au bord de l'éternité, dit-il.

Cette phrase séduisit Lady Marjorie et en écoutant Charles Hammond parler avec un tel enthousiasme des endroits merveilleux où il était allé et des moments excitants qu'il avait connus en se battant à côté de ses chers Pathans, hommes simples et loyaux, elle sentit quelle vie ennuyeuse et inutile elle avait elle-même menée et dans quelle société superficielle, futile et gâtée elle vivait.

Elle découvrit bientôt que Hammond connaissait très bien la musique et beaucoup mieux encore les grands chanteurs de l'époque. Il avait une manière étrange et originale d'exprimer les choses.

Il comparait la voix de la soprano à l'aube sur la frontière :

— On peut voir, à l'ouest de Kaboul, un arc de cercle qui traverse le Cachemire jusqu'au grand Himalaya, d'un or aveuglant à la première lumière du soleil, et il n'y a rien à cinq cents kilomètres à la ronde. Propre, dur, pur. C'est ce qui est important dans la vie. Comme la lame nue d'un kukri ou la voix d'un oiseau.

Une phrase d'un poème revint à l'esprit de Lady Marjorie.

— Le même qui souvent avait entrebâillé les fenêtres magiques, cita-t-elle. S'ouvrant sur l'écume d'océans périlleux dans les terres perdues et féeriques.

Assez satisfaite d'elle-même, elle leva les yeux et vit les siens. Ils étaient illuminés d'une lumière intérieure, les yeux d'un visionnaire cherchant les siens avec une intensité désespérée.

Plus tard, ce soir-là, dans son boudoir, tandis que Miss Roberts la déshabillait et débitait quelque stupide bavardage au sujet du roi et de Mrs Kepel, ce furent ces yeux qu'elle se rappela plus que n'importe quoi d'autre de cette étrange soirée si excitante.

Le lendemain un bouquet de roses rouges arriva pour elle, et avec elles une petite carte dans une enveloppe.

« Merci pour la soirée la plus heureuse de ma vie. C. H. », disait-elle. Lady Marjorie enferma le mot dans le tiroir de sa coiffeuse.

Les roses ne passèrent pas inaperçues à l'office.

— D'un admirateur, expliqua Rose.

— C'est bien, n'est-ce pas, à son âge, fit remarquer Edward.

— Ce ne sont que de bonnes manières — un témoignage d'estime, dit Rose.

— Les roses sont symboliques, m'a-t-on dit, laissa entendre Mrs Bridges, d'une voix sombre, depuis la chaise en osier près du feu où elle se tenait.

Lady Marjorie n'avait pas l'habitude d'insister pour arranger les fleurs elle-même, mais quand Miss Roberts la vit aussi allumer le feu, par une chaude journée de juin, et y brûler la carte, les domestiques en conclurent que le petit morceau de carton transmettait plus qu'un témoignage cérémonieux d'estime de la part du capitaine Hammond.

10

Quelques semaines plus tard Lady Marjorie était au rayon des livres des Grands Magasins à essayer de trouver un cadeau pour l'anniversaire de James. Le vendeur venait de sortir le dernier roman de la baronne Orczy, un récit d'aventures sur la Révolution française, quand Lady Marjorie remarqua un homme qui lui tournait le dos et qui lui parut vaguement familier. Avec un léger choc elle se rendit compte que c'était Charles Hammond. Il se retourna comme s'il sentait que quelqu'un le regardait.

— Je pense que c'est la Providence qui vous a envoyée, Lady Marjorie, dit-il. Je cherchais cette citation.

Pendant un moment elle ne comprit pas de quoi il parlait; puis elle se souvint. Ensemble ils trouvèrent un exemplaire des poèmes de Keats.

— Voudriez-vous me rendre un grand service? lui demanda Hammond. Voudriez-vous me lire le poème?

— Pas ici, dit Lady Marjorie, avec un rire un peu nerveux.

— Non. Pas ici.

Si quelqu'un avant ce jour lui avait dit qu'on lui

demanderait de prendre une des décisions les plus importantes de sa vie au rayon des livres des Grands Magasins, Lady Marjory ne l'aurait jamais cru. Cependant elle hésita à peine.

— D'accord, dit-elle.

Pour son séjour à Londres, le capitaine Hammond avait pris l'une de ces garçonnières qu'on trouve en abondance dans Ebury Street. Là, assise dans un fauteuil usé, Lady Marjorie lut tout haut : « Ode à un rossignol. »

Quand elle eut terminé, Charles Hammond s'agenouilla auprès d'elle, et prenant sa main, l'embrassa et lui dit qu'il la trouvait la femme la plus belle et la plus désirable du monde.

Personne ne pouvait l'accuser d'originalité dans ses méthodes amoureuses, et l'on ne pouvait pas dire non plus que Lady Marjorie fût prise complètement par surprise; néanmoins, elle éclata en sanglots. Des sanglots de bonheur.

Hammond sécha ses larmes et la conduisit dans la petite chambre à coucher avec un lit commodément grand. Là, il la déshabilla et lui fit l'amour avec une compétence inattendue. Ses talents en chambre avaient été acquis sur les péniches de Srinagar où ses prouesses d'amant étaient la fable des dames des postes de la colline. Jusqu'ici Hammond avait méprisé ses conquêtes, dans un jeu joué avec une fausse monnaie et avec des femmes de second ordre; maintenant c'était quelque chose de proche de l'adoration. Il était très ému par la passion dont faisait preuve Lady Marjorie.

Pendant longtemps ni l'un ni l'autre ne dirent mot et Lady Marjorie serra le corps mince et dur de l'officier contre le sien. Très loin, dans un autre monde, la circulation grondait autour de la gare Victoria. Puis une horloge sonna 4 heures.

— Le thé, dit Lady Marjorie, brusquement ramenée au monde de la réalité. Je dois partir, ou l'on s'apercevra de ma disparition.

— Pas encore, répondit Hammond la tenant serrée. Oh! mon amour, je suis étourdi par ta beauté. Comment quelques pièces minables dans ce vieux Londres sale peuvent-elles se transformer en paradis? demanda-t-il. Tout dans cette chambre sera pour toujours unique. Juste à cause de toi.

— C'est notre monde à nous, chuchota Lady Marjorie. Ici, nous sommes en sécurité, rien ne peut nous toucher. Personne ne doit jamais le savoir, sauf nous. Sinon il s'écroulera et se changera en poussière.

L'illusion que leurs activités sont enveloppées dans un manteau d'invisibilité est commune aux amants. Normalement Lady Marjorie se serait rendu compte qu'en renvoyant sa voiture et en marchant chaque après-midi de Eaton Place à Ebury Street, elle éveillait les commentaires des domestiques. Elle n'aurait pas non plus écrit un mot à son amant sur le bureau de son boudoir en passant le buvard sur l'encre encore humide. Or, ce fut exactement ce qu'elle fit.

Miss Roberts changeait le buvard tous les jours et elle gardait chaque morceau qui était clairement marqué avec de l'encre pour l'examiner plus tard.

A l'office des domestiques, Edward l'examina dans un miroir qu'il gardait dans ce but.

— « Charles, mon amour, lut-il, tu es la lumière de ma vie. »

Les domestiques les plus jeunes avaient été exclus d'une affaire aussi confidentielle et aussi délicate, mais Mrs Bridges, Miss Roberts et Rose se pressaient pour lire ces paroles excitantes.

— Ça alors! dit Mrs Bridges, faisant semblant d'être choquée. Elle est presque assez âgée pour être sa mère!

— La passion frappe où elle veut, dit Miss Roberts. C'est dans le sang — regardez Lady Helena, celle qu'on appelle le Cheval emballé. C'était sa tante, n'est-ce pas?

— C'était avant votre temps, Rose, dit Mrs Bridges. Et mieux vaut jeter un voile sur cette affaire.

— Vous ne pouvez pas le lui reprocher, n'est-ce pas? On ne vit qu'une fois et ce n'est sûrement pas Mr B. qui doit la faire beaucoup vibrer, dit Edward raisonnablement. Ce n'est que la nature humaine. Vingt-sept années à manger toujours le même pudding...

Sentant que quelque chose se passait, Mr Hudson arriva à pas feutrés de son office.

— Edward! cria-t-il. Comment osez-vous parler comme ça. C'est dégoûtant. C'est sale. Je pensais bien...

Il s'interrompit à la vue du papier buvard et du miroir et s'avança lentement pour les examiner, comme si c'étaient des pièces à conviction dans un crime particulièrement déplaisant.

— Je suis choqué, s'exclama-t-il à voix basse en regardant autour de lui d'un air accusateur. Je suis profondément choqué.

— Nous sommes tous choqués, dit Mrs Bridges. Il n'est que temps que tout ceci soit découvert. Je ne suis pas d'avis de repousser les saletés sous le tapis.

— Les esprits sales trouvent de la saleté là où il n'y en a pas, lui reprocha Mr Hudson.

— Je vous serai reconnaissante de m'écouter, Mr Hudson. Il n'y a pas une demi-heure, je revenais de chez mon amie à Pimlico, quand par hasard j'ai vu Lady Marjorie descendant d'un cab devant une certaine maison dans Ebury Street où il y a des garçonnières.

Mr Pearce avait confirmé que c'était là qu'habitait le capitaine Hammond. Tout était donc clair.

— Vous devriez ouvrir une agence pour vous occuper des affaires d'autrui, fut tout ce que Hudson trouva à lui répondre. Vous battriez Sherlock Holmes.

— Cela ne nous plaît pas, Mr Hudson, dit Rose.

Cela ne plaît à aucun de nous, mais il faut regarder les faits en face. Lady Marjorie a déraillé et il va probablement y avoir une drôle de catastrophe. Mr Bellamy est un homme assez modéré, mais il ne supportera pas cela; pas plus que la société. Ce sera le scandale de l'année, et cette maison et cette famille éclateront en morceaux et nous avec. Et nous avons peur.

— Et nous avons raison d'avoir peur, ajouta Mrs Bridges, acquiesçant de la tête pour marquer son approbation.

Mr Hudson se tenait au bout de la table.

— Maintenant, écoutez-moi tous, dit-il. Ce que Lady Marjorie ou Mr Bellamy choisissent de dire ou de faire dans leur vie privée ne nous regarde absolument pas. Nous ne devrions pas chercher à le savoir. Notre devoir est de faire notre travail du mieux que nous pouvons et d'être loyaux vis-à-vis de nos maîtres. Nous travaillons pour une famille bien, des gens de qualité, de rang élevé dans le monde, et aucun souffle de scandale n'a jamais touché cette maison de mon temps.

Il oubliait l'affaire de l'Académie royale, mais, étant donné les circonstances, c'était compréhensible.

— Si cela arrive, continua-t-il, si cela arrive, ce ne sera pas à cause des domestiques. Pas tant que je serai ici.

Il prit ses revers dans ses mains et les regarda par-dessus ses lunettes.

— Des domestiques qui bavardent et qui chuchotent répandent le scandale comme des rats la peste. C'est malfaisant et méchant. Et cela m'étonne de vous.

Il les regarda de nouveau, chacun à son tour, et ils baissèrent les yeux.

— Si le désastre arrive dans cette maison à cause du bavardage de vos langues folles, tonna-t-il, mieux vaut que nous soyons tous morts de honte.

Il prit le buvard et le déchira en menus morceaux.

Contrairement à ces heureux amants pris pour toujours dans le marbre d'une urne grecque, Charles Hammond et Lady Marjorie découvrirent vite qu'il ne suffisait pas qu'il aime et qu'elle soit belle. La découverte de ce fait cruel entraîna leur première dispute.

— Notre amour est une chose si vaste! dit Hammond en arpentant nerveusement le salon. Il ne peut pas vivre et respirer à jamais à l'intérieur de ces deux petites pièces.

— Dehors, il serait détruit, répondit Lady Marjorie. Brûlé comme un papillon à la flamme d'une bougie, et abandonné, carbonisé et mort.

Il y eut un silence malheureux.

— Charles, tu connais les règles.

— La barbe, les règles, s'écria-t-il avec impatience. Nous établissons nos propres règles. (Il appuya ses mains contre la fenêtre comme un animal en cage.) Oh! je les connais bien, les règles. Tes règles. C'est très bien, tant qu'on n'est pas découvert. Tes amis le sauraient, bien sûr, et ricaneraient et bavarderaient derrière notre dos. Nous serions invités aux mêmes week-ends et on nous donnerait des chambres voisines...

Il courut brusquement vers elle et s'agenouilla à côté d'elle :

— Ce n'est pas notre sorte d'amour, ma chérie, une vilaine chose furtive pour la haute société.

— Je ne crois pas que je pourrais affronter le divorce, dit-elle tristement.

— Le divorce n'est que pour les gens vulgaires, cita Hammond amèrement. Encore une de ces règles dont tu parlais.

— Ne sois pas cruel, Charles.

Lady Marjorie commença à chercher son mouchoir pour le cas où elle serait contrainte d'avoir recours aux larmes. Mais elles ne furent pas nécessaires; son amant la pria de lui pardonner, puis lui demanda de l'écouter avec soin. Il expliqua qu'il avait passé chacun de ses instants de veille à réfléchir et à faire des projets pour leur avenir. Il avait décidé qu'il quitterait l'armée et qu'ils iraient à l'étranger commencer une merveilleuse vie nouvelle. Ils verraient le monde, auraient de grandes aventures et ensemble ouvriraient les fenêtres magiques. Lui prenant la main, il dédia sa vie à Lady Marjorie à ce moment même : elle était son amour, sa vie, son inspiration.

Lady Marjorie était profondément touchée par l'attachement du capitaine Hammond, mais bien que la tête lui tournât, quelque part au fond de son esprit elle entendait la voix froide, calculatrice, rabat-joie, du bon sens qui lui disait que tout cela n'était que l'étoffe dont on faisait les rêves.

— Restons quelques heures de plus dans notre paradis secret, pria-t-elle. Juste un peu plus.

Ils firent comme elle disait, mais ils savaient tous les deux qu'ils étaient allés trop loin pour revenir en arrière et que les événements des quelques heures, semaines ou jours à venir changeraient sûrement leurs deux destinées.

C'était le jour des régates du Boat Club des Guards à Maidenhead, et James Bellamy avait dit à ses parents qu'il y emmenait quelques personnes, y compris son ami Charles Hammond.

A la fin de l'après-midi, Bellamy quitta la Chambre et entra dans le fumoir pour prendre un verre et fumer une cigarette. Il jetait un coup d'œil aux journaux du soir quand son regard fut arrêté par un entrefilet.

« Tragique accident aux régates des Guards. Un canot passe par-dessus un barrage. On craint qu'un officier ne soit noyé. »

Bellamy savait que Mr Hudson montait toujours le journal du soir avec le thé de sa femme et qu'elle penserait immédiatement que la victime était son fils.

S'étant renseigné et ayant découvert que l'officier en question était sain et sauf et que de toute manière il n'était pas du régiment de James, Bellamy retourna en hâte à Eaton Place.

En entrant dans le petit salon, il trouva le capitaine Hammond, apparemment venu pour le même propos que lui, et dans les bras de cet officier, sa femme dans un état frisant l'effondrement.

Sur le moment, il lui parut parfaitement compréhensible que dans son soulagement, après le choc, Lady Marjorie se fût presque évanouie et que le capitaine Hammond eût tenté de l'empêcher de tomber. Plus tard dans la soirée, quand Bellamy rencontra James, il le réprimanda pour son comportement.

— Ta mère a été terriblement bouleversée quand elle a appris la nouvelle — vraiment bouleversée. C'était très gentil de la part de Hammond de venir si vite pour la rassurer, mais pas très prévenant de ta part. Tu aurais pu téléphoner au moins.

— Mais, père, je n'ai même pas été aux Régates, répondit James avec une juste indignation. L'adjudant-major a eu la colique et j'ai dû prendre sa place à un tribunal. J'ai téléphoné à mère pour tout lui dire avant le déjeuner.

Ce fut seulement alors que la vérité, ou quelque chose qui y ressemblait, apparut à Richard Bellamy.

Comme les morceaux d'un puzzle, certaines petites choses auxquelles jusqu'alors il n'avait pas fait attention formèrent un tableau dans son esprit. Les nouveaux chapeaux, le soudain manque d'intérêt pour le programme d'éducation, le sourire lointain avec lequel sa femme le saluait à son retour du Parlement.

Ces signes que Richard Bellamy avait accueillis comme une indication que le nuage assombrissant leur mariage s'était enfin évanoui, apparaissaient maintenant sous une lumière plus sinistre. L'intérêt de sa femme était de toute évidence ailleurs — auprès du capitaine Charles Hammond.

Le lendemain, après le petit déjeuner, Lady Marjorie ouvrait son courrier à son bureau quand son mari entra dans la pièce.

— Vous n'allez pas à la Chambre ce matin? demanda-t-elle gaiement, juste pour dire quelque chose.

— Si, répondit Bellamy. Si, j'irai — plus tard. (Il semblait mal à l'aise.) Disposez-vous de quelques instants, ma chère?

— Oui, bien sûr.

— Je désire vous parler. Très sérieusement — à propos de nous.

Lady Marjorie eut un sursaut. Comment avait-il découvert? Elle n'était pas prête, elle n'avait pas d'explication préparée. Et maintenant elle ne pouvait pas s'échapper. Elle alla s'asseoir sur le canapé à côté de son mari, complètement hébétée, espérant qu'il ne remarquerait pas sa consternation.

— La Chambre votera le programme d'éducation demain après le thé, dit Bellamy.

— Oh! répondit-elle.

Le sujet était si inattendu qu'elle pouvait à peine le comprendre.

— Ce qui suit m'est très difficile à dire, continua Bellamy, et le cœur de Lady Marjorie se serra de nouveau. Bien que je l'aie répété depuis des jours.

Elle se prépara de nouveau pour le pire.

— J'ai été entêté, obstiné, ingrat, dit Bellamy lentement, et sa femme le regarda de nouveau avec incrédulité. Ingrat vis-à-vis de vous, de votre père et de votre famille. Après tout ce que le Parti et Arthur Balfour ont fait pour moi, c'était d'une monstrueuse impertinence de penser même à m'abstenir. Je voterai contre le programme comme le bon Tory et le bon mari que j'espère être!

Lady Marjorie posa sa main sur le bras de son mari, soulagée.

— Comme vous le dites vous-même, Marjorie, poursuivit-il, c'est une simple question de loyauté. C'est la chose la plus importante dans nos vies. Beaucoup plus importante que nos caprices passagers. (Il sourit doucement :) Ou que nos passions.

Il se leva et l'embrassa avec douceur.

— Est-ce que vous serez revenu pour le dîner ? demanda-t-elle comme il s'en allait.

— J'ai bien peur que non. Nous discuterons très tard.

Lady Marjorie passa le reste de la journée à marcher dans le Park. Dans l'après-midi, elle écrivit un mot à Ebury Street. C'était une invitation à Charles Hammond de la retrouver à l'Opéra; par hasard, c'était de nouveau *Tristan et Iseult*.

Il n'apparut qu'au dernier acte, et quand il arriva, Lady Marjorie l'emmena dans le fond de la loge.

Il la serra dans ses bras dans l'obscurité.

— Je ne peux pas continuer, Charles, murmura-t-elle.

Hammond laissa tomber ses mains, complètement abasourdi.

— Quoi...! Votre mari a-t-il tout découvert? J'ai été stupide de venir chez vous. Je le savais.

— Non, répondit Lady Marjorie calmement. C'est moi, Charles, qui ai découvert la vérité sur moi-même.

Hammond haussa les épaules d'irritation :

— Mais il y a deux jours seulement, vous disiez que vous ne pouviez pas vivre sans moi...

— Pauvre chéri. Je ne sais pas si je le peux. Mais je dois essayer. (Elle le tint serré :) Je vous aime toujours autant, dit-elle. Si seulement je ne pouvais pas vous blesser! Je suis une femme faible et lâche. Je n'ai pas votre courage. Je ne pourrai jamais vous suivre. Je vous entraînerais au fond de ces océans périlleux. Mes racines sont trop profondes. Et ce qu'il y a de plus cruel, Charles, c'est que c'est seulement à travers votre amour que j'en suis venue à voir quel être inutile et égoïste je suis vraiment. J'ai un mari qui a été fidèle sans défaillance, prévenant avec moi, pendant vingt-sept années. Des enfants qui m'aiment; des domestiques loyaux et dévoués qui s'acharnent à satisfaire mon moindre caprice. (Elle leva les yeux vers lui :) Je n'ai pas donné grand-chose en échange.

La triste musique du dernier acte monta en crescendo.

— Je suis navrée d'avoir été aussi étourdie... C'est un mot stupide, mais je n'en trouve pas de meilleur.

Quand il essaya de protester, elle secoua la tête.

— Charles, quand... quand vous tomberez amoureux de la jeune fille que vous épouserez... commença-t-elle.

— Non. Jamais plus, protesta Hammond avec véhémence.

— Si. Cela vous arrivera. Cette jeune fille aura de la chance. Mais ne la placez pas sur un piédestal. Nous sommes toutes fragiles, incertaines, difficiles à satisfaire. Aucune de nous n'approche de la perfection. Ce ne sera pas juste pour elle — ni pour vous.

Il acquiesça tristement, comprenant qu'en essayant d'excuser toutes les femmes, elle essayait en réalité de s'excuser elle-même.

Lady Marjorie était au bord de l'effondrement. Elle avait préparé son discours jusqu'au dernier mot, mais il semblait maintenant plus difficile qu'elle ne l'avait pensé.

— Je vous ai aimé comme je n'avais jamais aimé un homme avant, chuchota-t-elle. Vous... vous avez avivé les braises mourantes de mon cœur et vous les avez enflammées de nouveau.

C'était une phrase qu'elle avait lue quelque part

dans un poème et elle l'avait inscrite dans le petit livre qu'elle gardait pour de telles choses.

— Ces quelques semaines passées dans notre monde secret ont été merveilleuses... des jours merveilleux.

— Les plus merveilleux des jours.

Il se força à sourire.

— Ils sont notre trésor, poursuivit-elle. Le nôtre pour toujours enfermé à l'intérieur de nous. Personne d'autre n'en sait rien.

— Nous seuls avons la clé pour ouvrir cette fenêtre magique. Et quand les choses iront mal, j'ouvrirai la mienne, je regarderai dehors et je verrai votre cher visage et tous mes ennuis disparaîtront.

Elle appuya sa tête contre son épaule pour dissimuler ses larmes. Hammond lui embrassa les cheveux.

Prenant une petite boîte dans sa poche, il la lui mit dans la main.

— Ceci est pour vous.

Lady Marjorie recula et ouvrit la boîte. A travers ses larmes elle vit une petite broche en pendentif en forme de cœur.

— Adieu, mon unique amour, dit-elle, et elle s'enfuit de la loge.

Le dernier acte de l'opéra arrivait à sa fin et Iseult chantait le Liebestod sur le corps mort de son amant.

Charles Hammond resta là où il était pendant toute une minute, puis il se retourna et s'assit sur une des chaises qui faisaient face à la scène. Tandis que la grande aria de Wagner à l'amour et à la mort déferlait sur lui, les larmes commencèrent à baigner son visage et à tomber sur sa chemise blanche amidonnée.

L'intervention de Richard Bellamy dans le débat sur le programme d'éducation au nom du Parti conservateur est passée dans l'histoire comme l'une des plus grandes réussites de sa carrière politique et fut l'un des facteurs qui devait l'élever finalement au rang de ministre. Des messages de félicitations affluèrent dans la maison d'Eaton Place, et quand James entra avant le déjeuner pour y ajouter ses propres applaudissements, il avait une autre nouvelle à apprendre à ses parents.

— Vous vous rappelez Charlie Hammond, dit-il à ses parents. Un type tout à fait extraordinaire. Il a brusquement décidé en une demi-heure de retourner à ses Pathans. Nous venons de le mettre dans le train de Liverpool.

Richard Bellamy jeta un coup d'œil à sa femme. Il ne semblait pas y avoir de raison de faire un commentaire.

— Ivor Finlay raconte qu'il a été plaqué par une fille. (James rit à cette pensée :) Bien sûr, aucun de nous ne le croit. Si vous aviez jamais vu le vieux Charles avec une fille — il était si effrayé qu'il pouvait à peine ouvrir la bouche!

Richard Bellamy alla vers sa femme et lui prit la main.

— Vous avez l'air un peu fatiguée, ma chère, dit-il, c'est Londres qui vous étouffe. Pourquoi n'allez-vous pas à Southwold passer une semaine ou deux; les roses sont juste en fleurs en ce moment.

— Je crois que c'est peut-être ce que je vais faire, répondit-elle avec reconnaissance.

Le temps, s'ajoutant à la beauté reposante de Southwold, guérit bientôt le cœur blessé de Lady Marjorie. A la fin de juillet, Richard Bellamy et James vinrent la rejoindre pour aller avec la famille à Goodwood; puis il y eut Cowes et l'Ecosse; Lady Marjorie se plongea de nouveau dans la ronde habituelle des activités mondaines.

Quand quelque chose la bouleversait ou quand une nouvelle troublait la paix de son esprit, elle sortait le petit cœur de rubis et se rappelait le cher visage de Charles, et tous ses ennuis disparaissaient. A mesure que le temps passait, elle sortait le cœur de moins en moins souvent et le souvenir du cher visage commença à s'estomper. Mais un aspect de sa liaison devait toujours faire plaisir à Lady Marjorie : personne, excepté elle-même et Charles Hammond, n'en saurait jamais rien; pas même son mari ou ses domestiques n'en avaient jamais rien soupçonné.

Quelques années plus tard, elle vit par hasard dans le *Times* que le major Charles Victor Hammond, chevalier de la Victoria Cross, des Khyber Rifles, avait été tué dans un incident de frontières près d'un endroit qui s'appelait Landi Khotal. Il ne lui avait jamais parlé de sa décoration. C'était bien de lui, pensa-t-elle avec un sourire de tendresse, mais le serrement de cœur ne fut pas plus que le souvenir doux-amer d'une journée d'été, il y avait longtemps de cela.

11

Comme tant de familles au cours de cette année 1906, les Bellamy étaient partagés sur le sujet de la voiture automobile. Lady Marjorie adopta l'avis vieux jeu que les nouvelles machines étaient sales, bruyantes, et qu'elles tombaient continuellement en panne, mais son mari était porté à penser autrement, faisant remarquer que beaucoup d'hommes politiques croyaient fermement que la prépondérance des mécanisés parmi les candidats libéraux avait eu un effet substantiel sur le résultat des élections générales. Dans son soutien du moteur à combustion interne, Mr Bellamy était fortement appuyé par Mr Peace qui était après tout le chef de la section des transports.

Les voitures automobiles étaient chères. Pour être précis, le genre de voitures automobiles que Mr Pearce considérait comme dignes de ses maîtres était cher, au moins sept cents livres — et c'était Lady Marjorie qui tenait les cordons de la bourse.

Déjà une fois, cet été-là, les cordons de la bourse avaient dû être largement ouverts, car en août et septembre on avait installé la lumière électrique dans la maison, de la cave au grenier; même les sonnettes avaient été électrifiées.

A la fin de l'automne, les Bellamy étaient allés à une réception à Buckingham Palace et la duchesse de Portland, qui était dame d'honneur, avait dit à Lady Marjorie que le roi venait d'acheter une voiture automobile fabriquée par les frères Renault, de Billancourt, près de Paris. Il semblait convenable que les Bellamy suivent cet exemple royal et en même temps fassent un geste de plus témoignant de leur confiance dans l' « Entente cordiale ».

Mr Pearce fut ravi; il avait passé sa demi-journée de congé au Salon de l'Automobile à l'Olympia et lui aussi était en faveur de la Renault, mais pour des raisons différentes. Il aimait les cylindres verticaux refroidis par eau et l'allumage par magnéto, sans parler des quatre vitesses capables de pousser la machine jusqu'à l'incroyable vitesse de soixante-dix kilomètres à l'heure.

Un jour de novembre, au grand déplaisir de Mr Hudson et de Mrs Bridges et au ravissement d'Edward et de Rose, Mr Pearce arriva devant la maison d'Eaton Place, vêtu d'une livrée de chauffeur entièrement neuve comportant lunettes, gants et guêtres noires, au volant d'une magnifique limousine Renault vingt chevaux, trois litres, de couleur bleu roi.

La famille royale ne tarda pas à donner une autre marque de son désir de vivre avec son temps, quand la reine Alexandra elle-même commença à s'intéresser au bien-être des domestiques. On entendit une éminente duchesse persifler que, comme la reine avait l'infortune d'être étrangère, elle n'apprendrait jamais les manières des Britanniques.

Pour donner l'exemple aux dames de la haute société, Sa Majesté donna un thé pour quatre cents femmes de chambre à Regent's Park. Malheureusement, il plut si fort que les invitées durent s'abriter sous les tables et que le discours de l'évêque de

Londres sur Sa Majesté passa à peu près complètement inaperçu sous l'effondrement de la bannière
de bienvenue; mais c'était l'intention qui comptait.

Des ladies commencèrent à se réunir en groupes
et en comités pour discuter de la manière dont elles
pourraient le mieux suivre l'exemple de la reine sans
dépenser trop d'argent ni donner à leurs domestiques trop de mauvaises idées.

Lady Marjorie organisa une réunion à Eaton Place
avec son amie Lady Prudence Fairfax, la vieille Lady
Templeton qui était trop folle pour organiser quoi
que ce soit elle-même et une certaine Mrs Van Groeben.
La présence de Mrs Van Groeben dans la maison des
Bellamy pouvait être considérée comme un autre
signe du changement d'époque et de mœurs, car
Mrs Groeben était vraiment une sorte de femme
commune et vulgaire et on disait que Mr Groeben
l'avait trouvée derrière un bar au Cap.

Si Richard Bellamy avait demandé à sa femme de
la recevoir, c'était non seulement que Mr Van Groeben était l'ami de Sir Ernest Cassel, qui de son côté
était un grand ami du roi Edward, mais aussi parce
qu'il était très riche et particulièrement généreux
dans son soutien au Parti conservateur.

Les ladies du comité de Lady Marjorie se rencon-
traient tous les mercredis pour le thé. Leur arrivée
était un régal pour Emily qui pouvait juste voir dans
la rue en se penchant par-dessus l'évier de l'arrière-
cuisine et en se tordant le cou. Elle aimait plus que
tout regarder la superbe voiture de Mrs Van Groeben
avec sa belle paire de chevaux alezan.

— Elle doit être terriblement riche, dit-elle un
jour à Rose. Vous voyez ces plumes. Elles sont deux
fois aussi longues que mon bras.

— On ne mesure pas une lady à la longueur de
ses plumes, Emily, répondit Rose d'un ton guindé.

— Elle doit avoir une robe pour autant de jours

qu'il y a dans l'année, poursuivit Emily rêveuse. Et Rose, regardez ce garçon. Est-ce qu'il n'est pas le plus beau que vous ayez jamais vu?

Emily faisait allusion à William, le valet de pied de Mrs Van Groeben, qui portait un uniforme particulièrement coloré et restait toujours assis sur le siège quand Mrs Van Groeben sortait de sa voiture.

Emily commença à passer la moitié de la semaine à attendre le mercredi et elle devint si obsédée par la pensée de William que cela commença à affecter son travail. Un jour affreux, dans sa négligence, elle mit du sel dans le pot à sucre, de sorte que l'un des puddings spéciaux de Mrs Bridges fut complètement gâché.

— C'est ce qui arrive quand on regarde toute la journée par la fenêtre les voitures et tout le reste, fit Mrs Bridges furieuse. Des rêvasseries.

Et elle dit à Emily de refrotter tout le sol de la cuisine bien qu'elle eût tout juste fini la vaisselle. Pour rendre les choses pires encore, Ivy dut rentrer chez elle pour s'occuper de sa mère malade et Emily était censée aider Rose à faire les feux et les lits, en plus de son travail habituel.

— Je ne peux pas faire tout ça, Rose, se plaignitelle. Je ne sais plus où j'en suis. Avec Mrs Bridges qui est toujours sur mon dos et tout.

— Il faut vous y faire, c'est tout, répondit Rose, et cessez vos rêvasseries, ou alors vous vous trouverez dans de véritables ennuis.

Mais Emily continua à rêver de William tous les jours et le dimanche à la messe elle priait pour avoir la chance de le rencontrer.

Un jour, il se mit à pleuvoir très fort pendant que les ladies étaient à leur séance, et William fut invité à l'intérieur pour se mettre à l'abri. Les domestiques prenaient leur thé et il s'assit au bout de la table, en face d'Emily.

L'objet de son admiration était si proche qu'elle n'osait pas lever les yeux.

A l'autre bout de la table, Mr Pearce et Mr Harris, le vieux cocher de Mrs Van Groeben, étaient lancés dans une longue discussion sur les mérites respectifs de la voiture à chevaux et de la voiture automobile.

Emily rassembla tout son courage :

— Voudriez-vous me faire passer le sucre, s'il vous plaît? dit-elle à William.

Il sourit en lui passant le bol. Quelques instants plus tard, ils avancèrent tous les deux la main pour prendre le même biscuit et leurs doigts se touchèrent. De nouveau il rit et cette fois Emily sourit en retour. La glace était rompue.

Avant de partir, William proposa à Emily, si elle n'avait rien de mieux à faire pendant sa journée de congé, de prendre une tasse de thé avec lui.

Rien d'aussi merveilleux n'était jamais arrivé dans sa vie et Emily ne pouvait l'attribuer qu'au pouvoir de la prière.

William rencontra Emily le vendredi suivant au coin d'Eaton Place et de Belgrave Place. Emily n'avait même jamais vu Buckingham Palace; aussi, à sa suggestion, ils en firent le tour complètement avant d'aller dans un salon de thé de Victoria tenu par une aimable femme qui comprenait les besoins des jeunes domestiques désargentés.

Emily avait fait un grand effort au sujet de son apparence extérieure. Elle avait de grands yeux bruns et un joli teint clair et quand ses longs cheveux épais eurent été arrangés par Rose, elle avait vraiment l'air très présentable.

Lorsqu'ils eurent fini leurs deux premières tasses de thé et mangé leur petit pain chaud, William lut tout haut des histoires vraies dans un magazine. Arrivé à un endroit excitant, Emily trouva sa main sous la table et la serra très fort. Quand il eut fini, elle soupira de satisfaction.

— Vous avez vraiment de la chance, William, dit-elle.

— Sans doute, reconnut-il.

— Etre capable à la fois de lire et d'écrire, expliqua Emily. Moi je ne peux pas écrire du tout, c'est un terrible désavantage. Si mon papa avait su lire et écrire, je ne sais pas ce qu'il aurait pu faire.

— Qu'est-ce qu'il a fait, votre papa? demanda William, curieux parce qu'il n'avait jamais connu le sien.

— Il est allé mourir, voilà ce qu'il a fait, dit Emily tristement.

— Oh! je suis navré, répondit William. Comment est-il mort?

— Il est mort d'avoir vécu, dit Emily. Voilà comment il est mort.

Et elle parla à William des conditions de vie en Irlande et de tous ses parents qui mouraient de faim là-bas.

— Nous avons de la chance, dit-elle.

— De la chance? Quelle chance? demanda William avec indignation. Je fais bien mon travail, je satisfais Mrs Van Groeben. Elle aime mon physique. (Il le dit parce qu'il savait que cela rendrait Emily jalouse.) Où y a-t-il de la chance là-dedans? demanda-t-il de nouveau.

— La chance, c'est... que c'est vous qu'elle a pris à l'orphelinat, dit-elle. La malchance aurait été qu'elle ne l'ait pas fait. Est-ce que c'est elle qui vous a appris à lire?

William secoua la tête.

— C'est l'orphelinat, reconnut-il. Mais elle m'a appris d'autres choses. Des choses qu'elle pense que je dois savoir. Comment me débrouiller. Comment me tenir. C'est une vraie lady.

William montrait ainsi combien il était ignorant des manières des vraies ladies.

— On dit qu'elle a une très haute opinion de vous, dit Emily assez tristement.

William prit un air avantageux. Il aimait la flatterie. C'était en réalité un jeune homme assez ennuyeux, stupide et vaniteux, mais il était tout pour Emily et, quand le printemps vint, elle tomba de plus en plus amoureuse de lui.

Les jours devinrent plus chauds et les deux jeunes gens commencèrent à se promener dans le parc. Un soir au début de mai, ils étaient assis sur un banc et Emily expliqua que son nom n'était pas vraiment Emily mais Aoibhill, et qu'elle avait été nommée ainsi en souvenir d'une reine irlandaise.

On avait appris à William à se méfier des Irlandais.

— Je ne savais pas qu'ils avaient des rois et des reines en Irlande, dit-il d'un ton sceptique.

— Ah! on peut dire que vous ne savez pas grand-chose, William, répondit Emily. Vous ne saviez même pas que vous deviez me rencontrer.

— Vous rencontrer? demanda-t-il déconcerté.

Très souvent William ne comprenait pas de quoi Emily parlait.

— Que c'était écrit. Réglé d'avance, expliqua Emily. J'ai toujours été certaine de vous rencontrer. Quand je vous ai vu l'autre jour dans la cuisine, j'ai su, je vous ai reconnu. Vous êtes plus pour moi que mon amour, William, vous êtes mon besoin, vous êtes mon moi-même.

Quand Emily parlait ainsi, William se sentait toujours mal à l'aise.

Elle lui prit la main.

— Ah! William, dit-elle tendrement. Tout ce que je fais, je le fais pour vous. Tout ce que j'ai à faire dans la maison, j'imagine que je le fais pour vous.

Chaque feu que je prépare, chaque plancher que je frotte, chaque cuillère que je fais briller, c'est pour vous. Je vous porte dans mon imagination toute la journée.

— S'il n'y avait pas Mrs Van Groeben, je m'enfuirais avec vous demain, dit William, désireux de ne pas la décevoir.

— Bien sûr, mais où nous enfuirions-nous? demanda Emily. Le monde est plein de gens qui s'enfuient. (Elle réfléchit un moment :) Peut-être pourriez-vous trouver une place, dit-elle avec espoir. Vous savez lire et écrire et vous êtes fort.

Alors même qu'elle exprimait cela, elle savait que c'était une idée sans espoir. Il y avait un terrible chômage à Londres et William lui avait dit que Mrs Van Groeben lui avait promis de faire de lui un jour son maître d'hôtel. De plus en plus Mrs Van Groeben lui apparaissait comme un grand colosse dressé sur le chemin de leur bonheur.

— Est-ce que vous m'aimez, William?

Emily n'avait jamais osé le demander avant, mais brusquement il lui semblait terriblement important de savoir exactement où ils en étaient.

— Vous savez bien que oui, répondit-il. Je trouve que vous êtes la plus jolie fille que j'ai jamais vue.

— Mais est-ce que vous avez une passion pour moi? demanda-t-elle, ou est-ce que vous pensez simplement que je suis la plus jolie fille que vous ayez jamais vue?

William réfléchit très fort.

— Oui, dit-il, oui, je vous aime vraiment.

Ils étaient tous les deux désagréablement conscients du manque de conviction dans sa voix.

— J'ai une passion, William, une passion pour vous. Et je n'avais jamais pensé que je connaîtrais une aussi belle chose que cette passion que j'ai pour vous. Et il n'y avait rien dans ma vie avant vous,

William, vraiment rien. Et maintenant, cela me fait mal tellement c'est violent.

— Tout ira très bien, dit William faiblement. Je m'occuperai de vous, Emily.

— Comment? demanda Emily tristement. Comment le pourriez-vous? Que pouvons-nous faire, Willy? C'est sûr qu'il n'y a pas de place pour nous.

William haussa les épaules. Emily semblait prendre plaisir à regarder le côté noir des choses.

— Vous êtes une petite chose triste, quelquefois, Emily, dit-il.

— Ne le seriez-vous pas à ma place? lui demanda-t-elle. Je n'ai rien au monde que vous. Maman est en train de mourir à l'hospice. Phelin est en Amérique et mon autre frère a été tué dans la guerre d'Afrique — Dieu le garde. Deux de mes sœurs sont mortes avant de pouvoir marcher, et des deux qui ont survécu, l'une est dans les ordres, et l'autre est partie avec un marchand de chevaux. Papa est mort il y a deux ans. Vous voyez qu'il ne reste pas grand-chose.

La nuit tombait. Il mit son bras autour d'elle pour la réconforter et elle se nicha contre son épaule.

Au bout d'un moment il lui demanda s'il pouvait l'embrasser.

— Nous ne devrions pas. C'est mal, dit-elle. Mais j'ai une telle passion pour vous, William.

Et pour la première fois ils s'embrassèrent.

Mrs Van Groeben avait appris en Afrique du Sud à considérer les domestiques comme des biens du ménage et elle était par conséquent très possessive dans son attitude à leur égard. Elle avait également créé un service secret très efficace dans sa maison, fondé sur le mélange habituel de peur et de corruption.

C'est ainsi que le garçon chargé de faire les chaussures parla d'abord de William et d'Emily à la principale femme de chambre, dans l'espoir d'obtenir la place de valet de pied et que la femme de chambre en parla à Mrs Van Groeben dans l'espoir d'obtenir une augmentation.

Mrs Van Groeben n'était pas exagérément soucieuse. Elle connaissait trop bien William. Elle le convoqua pendant qu'elle était dans son boudoir et le fit se tenir près de la coiffeuse pendant qu'elle se peignait les cheveux.

Elle savait qu'il l'adorait et qu'on pouvait en faire ce qu'on voulait dans des conditions aussi intimes.

Elle lui fit remarquer avec beaucoup de gentillesse qu'il y avait des choses plus importantes dans la vie qu'un baiser et une étreinte avec une laveuse de vaisselle. Elle lui fit remarquer que ce n'était pas un comportement très raisonnable de la part de quelqu'un qui désirait avancer dans la vie; puis elle changea de sujet et passa à l'uniforme de William.

Elle tendit un bras mince et nu et tâta le revers de son habit.

— Cet uniforme est assez usé, dit-elle en le regardant et en laissant son peignoir s'ouvrir juste un peu.

— Oui, madame, répondit William.

Ils savaient tous les deux qu'il n'en était rien.

— Vous êtes un garçon si élégant que je crois que nous allons vous en faire faire un autre, dit-elle. Vous pourriez m'aider à choisir le tissu et la couleur. Ce serait agréable, non?

William sourit comme un chat à qui l'on vient de promettre une soucoupe de crème.

— Ce pauvre vieux Mr Harris, il prend de l'âge. Il ne peut plus en faire autant qu'il voudrait, alors je pense que la personne qui l'aidera mérite un bel uniforme neuf, n'est-ce pas William?

— Oui, madame, répondit William docilement.

— Et cette autre histoire. Il est inutile d'y penser davantage. Cela ne veut plus rien dire maintenant, n'est-ce pas?

Mrs Van Groeben se retourna et offrit au valet de pied son sourire spécial.

— Non madame, rien, lui assura William. C'était juste une petite distraction.

Lady Marjorie n'approuvait pas le fait de se mêler de la vie privée de ses domestiques en général, mais quand Mrs Van Groeben lui eut parlé au téléphone de son valet de pied et d'Emily, elle décida que ce serait plus gentil d'expliquer elle-même sa position très clairement à Emily.

Ce fut une entrevue atroce. Tandis que Lady Marjorie expliquait avec autant de bonté qu'elle le pouvait qu'Emily ne devait plus revoir William ou qu'il serait renvoyé sans références, Emily se tenait raide comme un bâton, stupéfaite et choquée.

— Vous êtes tous les deux très jeunes, dit Lady Marjorie. Vous avez toute la vie devant vous.

Emily réussit à articuler :

— Oui, milady.

— Elle guérira, cette blessure que vous ressentez maintenant, j'en suis sûre, poursuivit Lady Marjorie. Vous apprendrez à la chasser de votre esprit. Une passion s'épuise très vite. Croyez-moi.

Ç'aurait dû être un grand réconfort pour Emily que sa maîtresse fût aussi bonne, si pleine de compassion, et de savoir qu'elle avait en fait connu un peu la même souffrance elle-même, mais malheureusement elle ne pouvait chasser William de son esprit et sa passion refusait de s'épuiser. Au contraire, la douleur dans son cœur devint si forte et si intolérable qu'Emily décida que, en dépit de tout, elle devait prendre contact d'une manière ou d'une autre avec son bien-aimé.

Rose, qui essayait de la consoler, accepta d'écrire une lettre.

— Qu'est-ce que vous voulez que j'écrive, Emily? demanda Rose, quand elle eut pris du papier et une plume.

— Chère Mère de Dieu, je ne peux jamais penser à des lettres, dit Emily. Je n'ai pas de tête pour ce qui est d'écrire, Rose. Mettez « William ».

Mais malgré tous ses efforts, elle ne pouvait penser à un seul autre mot.

— « Cher William, suggéra Rose, commençant à écrire. On nous a interdit de nous voir, mais je vous aime toujours et je pense à vous tous les jours. » Qu'est-ce que vous en pensez?

Elle se plongea dans ses réflexions :

— Puis : « Si vous m'aimez... »

— Non, Rose, dit Emily (et elle toucha le bras de Rose pour l'arrêter). Ecrivez simplement ces mots : « Vous êtes tout ce qui me reste. Dites que vous m'aimez. Aoibhill. »

— Qu'est-ce que c'est que ça? demanda Rose. Votre nom?

Emily acquiesça.

— Comment l'écrivez-vous?

Emily baissa la tête.

— Je ne sais pas, reconnut-elle. Alors mettez simplement « Emily », c'est tout. (Elle détourna la tête :) Je veux seulement savoir qu'il est toujours là, dit-elle.

Et alors qu'Emily avait le plus besoin de sa sympathie, Mrs Bridges semblait prendre plaisir à malmener la malheureuse fille et la rabrouait du matin au soir.

— Toujours pas signe de votre béguin, lui dit-elle un matin d'un ton sarcastique, alors qu'Emily était en train de frotter le sol de la cuisine. Il ne se montrera pas maintenant, vous savez, ils ne le font jamais une fois qu'ils vous ont reniflée. Ils sont tous pareils jusqu'au dernier — ils ne veulent qu'une chose — ils veulent vous tripoter — vous tripoter, c'est tout. Ils veulent mettre leurs sales mains rouges partout sur vous. Partout. Est-ce que Willy a demandé à faire ça? Hein, Emily?

Et comme Emily essayait de s'échapper dans l'arrière-cuisine, Mrs Bridges la suivit.

— Bien sûr, ce n'était pas comme ça... Nous allions nous marier? Et vivre heureux jusqu'à la fin de nos jours?

Mrs Bridges mit ses mains sur ses hanches et s'approcha d'Emily.

— Et où comptiez-vous aller, Emily? Les patrons n'aiment pas que leurs domestiques veuillent se marier, vous savez. Et sans références, qui voudrait d'une ignorante petite épave irlandaise comme vous? Une fille qui ne sait rien faire bien, rien.

Et à la fin Emily sortit de la pièce en courant, le visage baigné de larmes, pour se réfugier dans les bras de Rose.

— Vous vous en êtes encore pris à elle, Mrs Bridges? demanda Rose sèchement.

— J'essaye juste de lui apprendre la vie, Rose, répondit Mrs Bridges en haussant les épaules. La vie comme elle est.

— Laissez-moi tranquille, c'est tout, sanglota Emily. Laissez-moi tranquille.

Lady Marjorie et son comité avaient décidé d'engager un bus tiré par des chevaux et d'envoyer leurs domestiques à Hamstead Heath pour un pique-nique. Le soir qui précéda ce grand jour, la nourriture et la boisson fournies par les trois autres maisons furent livrées au 165 Eaton Place d'où devait partir l'expédition.

On imagine la joie d'Emily quand elle vit son William descendre les marches en portant un panier, aidé par le vieux Mr Harris. Elle attendit qu'ils eussent mis le panier dans la cuisine, puis sortit en courant dans le passage et s'arrêta devant William. Il passa devant elle sans un mot. Au début, elle crut qu'il ne l'avait pas reconnue dans le passage sombre, mais juste comme elle allait courir derrière lui, Mr Harris l'arrêta.

— Inutile de vous précipiter, ma petite, dit-il avec bonté.

Et il expliqua du mieux qu'il put que William avait de nouvelles responsabilités qui lui laissaient très peu de loisirs, en fait si peu de loisirs qu'il n'avait pas pu lire sa lettre.

Mr Harris sortit la lettre et la donna à Emily. Elle n'était pas ouverte.

Pendant que la maison retentissait des bavardages excités des autres domestiques qui préparaient leurs plus beaux atours pour cette sortie, Emily resta assise sur son lit à regarder la lettre sur laquelle reposaient tous ses espoirs.

Elle passa la moitié de la nuit à pleurer et à prier jusqu'à ce qu'enfin elle s'endormît d'un sommeil agité, la lettre toujours serrée dans sa main.

Le lendemain, la voiture à chevaux devait venir à 1 heure et demie, de sorte que le dîner à l'office se passa de bonne heure. Emily ne mangea rien, mais cela ne surprit personne, car ils étaient tous trop excités à la pensée du thé pour manger beaucoup. A peine Emily et Rose avaient-elles débarrassé la table que la voiture arriva, et avec elle les domestiques des trois autres maisons, et brusquement l'agitation fut grande.

Bien qu'il ne participât pas lui-même à l'expédition, Mr Hudson, en tant que maître d'hôtel, surveilla le chargement de la nourriture et de la boisson par les domestiques mâles. Les diverses femmes de chambre et filles de cuisine montèrent à l'intérieur et immédiatement commencèrent à bavarder comme des pies et à chanter des chansons.

Au dernier moment, quand tout fut prêt, Mr Hudson ne put trouver Emily et on expédia Rose pour la faire se dépêcher.

Elle la trouva morte, pendue à une poutre dans sa chambre au grenier.

Mr Hudson réagit magnifiquement devant cette tragique situation. Quelques secondes après que Rose lui eut appris la terrible nouvelle, il avait fait descendre les domestiques Bellamy de la voiture et l'avait fait partir. Sagement, Lady Marjorie laissa tout à ses soins. Ce fut Mr Hudson qui fixa les tâches aux autres domestiques pour les occuper et les empêcher de bavarder; ce fut Mr Hudson qui s'arrangea avec son ami le sergent William, du poste de police de Gerald Row, pour que le rapport indispensable fût fait avec le minimum d'histoires et de publicité. Ce fut Mr Hudson qui identifia le corps, en l'absence des parents, et ce fut Mr Hudson qui veilla à ce que les hommes dont c'était l'affaire de s'occuper des corps de tels infortunés vinssent avec leur simple fourgon, de bonne heure le matin, afin que les habitants de ce quartier très respectable soient le moins dérangés.

On pourrait dire que Mr Hudson exécuta toutes ces tâches aussi rapidement et avec autant de tact parce que c'était son devoir de le faire et parce que le suicide de l'un des membres du personnel portait atteinte à la réputation de la maison et en particulier à celle de son maître d'hôtel; mais c'était un homme qui ne manquait pas d'humanité.

Mr Hudson aimait beaucoup Emily et il était profondément chagriné de voir qu'une fille si bonne et si dévote ne serait pas enterrée en terre bénite et que très probablement, après l'autopsie, son corps serait envoyé dans un hôpital et que les médecins s'en serviraient pour leurs recherches. L'argument avancé par l'un des entrepreneurs de pompes funèbres selon lequel de cette manière Emily pourrait faire du bien à l'humanité ne parvint pas à séduire Mr Hudson.

Une grande dépression s'abattit sur l'office et même s'ils essayaient de ne pas parler d'elle, Emily semblait présente dans tout ce qu'ils faisaient ou disaient beaucoup plus qu'elle l'avait jamais été quand elle était vivante.

Les domestiques condamnèrent William à la damnation éternelle et Lady Marjorie coupa tout contact avec les Van Groeben, mais la véritable cause de la mort tragique d'Emily était sa propre nature trop sensible pour affronter le monde dur dans lequel elle vivait. Si William avait accepté de se marier avec elle, ils n'auraient eu aucune chance de trouver à s'employer à Londres, même avec de bonnes références, et s'il avait suivi la suggestion d'Emily de trouver un autre travail en dehors du service, William se serait trouvé face au chômage à un des niveaux les plus élevés de l'histoire; un tiers de la nation vivait au-dessous du niveau normal de subsistance, la misère était chose habituelle et il n'y avait pas encore de véritables secours aux chômeurs.

Dans le Londres de 1907 l'amour d'Emily pour son valet de pied était condamné depuis le début.

12

La place d'Emily fut prise par une nommée Doris. C'était une fille de seize ans, issue des quartiers populaires de Londres, vive d'esprit, aînée de neuf enfants, fille d'un docker, et les réprimandes et les colères de Mrs Bridges glissaient sur elle comme de l'eau sur le dos d'un canard.

Novembre fut encore plus brumeux que d'habitude et un matin où l'on voyait à peine sa main devant son nez et où l'air jaune et huileux se glissait partout dans la maison, Doris vint dire à Mr Hudson qu'elle n'avait pas pu apporter le thé du matin à Mrs Bridges car la porte de sa chambre était fermée à clé.

Mr Hudson fit monter Rose pour voir, et elle revint dire qu'il y avait des bruits dans la chambre de Mrs Bridges, mais qu'elle n'obtenait pas de réponse.

La veille avait été la demi-journée de Mrs Bridges et comme on savait qu'il lui arrivait parfois de noyer ses chagrins dans le gin on la laissa en paix et on s'occupa du petit déjeuner d'en haut sans elle.

10 heures arrivèrent : c'était l'heure de la confé-

rence quotidienne de Mrs Bridges avec sa maîtresse.

A 10 heures un quart, comme il n'y avait toujours pas signe de la cuisinière, Lady Marjorie fit venir Mr Hudson et lui dit de faire quelque chose pour résoudre le problème.

Ce n'était pas la première fois que Mrs Bridges était en retard et cela faisait un moment que Lady Marjorie supportait les défauts de la vieille cuisinière, parce qu'ils ne semblaient en aucune façon influer sur sa cuisine. Cette fois elle décida qu'elle allait devoir lui dire sa pensée.

Tandis qu'il montait le dernier étage, Mrs Bridges passa devant Mr Hudson sans dire un mot. Elle avait l'air un peu ébouriffé mais, par ailleurs, ne semblait nullement avoir la gueule de bois, aussi le maître d'hôtel décida-t-il de laisser aller les choses.

Quand Mrs Bridges entra dans le petit salon, elle fut saluée par Lady Marjorie sèchement :

— Bonjour, Mrs Bridges.

La cuisinière ne répondit pas, ne fit pas la révérence, tout se passant comme si elle n'avait même pas entendu sa maîtresse parler.

— Hudson m'a laissé entendre que vous n'aviez pas pris de petit déjeuner, dit Lady Marjorie.

— Je n'ai pas faim milady, répondit Mrs Bridges d'une voix pâteuse. Et cela ne regarde pas Hudson.

— Pardon?

— J'ai dit que cela ne regardait pas Hudson de savoir à quelle heure je descendais le matin.

Lady Marjorie se raidit ostensiblement.

— Je crains bien de ne pas être de cet avis, lui dit-elle d'un ton ferme. Hudson est responsable de la bonne tenue de cette maison.

— Et moi je suis responsable des repas, souligna la cuisinière.

— Je sais, Mrs Bridges. Et j'attends de vous que

vous soyez ponctuelle à l'office et que vous donniez l'exemple aux autres.

Mrs Bridges avait l'air maussade.

— Et j'attends de vous que vous obéissiez à mes règles. L'une d'elles étant que je ne veux pas que les domestiques ferment leur porte à clé, comme vous le savez.

Mrs Bridges ne répondit pas.

— Pourquoi votre porte était-elle fermée à clé quand Rose a essayé de vous réveiller? demanda Lady Marjorie.

— J'ai droit à mon intimité, milady, sans que les domestiques subalternes viennent fourrer leur nez et fouiller dans mes affaires, dit Mrs Bridges en colère, et elle s'assit sans permission en présence de sa maîtresse.

— Tout le monde est contre moi, gémit-elle, à parler et à chuchoter derrière mon dos. A dire que c'est de ma faute si Emily s'est tuée. Je sais ce qu'ils disent. Ils sont tous contre moi. (Elle renifla deux fois.) Je sais que je ne suis pas désirée dans cette maison, ni appréciée non plus, alors je ferais mieux de donner mon congé et de m'en aller. C'est tout ce que j'ai à dire, milady, merci.

Bouleversée, Mrs Bridges se leva et commença à se diriger vers la porte.

— Mrs Bridges, appela Lady Marjorie sèchement. Revenez ici. Tout de suite.

Par la force de l'habitude, Mrs Bridges s'arrêta et se retourna.

— Je donne mon congé, répéta-t-elle sans conviction.

— Vous n'allez rien faire de tel, dit Lady Marjorie. Maintenant, asseyez-vous et dites-moi ce qui se passe.

Mrs Bridges se rassit et croisa les mains.

— Je ne peux vraiment pas le dire, Lady Marjorie, dit-elle.

Lady Marjorie attendit, sachant que Mrs Bridges

donnerait en temps voulu libre cours à ce qui la tourmentait.

— C'est comme ça, milady, dit-elle enfin. J'ai ces maux de tête. De fortes douleurs dans la tête. Tout me tombe dessus. Je ne peux pas m'empêcher de pleurer et je ne peux pas dormir à force de penser à cette pauvre enfant morte. Si je l'ai réprimandée quelquefois, c'était seulement pour lui apprendre comment se débrouiller dans le service. J'ai été formée par la cuisinière de votre mère, milady, Mrs Arkwright.

— Je m'en souviens, dit Lady Marjorie.

— Elle était rudement sévère, poursuivit Mrs Bridges. Il faut être ferme avec elles. Puis quand la petite Emily... s'est tuée, ça a été comme si j'avais perdu ma propre fille...

Accablée de remords, Mrs Bridges éclata en sanglots.

— Est-ce que cela vous surprendrait d'apprendre que moi aussi je reste éveillée à penser à Emily? dit Lady Marjorie quand le pire de la tempête fut passé. Cela a été un choc pour nous tous, et nous devons tous essayer de l'oublier, poursuivit-elle. Vous êtes au milieu de vieux amis ici, et assurément personne ne vous fait le moindre reproche. Alors, séchez vos larmes et essayez de reprendre courage, Mrs Bridges.

Quand Mrs Bridges eut quitté la pièce, serrant son menu dans la main, Lady Marjorie soupira toute seule. La cuisinière était de toute évidence en train de commencer sa ménopause et les quelques mois à suivre n'allaient être faciles pour personne. Elle pensa avec anxiété à tous les dîners qu'elle avait projetés et elle se demanda si elle devrait demander au Dr Foley de voir Mrs Bridges. Elle savait par expérience qu'il était dangereux d'amener un docteur à des domestiques : ils avaient tendance à s'imaginer dans un état pire qu'ils n'étaient vraiment.

Sa rêverie fut interrompue par l'arrivée d'Alice qui venait s'occuper du feu. Ivy n'était jamais revenue de chez sa mère alitée, aussi Lady Marjorie avait-elle engagé Alice pour la remplacer; c'était une fille imposante, avec des engelures, d'impeccables références et très peu de charme.

Plus tard dans la matinée, la nouvelle seconde femme de chambre entra, dans tous ses états, dans l'office de Mr Hudson.

— On entend cogner dans la chambre de Mrs Bridges, dit-elle hors d'haleine, et la porte est fermée à clé. Croyez-vous que ce sont des voleurs, Mr Hudson?

Mr Hudson en avait assez de la chambre de Mrs Bridges pour un matin. Il prit la grande clé dans son tiroir et monta. Alice le suivit.

Il y avait un étrange boump-boump-boump venant de l'intérieur de la pièce.

Mr Hudson n'était pas un lâche. Ayant dit à Alice de reculer, il lui emprunta son balai et tranquillement ouvrit la porte. Puis, le balai à la main, il se précipita dans la chambre prêt à livrer bataille.

Un petit bébé était assis sur le lit, rebondissant de haut en bas et tapant sur le mur.

Cette étrange nouvelle fit passer un frisson dans le sous-sol. Jamais encore de mémoire de domestique Lady Marjorie n'avait fait demander à Mr Bellamy de revenir de la Chambre des Communes; et maintenant, Mrs Bridges était dans le petit salon et le bébé, à l'office, le centre de l'attention des femmes.

— Imaginez, un bébé, à son âge, dit Edward.

— Vraiment, Edward, répondit Alice très choquée, ce n'est pas humainement possible, vous savez.

Elle n'était pas encore habituée aux plaisanteries d'Edward.

— Ma mère attend son dixième, dit Doris.

— Si on s'en fie à vous, elle ne peut pas être tellement humaine elle-même, dit Edward.

— Attention à ce que vous dites, dit Rose, entrant avec un biberon de lait.

— Je suppose que c'est une parente qui a demandé à Mrs Bridges de s'en occuper pour elle, dit Alice qui en était toujours pour la solution respectable. Pauvre petite chose, regardez comme il a soif !

Le bébé engloutissait le lait comme un veau.

— Je ne sais pas pourquoi elle ne nous a pas demandé de l'aider.

— Parce qu'il n'est pas arrivé honnêtement, dit Rose avec conviction. C'est pourquoi sa porte était fermée à clé. Elle a volé ce bébé.

— Qu'est-ce qui va lui arriver ? demanda Alice.

— Ils vont l'enfermer comme ils ont fait avec ma tante, répondit Doris qui connaissait les méthodes du monde criminel. Elle a supprimé le sien, ajouta-t-elle.

Dans le petit salon, Mrs Bridges était assise près du feu à faire sa confession.

— J'avais rendu visite à mon amie à Pimlico, Sir, dit-elle à Mr Bellamy, celle qui était cuisinière chez Lady Wallingford. Elle est à la retraite maintenant. Quand je suis arrivée auprès de cette voiture d'enfant devant un marchand de légumes... un si ravissant bébé y était couché, me souriant, personne ne s'en occupait. Je me suis penchée, voyez-vous, et j'ai touché sa petite main.

Mrs Bridges sourit à ce souvenir.

— Je n'ai pas pu m'empêcher de le toucher, poursuivit-elle. Quand ses tout petits doigts se sont enroulés autour des miens, j'ai voulu le prendre. Il n'y avait pas de mal après tout, il n'y avait personne. Je savais que ce n'était pas bien, mais il fallait que je le fasse, Sir.

Elle avait pris le bébé, l'avait enveloppé dans son châle et l'avait ramené droit à Eaton Place. Elle ne se rappelait pas la rue. Elle ne se rappelait pas le magasin. Même pas la couleur de la voiture.

— Qu'est-ce qui, au nom du ciel, vous a fait faire une chose pareille? s'exclama Bellamy. Avez-vous pensé aux parents de l'enfant, à ce qu'ils doivent éprouver en ce moment même? A leur terrible anxiété?

Lady Marjorie fronça les sourcils. Crier contre Mrs Bridges ne servirait à rien dans son état. Elle sonna Mr Hudson et lui dit de conduire la cuisinière à sa chambre.

— Bien sûr qu'il va falloir informer la police, dit Bellamy quand la porte se referma derrière eux.

— Richard, non!

— Mais comment pouvons-nous autrement retrouver les parents de l'enfant? demanda Bellamy.

— Je ne peux pas permettre qu'on traîne Mrs Bridges dans une prison de femmes ou plus probablement dans un asile de fous, avec les Curzon qui viennent dîner la semaine prochaine!

Bellamy la regarda un moment :

— Comment pouvez-vous penser à des dîners dans un moment pareil? demanda-t-il abasourdi.

— Parce que je le dois, Richard, répondit sa femme. Je dois diriger cette maison et recevoir des invités importants pour vous. Comment le ferais-je sans ma cuisinière?

— J'essaye d'être patient avec vous, répondit Bellamy avec un calme exaspérant. Un enfant a été volé. Par Mrs Bridges. Il faut retrouver les parents et leur rendre l'enfant. C'est tout ce qui compte.

Lady Marjorie haussa les épaules :

— Si nous pouvions trouver d'où il vient, nous pourrions le renvoyer. Sans histoire... Avec une explication quelconque, bien sûr.

— Est-ce que vous avez complètement perdu l'esprit? demanda Bellamy. Vous me demandez de ne pas suivre le cours normal de la loi, afin de protéger une personne qui est coupable d'un délit criminel?

Bien qu'il soit généralement admis que les femmes sont moins respectueuses des lois que les hommes, dans le cas de Lady Marjorie il y avait une excuse. Sa famille avait été une loi elle-même pendant de nombreuses générations. A ses yeux, les lois étaient faites pour des gens qui les violaient. Des renégats et des criminels. Pas pour sa cuisinière.

Pendant la confession de Mrs Bridges. Lady Marjorie avait tourné et retourné un plan d'action dans son esprit. Elle se rappelait l'ami de Mr Hudson, le sergent Williams, du poste de police de Gerald Rown qui s'était montré si coopératif à l'occasion de la mort d'Emily. Maintenant, il avait l'occasion de coopérer de nouveau. Mr Bellamy était très opposé à une solution aussi clandestine, mais quand il se rendit compte que son maître d'hôtel se rangeait dans l'affaire du côté de sa femme, il accepta le plan à contre-cœur.

Mr Hudson resta absent tout l'après-midi; le brouillard s'était transformé en grésil et en pluie, et ce ne fut qu'à l'heure de se changer pour le dîner, qu'il revint, mouillé mais triomphant. Le sergent Williams avait laissé glisser par-dessus une pinte de bière qu'il y avait en effet un rapport à propos d'un bébé kidnappé dans une voiture d'enfant devant un marchand de légumes de Lupas Street la veille au soir, et Lupas Street était sur le chemin de Mrs Bridges. Le bébé appartenait à des gens qui s'appelaient Webber, des petits-bourgeois très respectables, à en croire le sergent Williams. Ils habitaient au 96 bis Wauxhill Bridge Road.

Abandonnant toute idée de dîner, Lady Marjorie demanda à Mr Hudson de dire à Mr Pearce d'amener la Renault immédiatement.

Le 96 bis était l'appartement du rez-de-chaussée d'une série d'habitations à bon marché assez tristes et de construction récente.

Quand Mrs Webber ouvrit la porte, Lady Marjorie entra, portant le bébé.

— Nous sommes venus vous rendre votre bébé, expliqua-t-elle avec un sourire gracieux. Il est sain et sauf. Pouvons-nous entrer?

Lady Marjorie dans son manteau de zibeline et son grand chapeau orné d'un voile, et Richard Bellamy dans son manteau noir au col d'astrakan apparaissaient comme des gens d'un autre monde dans la pièce minable.

Mrs Webber était troublée par la brusquerie de tout cela et l'évidente importance de ses visiteurs.

— Tout est bien en désordre, dit-elle d'un ton malheureux.

Puis brusquement, se rendant compte que c'était en réalité son bébé perdu que la belle dame lui restituait, elle se précipita et le prit dans ses bras avec un petit cri.

Lady Marjorie sourit assez fièrement à son mari.

Un jeune homme pâle, de petite taille, entra dans la pièce venant du fond en enfilant rapidement sa veste.

— C'est le bébé qui est de retour? dit-il.

Il avait des ennuis avec ses végétations.

— Il est sain et sauf, dit Mrs Webber en sanglotant. Sain et sauf, Arthur. Cette dame et ce gentleman viennent de le rapporter, il y a un instant.

Mr Webber se tourna pour saluer ses hôtes.

— Nous sommes très reconnaissants, je vous assure, dit-il. Où l'enfant a-t-il été trouvé?

Lady Marjorie regarda son mari. Mr Bellamy sortit sa carte. Webber l'examina et acquiesça.

Bellamy expliqua ensuite qu'une de leurs domestiques avait eu un geste malheureux et qu'elle regrettait beaucoup sa conduite.

— Comment s'appelait-elle? La femme qui a volé notre enfant? s'enquit Webber d'un ton très mordant.

— Je ne pense pas qu'il soit très utile de le savoir, Mr Webber, lui dit Lady Marjorie avec un sourire charmeur. Il y a, bien sûr, la question du dédommagement. Après tout, nous comprenons bien que vous et votre femme avez dû vivre dans une grande anxiété.

— Nous pensons tous les deux que vous avez droit à un dédommagement, ajouta Bellamy.

Mais Webber était un de ces hommes exaspérants qui ne comprennent pas quand ils ont de la chance. La vue de la somme d'argent considérable que Bellamy sortit de son portefeuille à titre de dédommagement ne fit que se hérisser le petit homme comme un chien furieux.

— Si des gens comme vous pensent que vous pouvez empêcher par de l'argent que vos domestiques mal rétribués et surmenés passent devant les tribunaux, vous vous trompez lourdement, dit-il d'un ton agressif.

— Qui a parlé de tribunaux? demanda Bellamy avec un sourire conciliant.

— La femme qui a volé notre enfant, Mr Bellamy, poursuivit Webber, est soit une criminelle soit une folle. Dans l'un ou l'autre cas, elle devrait être derrière des barreaux où elle ne pourrait plus voler des bébés dans leur voiture. Quant à votre offre de dédommagement, Sir, je vois d'après votre carte que vous êtes un membre du Parlement. Vous ne devriez donc pas penser à essayer d'acheter un homme pour le faire taire et ainsi entraver la loi.

Il n'y avait vraiment rien à dire après cela.

Le fait que les Bellamy fussent tombés sur un mauvais coucheur aussi décidé était de la pure malchance. Ils pensèrent que c'était un socialiste, auquel cas l'offre d'argent en dédommagement avait été une erreur, car cette sorte de gens étaient notoirement susceptibles.

Néanmoins les Bellamy considérèrent que, lorsque Mr Webber aurait surmonté le choc de toute cette affaire, il se laisserait persuader par sa femme que dans l'ensemble ils avaient eu beaucoup de chance que l'enfant soit tombé en de si bonnes mains et il serait assez raisonnable pour laisser aller les choses.

Le lendemain matin, Rose et Alice nettoyaient le petit salon avant le petit déjeuner en utilisant une nouvelle merveille de la science moderne « l'aspirateur à succion d'air ». Alice pompait sur une paire de grands soufflets contenus dans une vaste boîte montée sur des roues, tandis que Rose dirigeait une ventouse au bout d'un tuyau flexible.

— Ce que je ne peux pas comprendre, c'est pourquoi Mrs Bridges n'a pas été flanquée à la porte. Après avoir causé tous ces ennuis, quand même, dit Alice.

— Ils ne peuvent pas se permettre de la perdre, voilà tout. C'est une trop bonne cuisinière, répondit Rose. D'ailleurs ils ont ramené le gosse et l'affaire s'est terminée là.

— C'était un plaisir d'avoir à s'en occuper. Chère petite chose, dit Alice sottement. J'aimerais avoir un bébé.

— Je suppose que votre tour viendra un jour. Quand il viendra, espérons que ce sera intentionnellement.

Alice était la plus inoffensive des filles, mais certains matins elle tapait vraiment sur les nerfs de Rose.

La sonnette de la porte d'entrée retentit. C'était ridiculement tôt pour des visiteurs mais Rose ne tenait pas à être surprise en train de nettoyer, quelle que fût l'heure. Elle et Alice se hâtèrent de dissimuler le lourd appareil dans l'escalier du fond juste comme Mr Bellamy descendait et que Mr Hudson ouvrait la porte.

C'était l'inspecteur Cape, de Gerald Row, qui demandait à parler à Mr Bellamy.

L'inspecteur Cape était l'un de ces ardents officiers de police moderne qui parviennent au succès et à la promotion par leur implacable application de chaque lettre de la loi.

— D'après les preuves dont je dispose, il est de mon devoir d'emmener la femme appelée Mrs Bridges, accusée de violences contre mineur, article 1861, dit-il, tenant son carnet ouvert, devant le feu du petit salon.

Il était tout à fait clair d'après ses façons que, si Mrs Bridges avait été en train de faire le petit déjeuner pour le roi Edouard lui-même, cela n'aurait pas empêché l'inspecteur de faire son devoir. Bellamy n'avait d'autre solution que de dire à Mr Hudson d'enlever Mrs Bridges de ses fourneaux avec autant de tact que possible et de la faire se préparer pour gagner le poste de police.

— Puis-je vous poser une question, Sir? dit Cape. Comment avez-vous su où rendre le bébé, alors que vous n'avez pas signalé votre découverte à la police?

— Votre ton ne me plaît pas, inspecteur, rétorqua Bellamy, maintenant profondément irrité.

— Vraiment, Sir? répondit Cape avec un vague mépris. Je dois cependant vous rappeler que ne pas faire de rapport après la découverte d'un délit peut être considéré comme de la complicité.

En ce cas cependant l'inspecteur, ayant atteint l'objet essentiel de sa visite, était prêt à traiter Mr Bellamy avec magnanimité et à fermer les yeux sur son délit.

Mr Hudson amena Mrs Bridges dans le vestibule et elle sortit par la grand-porte, flanquée d'un policier en uniforme et de l'inspecteur : « La pauvre femme, on aurait dit qu'on l'amenait à la guillotine », dit par la suite le maître d'hôtel, décrivant à Rose la scène pathétique.

Tandis qu'il entrait lentement dans la salle à manger, Richard Bellamy se dit que c'était aussi bien que l'inspecteur Cape fût venu faire ce qu'il avait à faire et reparti avant que sa femme ne descende prendre son petit déjeuner.

Lady Marjorie fut en effet furieuse de découvrir que l'une des meilleures cuisinières de Londres avait été enlevée de chez elle avant le petit déjeuner, alors qu'elle avait un grand et important dîner deux jours plus tard seulement. Le fait que son mari ait eu raison à propos de la police et elle tort ne fit rien pour améliorer son humeur.

Sa première idée fut de s'adresser au président du tribunal qui était un ami de son père et de faire réprimander l'impudent Cape. Son mari put la détourner de cette méthode draconienne, en lui expliquant raisonnablement que lui-même renoncerait à ses affaires à la Chambre des communes pour la matinée et irait voir Sir George Dillon, leur avocat, pour lui confier la défense de Mrs Bridges. Sir George chargea de l'affaire un de ses jeunes collaborateurs du nom de Perry, qui vint à Eaton Place plus tard dans la journée, après avoir parlé à la cuisinière. Il n'était pas très optimiste.

Les Bellamy furent extrêmement surpris quand Mr Hudson sollicita une audience et s'offrit comme témoin pour la défense, et plus surpris encore quand Mr Perry accepta son offre avec empressement.

Le lendemain matin, Mrs Bridges comparut devant les magistrats. Dans son plus beau manteau à col de fourrure mouchetée et son chapeau des dimanches, elle ressemblait tout à fait à une grive affolée.

Quand Mr Perry eut expliqué aux juges que la plaidoirie « non coupable » de Mrs Bridges était fondée sur une perte momentanée de responsabilité de la part de sa cliente, sans perdre de temps il appela Mr Angus Hudson à la barre.

Ayant prêté serment, d'une voix forte et claire, Mr Hudson regarda la Cour avec calme. Il est bon de se souvenir qu'il n'était pas étranger aux tribunaux et que c'était sa ferme conviction que, si les circonstances de sa naissance avaient été plus propices, il aurait pu compter parmi les étoiles du barreau. Il avait enfin l'occasion de briller dans cette sphère et il la saisit à deux mains. Il commença par expliquer le malheureux effet sur Mrs Bridges du suicide d'Emily.

— C'est une personne très solitaire, sans parents ni charge de famille, et elle en était venue à considérer la défunte comme sa propre fille, commença Mr Hudson. Elles étaient très intimes. Je crois que Mrs Bridges a grandement besoin d'affection, poursuivit-il, s'échauffant peu à peu. C'est une brillante cuisinière, monsieur le Juge, et extrêmement considérée par mes maîtres dans l'exercice de ses fonctions. Mais sur le plan personnel, elle n'a personne dont elle ait à s'occuper et personne ne s'occupe d'elle ou la conseille.

Il paraissait raisonnable à Mr Hudson, pour le bien de l'affaire, de passer sous silence l'amie de Mrs Bridges à Pimlico.

— Pour cette raison, poursuivit-il, prenant ses deux revers dans ses mains, pour cette raison je lui ai proposé le mariage.

Il fit une pause et regarda autour de lui dans le tribunal, ravi des expressions de surprise du public et du regard de stupéfaction de Mr Bellamy. Mrs Bridges regardait sans broncher la barre de cuivre devant son nez. Mr Perry se permit un sourire de satisfaction;

il savait reconnaître un bon témoin de la défense quand il en entendait un.

— Nous sommes tous les deux des personnes seules, monsieur le Juge, poursuivit Mr Hudson quand l'ordre eut été rétabli, et l'idée m'est venue que, si je pouvais entreprendre de rendre heureuse l'accusée et m'occuper d'elle dans l'avenir, tout en poursuivant notre service auprès de Lady Marjorie Bellamy, et dans les années qui suivraient, quand nous aurions pris notre retraite, monsieur le Juge pourrait peut-être passer sur cet incident malheureux et être certain qu'avec moi à son côté pour l'aider et la guider, une telle chose ne se reproduirait plus. Qui plus est...

Mr Perry se leva, essayant d'arrêter ce flot d'éloquence avant qu'il ne noie l'affaire.

— Merci, Mr Hudson, dit-il. Merci. Vous pouvez vous retirer maintenant.

Se tournant vers le magistrat, il demanda que l'affaire fût renvoyée et elle fut renvoyée en effet. Mrs Bridges fit la promesse qu'elle ne se livrerait à aucune voie de fait pendant trois mois.

Le plaisir de Lady Marjorie devant l'issue du procès ne fut tempéré que par la nouvelle des noces projetées par Mr Hudson et Mrs Bridges. Quand une cuisinière et un maître d'hôtel se mariaient, cela causait invariablement des ennuis. C'était peut-être très bien à la campagne, mais pas à Londres.

L'heureux couple put la rassurer sur ce point.

— Nous avons conclu de nous réserver l'un pour l'autre, expliqua Mr Hudson. Tout en continuant au service de Madame comme avant.

Quand le sujet du dîner fut soulevé, Mr Hudson demanda s'il pouvait intervenir.

— Comme Mrs Bridges a connu beaucoup d'anxiété et de détresse dernièrement, milady, dit-il, je souhaite qu'elle aille passer quelques jours avec ma sœur à Eastbourne, si vous vouliez bien lui donner ce congé.

Entre-temps, j'ai trouvé une excellente cuisinière...

Mrs Bridges gonfla sa poitrine :

— Vous ne m'avez jamais rien dit de tel, Mr Hudson, s'écria-t-elle avec indignation.

— L'idée était de vous faire la surprise de petites vacances.

— Je ne veux pas être surprise par de petites vacances, merci, répondit Mrs Bridges qui avait tout à fait retrouvé sa forme. Je demande pardon à Madame.

Elle fit un pas vers son futur :

— Vous pensez que je vais m'enfuir à Eastbourne et laisser ma cuisine à une étrangère quand il y a des gens importants à dîner. Je vous suis très reconnaissante de cette pensée, Mr Hudson, mais...

Bellamy intervint rapidement dans cette première querelle d'amoureux.

— Vous n'êtes pas encore son mari, fit-il remarquer. N'est-ce pas, Hudson ?

— C'est ce qui semble, Sir, répondit le maître d'hôtel tristement.

— Non, il ne l'est pas, dit Mrs Bridges.

Le dîner fut une grande réussite et l'ambassadeur d'Italie félicita Lady Marjorie pour son chef français, ne soupçonnant pas un instant que c'était en fait une vieille fille d'un certain âge, née à Bristol, qui avait fait le repas.

13

Elizabeth Bellamy eut vingt ans en février 1908. Elle semblait s'intéresser de moins en moins aux choses qui auraient dû occuper une jeune femme de son âge et de sa classe. Peut-être à cause de la malheureuse issue de son idylle avec le baron Klaus von Rimmer, elle ne montrait pas le moindre désir de rencontrer des membres du sexe opposé, aussi charmants et bons partis fussent-ils, et sa mère désespérait de jamais amener sa fille unique jusqu'à l'autel.

Lady Marjorie avait toujours pris un vif intérêt aux œuvres de charité et faisait partie de nombreux comités de dames qui organisaient des activités rémunératrices aussi admirables que la vente d'objets usagés, les ventes de charité, les tournois de whist et de ping-pong. Elle fut ravie quand Elizabeth se proposa pour aider au stand des ouvrages de dames, à l'une de ces ventes au bénéfice des pauvres.

Une jeune fille qui s'appelait Henrietta Winchcomb se trouvait aussi à ce stand et, à la fin de la soirée, Elizabeth et elle étaient devenues amies. Henrietta était une personne pratique, au bon cœur, fille d'un avoué de Leeds à l'esprit large; à l'esprit large, parce qu'il avait permis à Henrietta de venir à Londres toute seule après qu'elle eut passé un concours d'entrée aux beaux-arts enseignés dans l'un des collèges de femmes rattachés à l'université de Londres. Elle avait sa chambre dans une pension de Holland Park, ce qui semblait à Elizabeth le sommet de l'émancipation.

Elizabeth ne s'était jamais inquiétée du sort des pauvres que d'une manière assez vague, et maintenant elle découvrait que Henrietta faisait vraiment quelque chose à ce propos; tous les soirs où elle était libre, elle allait à Bethnal Green travailler pour l'Association du dîner des enfants indigents.

Henrietta fut ravie de trouver une autre enthousiaste et emmena Elizabeth avec elle lors de sa visite suivante.

L'état des maisons et des gens, et particulièrement celui des enfants, était pire que ce qu'Elizabeth avait jamais imaginé, et elle se porta immédiatement volontaire pour l'Association. Le travail ne manquait pas et Elizabeth commença à passer tous les après-midi et tous les soirs à distribuer de la soupe et des vieux vêtements aux pauvres et aux nécessiteux. Au moins avait-elle l'impression de faire quelque chose d'utile de sa vie.

Les Bellamy considéraient la nouvelle vocation d'Elizabeth avec un enthousiasme mitigé. Si l'on ne pouvait nier que c'était un travail admirable, et qui par ailleurs l'occupait, ce n'était guère une situation convenable pour une jeune fille aussi jeune et inexpérimentée et l'East End était connu pour être un nid de maladies. Lady Marjorie était chagrinée également à l'idée que sa fille serait encore plus coupée des gens de son âge et de sa classe, mais elle ne prit aucune mesure, espérant que cela ne serait qu'une phase passagère.

Quand Elizabeth emmena Henrietta prendre le thé à Eaton Place, Lady Marjorie fut soulagée de trouver en la nouvelle amie de sa fille une jeune personne sérieuse et de bon sens; elle n'était pas de la classe d'Elizabeth, bien sûr, c'était plutôt une gouvernante mais, étant donné les circonstances, qu'est-ce qui pouvait convenir mieux?

Août arriva et la migration habituelle en Ecosse. Lady Marjorie emmena miss Roberts avec elle et Mr Hudson partit avec Mr Bellamy pour lui servir de valet de chambre et de porte-carnier. Comme James était maintenant en garnison à Windsor, il utilisait de plus en plus la maison quand ses occupations et ses plaisirs l'amenaient à Londres et, comme Elizabeth refusait de rejoindre ses parents jusqu'à la fin du mois à cause de son travail, le reste du personnel resta à Eaton Place.

Un soir, James arriva de Windsor assez éreinté après une semaine de polo et de joyeuses soirées, espérant passer une soirée tranquille à la maison. A son grand déplaisir, il trouva le petit salon occupé par sa sœur et Henrietta Winchcomb avec des cartes étalées sur tout le sol.

— Bonjour, dit Elizabeth en levant les yeux. Tu as déjà rencontré miss Winchcomb, n'est-ce pas?

James avait rencontré miss Winchcomb et la considérait comme un exemple typique de la sinistre sorte de femmes qui semblait attirer sa sœur. Il prit le journal du soir et se fraya un chemin à travers les cartes vers un fauteuil.

— Voyons, dit Elizabeth en retournant à son carnet. Si nous laissions Penny Martingale et son groupe prendre Hoxton.

— Oui, admit Henrietta. Hoxton est dans un état terrible.

— Alors, Angie Wilkinson pourra prendre Stepney et nous pourrons avoir Whitechapel, suggéra Elizabeth.

— Avec la chère miss Pinkerton, dit Henrietta

avec enthousiasme. Je trouve que c'est vraiment une chic fille.

James reposa son journal avec un soupir. Ces deux femelles jacassantes pouvaient ainsi bien continuer toute la soirée. Il se demanda ce qu'il allait faire de la sienne. Le Club des Guards était fermé pour les vacances d'été, mais il y avait toujours White's ou la Cavalerie.

— Est-ce que vous dînez ici? demanda-t-il.

— Non, dit Elizabeth en enroulant une carte, nous avons du travail à faire. Ne t'inquiète pas, nous allions sortir.

James se versa un whisky-soda :

— L'ennui, c'est que cette pièce est la seule habitable de la maison, expliqua-t-il à Henrietta. Quand mes parents s'en vont, toute la maison est fichue.

Le salon et sa salle à manger étaient en train de subir leur nettoyage d'été.

— Moi, je n'ai pas à me plaindre, dit Elizabeth.

— Qu'est-ce que tu fais avec toutes ces cartes?

— Cela ne t'intéresserait pas.

— Peut-être que si. (James était vexé d'être remis à sa place, alors qu'il avait fait un effort pour avoir l'air intéressé :) On ne sait jamais.

— Nous distribuons de la soupe dans des églises pleines de courants d'air, expliqua Henrietta. Vous voulez venir nous aider?

— C'est que je n'avais pas vraiment...

— C'est ce que je pensais, dit sa sœur.

— C'est vraiment un travail qui en vaut la peine. Les gens meurent de faim.

— Même moi, je sais cela, répondit James en se rasseyant. Mon intention n'était pas de formuler une critique contre le Dîner des enfants indigents...

— Nous avons changé, fit Elizabeth d'un ton sec. C'est l'Association des jeunes chrétiennes, maintenant...

— De toute façon, dit James aimablement, c'est merveilleux. Cela vous éloigne de ces ennuyeuses soirées. Cela satisfait la toquade actuelle des jeunes femmes qui consiste à être autre chose que frivoles et décoratives, ce qui est le thème constant de ma chère sœur. Cela agit comme un merveilleux purgatif moral. C'est tout ce que cela fait et il serait stupide de prétendre autre chose. Les pauvres seront toujours avec nous.

— Ce n'est pas ainsi...

— Ne gaspille pas ton souffle, lui conseilla Elizabeth. Il prend plaisir à nous provoquer.

Mais Henrietta était remontée, et elle fit à James tout un sermon sur la condition des pauvres et le devoir moral de les aider.

— Vous est-il jamais venu à l'idée, rétorqua James qui s'amusait plutôt, que ces gens pourraient ne pas vouloir de votre intervention? Ils pourraient la trouver juste un peu condescendante.

— Au moins, nous remplissons leur ventre.

— Et vous prenez leur fierté.

— Nous leur donnons de l'espoir.

— Ils vous méprisent.

— Oh! allons Henrietta, dit Elizabeth avec impatience. Viens voir toi-même, cher frère, avant de nous juger.

James n'avait rien d'autre à faire. Alors, pensant que ce pourrait être plus amusant, il accepta le défi d'Elizabeth et informa Rose qu'il ne serait pas là pour le souper. Mrs Bridges était furieuse. Elle avait fait un pâté de lièvre spécialement pour Mr James, tel qu'il l'aimait, et maintenant il serait perdu, car aucun des domestiques ne songerait jamais à manger pareille chose.

Quand ils arrivèrent dans une église effectivement pleine de courants d'air, dans une rue crasseuse, mal éclairée et jonchée d'ordures, d'autres dames étaient occupées à préparer de la soupe dans d'énormes marmites sur des fourneaux à charbon. Le visage gris d'hommes qui toussaient, et surtout l'odeur de la foule mal lavée secouèrent James plus qu'il n'aurait voulu l'admettre. Toute la scène avait l'air sortie d'un roman de Charles Dickens; il ne pensait pas que de telles choses existaient à l'âge éclairé d'Edouard le Septième.

— Bonjour, Mr Bellamy. C'est agréable de vous avoir avec nous, dit miss Pinkerton avec entrain. Vous pouvez remplir ce seau pour commencer.

Elle indiqua un grand seau à charbon.

— Il est seulement venu en observateur, dit Elizabeth avec douceur, profitant de l'occasion pour se venger un peu.

— Allons donc, dit miss Pinkerton, c'est un travail salissant.

C'était un bon conseil, car James n'était pas habillé pour coltiner du charbon. Le charbon était au fond d'un long coffre bas, et les dames avaient déjà ouvert les portes pour les hordes affamées quand James réapparut pour se frayer un chemin vers le fourneau.

C'est pour cette raison qu'il ne vit pas Sarah dans la queue. A vrai dire ils se cognèrent presque l'un dans l'autre et Sarah s'évanouit carrément. James posa son charbon et pour aller la secourir, mais deux dames l'avaient déjà relevée et la faisaient revenir à elle. Sarah avait l'air maigre et malade, ses cheveux étaient mal peignés et ses vêtements rapiécés et déchirés.

Elizabeth avait remarqué l'incident et quand James arriva au fourneau elle lui demanda qui était cette drôle de fille dépenaillée.

Il se montra étrangement vague et soupçonneux :

— Elle travaillait pour nous, dit-il. Il y a longtemps.

— Je ne me souviens pas.

— Je crois que c'est quand tu étais en Allemagne.

— Pourquoi est-elle partie?

— Oh! écoute, dit James avec un haussement d'épaule. Pourquoi les domestiques partent-ils? Soit parce qu'ils volent des choses ou qu'ils ne conviennent plus ou... je ne sais pas...

— Pourquoi cette fille est-elle partie?

— Je te le dis. Je ne me rappelle vraiment pas.

Elizabeth lança à son frère un regard étrange et alla se présenter elle-même à Sarah.

— Qu'est-ce que vous faites ici? demanda Elizabeth. Vous n'avez pas de place?

— Oh! si. Je ne suis pas ici pour la raison que vous pensez. J'ai été juste... Je cherchais juste une amie à moi.

Elle sourit à Elizabeth. Rose aurait su à quoi s'attendre après.

— Oui, c'est une actrice et je suis un peu inquiète à son sujet. Voyez-vous, elle jouait dans cette pièce, *La Veuve joyeuse*, c'était avec Limy Elsie, et elle s'est liée avec ce gentleman, un pair du royaume, mais il a été appelé en Australie — pour affaire... Elle s'appelle Mercy Proudfoot, ajouta-t-elle.

James avait entendu la voix à l'accent familier et quand les dames se mirent à s'enquérir de la prétendue Mercy Proudfoot, il approcha.

— Bonjour, Sarah, dit-il avec un sourire.

— Oh! Mr James, Sir, répondit Sarah avec un peu de son ancien aplomb. Je ne m'attendais pas à vous voir ici.

Elle fut prise d'une quinte de toux.

— Moi, je suis navré de vous voir ici, répondit James.

— Non, comme je l'expliquais à votre sœur, je cherche une amie, se hâta de dire Sarah.

— Mercy Proudfoot?

Miss Pinkerton revint pour dire que personne n'avait jamais entendu parler de cette dame :

— Je suis navrée, dit Sarah. On m'aura mal renseignée.

Sarah se leva pour partir, mais au moment où elle se dirigeait vers la porte, elle fut prise d'une autre quinte de toux. Elizabeth s'approcha d'elle et commença à l'interroger sur sa situation actuelle et ses perspectives. De toute évidence, Sarah n'avait ni l'une ni les autres, et Elizabeth proposa immédiatement qu'elle revienne chez eux à Eaton Place. James protesta, mais Elizabeth déclara qu'aucun domestique qui avait jamais travaillé pour la famille ne devait être laissé dans la triste situation de Sarah et elle rappela à son frère qu'elle essayait d'aider les pauvres et les nécessiteux et que la bonté commençait chez soi.

Quand Elizabeth ramena Sarah à l'office, plus tard dans la soirée, Doris et Edward jouaient aux cartes et Mrs Bridges sommeillait près du feu.

— Mrs Bridges, s'exclama Sarah, ne vous souvenez-vous pas de moi?

— Que mon âme soit bénie, ma petite Sarah, dit Mrs Bridges se levant. Qu'est-ce qu'ils vous ont fait? Vous êtes devenue si maigre... Venez et asseyez-vous près du feu. Il fait assez frais ces soirs d'été, et vous, dans cette pauvre petite robe.

Sarah se remit à tousser.

Mrs Bridges fit claquer sa langue :

— Et cette toux, gronda-t-elle. Doris, préparez du cacao, vite ma fille.

Sarah regarda autour d'elle la pièce familière.

— Où est Rose? demanda-t-elle.

— Au Bioscope, expliqua Mrs Bridges. Elle a emmené Alice. Elles vont revenir bientôt.

— Qui est Alice? demanda Sarah, brusquement jalouse.

C'était Sarah qui, la première, avait parlé à Rose du Bioscope.

218

— Elle est seconde femme de chambre, ce que vous étiez. C'est une bonne fille, propre et ponctuelle, expliqua Mrs Bridges.

Quand Elizabeth suggéra qu'on pourrait trouver à Sarah une place provisoire dans la cuisine d'Eaton Place, Mrs Bridges se troubla; c'était généralement Lady Marjorie et Mr Hudson qui prenaient les décisions de ce genre.

— C'est que, dit-elle, je ne sais pas. Doris a ses défauts, mais elle s'améliore. Je ne pourrais guère la mettre à la porte.

Elizabeth suggéra qu'il pouvait y avoir deux filles de cuisine pour quelque temps.

— Je suis formée pour servir en haut, expliqua Sarah.

Elles ne tinrent pas compte de ce qu'elle disait et parvinrent à un compromis. Pour ne pas priver Doris de son emploi, on donnerait à Sarah l'humble titre de fille de cuisine.

— Mais j'ai des mains sensibles, protesta Sarah.

Elizabeth fronça les sourcils devant une telle ingratitude.

— Ce ne sera pas pour longtemps, dit-elle d'un ton ferme, et elle leur souhaita bonne nuit.

— Où va-t-elle dormir? demanda Doris quand elle revint avec le cacao. Il n'y a pas de place pour moi. Elle n'avait pas confiance dans les autres filles de l'East End.

— Il faudra qu'elle prenne la chambre d'Emily, dit Edward.

— Oh oui! Je me souviens d'Emily. Qu'est-il advenu d'elle? demanda Sarah, sirotant le cacao chaud.

Doris fit une grimace derrière le dos de Mrs Bridges pour indiquer que ce n'était pas un sujet à discuter devant la cuisinière.

Plus tard, quand elle eut accompagné Sarah dans l'ancienne chambre d'Emily, elle lui expliqua tout.

— Elle s'est pendue?

Sarah pouvait à peine en croire ses oreilles.

— A cette poutre. Par amour, dit-on, fit Doris. Un valet de pied d'une autre maison l'a laissé tomber. Bien sûr, moi je ne sais pas, je n'étais pas là à l'époque.

Quand Doris fut partie, Sarah songea à Emily : « Pauvre petite âme », murmura-t-elle en secouant la tête. Elle ne pouvait imaginer qu'il y eût un homme au monde qui valût la peine qu'on se tuât pour lui.

Sa rêverie fut interrompue par la voix familière de Rose dehors dans le couloir.

— Elle est là maintenant? Sarah?

Rose semblait réellement stupéfaite et Sarah sourit.

— Oui, dans la chambre d'Emily.

— Très bien, Doris. Va te coucher.

— Je ne trouve pas que ce soit bien, dit une autre voix. Employer quelqu'un sans vous consulter, Rose. Après tout Mr Hudson vous a confié la responsabilité de la maison et nous n'avons pas besoin de fille de cuisine.

Sarah plissa les yeux; elle n'aimait pas le son de la voix d'Alice.

Elle sortit dans le couloir. Rose et Alice étaient devant l'ancienne chambre à coucher.

— Rosie! (Sarah se précipita pour saluer son amie.) Je suis de retour.

Rose la regarda avec froideur. Alice renifla et entra dans la chambre à coucher.

— Bonjour, Sarah! dit Rose.

— Vous ne venez pas, Rose? demanda Alice. Vous avez promis de faire mes taches de rousseur.

Rose tourna le dos et ferma la porte à la figure de Sarah.

La charge de fille de cuisine consistait presque entièrement à laver la vaisselle et à frotter les sols, et Sarah n'aimait pas cela du tout. Mrs Bridges la harcelait sans cesse, parce qu'elle ne nettoyait pas dans les coins, et les autres domestiques la traitaient comme de la crotte, ce qui, bien sûr, n'était que juste pour une domestique dans sa situation.

Elle trouvait les manières supérieures d'Alice particulièrement agaçantes et était profondément blessée de ce que Rose continuait à ne presque pas faire attention à elle.

Sarah n'avait aucune idée à quel point son départ d'Eaton Place avait bouleversé Rose; elle ne savait rien des nuits sans sommeil, de la quasi-dépression nerveuse et des recherches vaines et désespérées à Ilford. Sarah avait l'impression que, si elle pouvait avoir ne fût-ce qu'une heure en tête à tête avec Rose, elle pourrait tout remettre en ordre. Elle attendit que ce fût l'après-midi de congé d'Alice et elle se glissa dans la chambre de Rose après avoir ouvert doucement la porte.

Rose était assise sur le lit en train de coudre.

— Qu'est-ce que tu veux? demanda Rose froidement.

— Te parler, Rosie, répondit Sarah d'un ton doux et persuasif. Est-ce qu'Alice est dans les parages?

— Tu sais bien que non, sans cela tu ne serais pas venue ici, répondit Rose.

Et pendant un long moment, en dépit des arguments et des excuses de Sarah, elle demeura silencieuse.

— Tu aurais quand même pu écrire, dit enfin Rose.

— Je sais, j'en avais l'intention, répondit Sarah d'un ton d'excuse. Tu me connais, tu sais comme il m'est difficile d'écrire. Et j'étais toujours si occupée.

— Tu étais occupée? répondit Rose d'un ton dédaigneux. A faire quoi? Est-ce que tu as trouvé toute cette excitation que tu cherchais?

« Elle veut vraiment savoir, pensa Sarah, et c'est un début. »

— Ce n'était pas toujours mal. Quelquefois c'était très bien, dit-elle.

— Ah! répondit Rose.

— Pour commencer, j'ai rencontré des forains. Je suis restée avec eux près de deux ans. Nous avons voyagé dans tout le pays. J'étais assistante d'une voyante.

Rose leva vivement les yeux.

— C'est vrai, protesta Sarah. Mme Sophie. Elle savait faire toutes sortes de choses, et elle avait un perroquet appelé George dont elle disait qu'il avait été son mari dans une autre vie. Elle savait lire l'avenir et prédisait toutes sortes de choses qui arrivaient, y compris le cirque ruiné et obligé de fermer.

Rose sourit :

— Toi et tes histoires, dit-elle.

— Je le jure pour le cirque, répondit Sarah. J'ai rencontré tant de gens intéressants!

— Y compris les hommes? demanda Rose avec une trace de sa vieille jalousie.

— Bien sûr, qu'est-ce que tu crois? Je suis tombée amoureuse de l'un d'eux.

« Il s'appelait Benito et c'était un prestidigitateur. On l'enfermait dans une malle et on le mettait dans un réservoir d'eau et il s'échappait toujours. Son problème n'était ni les cordes ni les réservoirs, mais sa femme et ses six enfants à Naples.

— Tu es terrible, dit Rose.

Et quand les deux filles se mirent à rire, Sarah sut qu'elle n'était pas loin d'avoir regagné sa place dans le cœur de Rose.

Elles parlèrent pendant des heures de toutes les choses qui s'étaient passées dans les quatre années de-

puis qu'elles s'étaient rencontrées, du départ specta-
culaire d'Alfred et de la pauvre Emily et du bébé de
Mrs Bridges et Sarah broda sur ses propres aventures
dans son meilleur style et fit se tordre de rire Rose.

— Ma grande ambition, avoua Sarah, ma grande
ambition c'est de monter sur scène.

— Qu'est-ce qui t'arrête? demanda Rose.

— C'est dur de commencer, avoua Sarah. Il faut
accorder des faveurs aux gens, tu sais.

— Et tu ne veux pas? demanda Rose, toujours
curieuse des hommes et de leurs manières.

— Non, mais j'y pense sérieusement.

— Il ne faut pas, Sarah. Jamais.

— Pourquoi pas? répondit Sarah, voyant là sa
chance. Regarde où m'a amenée le fait de tout supporter. Je suis revenue dans cette arrière-cuisine. Il
faut que tu me sortes de là, Rose. Je suis désespérée.

Mais Rose n'était pas encore prête à en faire tant
pour Sarah; comme toujours cette pauvre chose
qu'était Alice s'interposait.

— Mais tu ne l'aimes pas, dit Sarah. Cette espèce
de crampon.

— Attention à ce que tu dis, prévint Rose.

— Dis-lui à elle de faire attention. Elle se donne
des airs et me donne des ordres. C'est impossible que
tu l'aimes autant que moi, Rose. C'est impossible.

Alice ouvrit la porte; elles avaient oublié qu'il était
si tard.

— Oh! je suis navrée, dit-elle d'un ton pincé. Je
vous dérange?

— Oh! je suis navrée, je vous dérange? fit Sarah
en l'imitant. Vous pouvez le dire, poursuivit-elle. Vous
nous dérangez dans une conversation que j'ai avec
mon amie Rose.

— C'est bon, Sarah, nous avons dit tout ce que
nous avions à dire. Tu peux partir maintenant, dit
Rose, retournant très vite sa manche.

— Tu parles que je vais partir, fit Sarah avec colère. Je ne resterai pas dans la même chambre qu'elle.

— Oh! pourquoi est-elle toujours aussi désagréable avec moi? fit Alice d'un ton plaintif.

— Parce que vous avez cet effet sur moi, ma chérie, dit Sarah d'un ton doucereux, et elle claqua la porte.

— Je suis sûre que je ne lui ai jamais rien fait, poursuivit Alice. Rose, comment avez-vous pu rester là à la laisser m'insulter comme ça sans rien faire?

— Oh! cessez de gémir! dit Rose.

Alice haussa les épaules d'un air boudeur. Vraiment on ne savait pas quoi dire ou faire pour plaire à certaines personnes.

A partir de ce moment-là, Sarah décida de se débarrasser d'Alice et de retourner par tous les moyens dans le lit de Rose. Les jours passèrent et aucun moyen ne se présentait; elle n'arrivait apparemment à rien. Un soir, alors qu'elle se préparait à aller au lit, elle ressentit brusquement la présence d'Emily dans la pièce.

— Oh! Emily, je ne peux pas rester ici avec vous, mon trésor, dit-elle tout haut. Il faut que je me décide. Ou bien continuer dans cette maison, ou bien partir. Mais pas de la même manière que vous.

Alice entendit la voix venant de la chambre de Sarah et elle réveilla Rose.

— Elle a quelqu'un là-dedans qui parle, dit Alice.

Les deux filles écoutèrent. On n'entendit plus rien.

— Rendormez-vous, dit Rose.

Le lendemain matin, Alice répandit l'histoire dans l'office. Mrs Bridges et Doris furent fascinées.

— Est-ce que c'était une voix d'homme? demanda Doris.

Alice haussa les épaules. Ils accusèrent Edward de rendre visite à Sarah, car ils le soupçonnaient d'être attiré par elle. Il nia avec énergie :

— Vous ne m'attraperiez jamais avec une fille d'arrière-cuisine, morte ou vivante, dit-il d'un ton hautain.

Mrs Bridges eut une inspiration. Elle envoya chercher Sarah :

— Avouez maintenant, ma fille, dit-elle à Alice. Répétez ce que vous venez de dire.

— J'ai seulement dit que je pensais que j'entendais des voix dans votre chambre hier soir, expliqua Alice.

Sarah lui faisait peur un peu.

— Ils pensent que vous et moi, on fait des choses pas bien, dit Edward.

— Des voix? demanda Sarah intriguée.

— C'est ça, répondit Alice d'un ton plus agressif.

— Alors, c'est la vérité ou pas? demanda Mrs Bridges. Allons, ma fille, parlez, inutile de nier.

Rose entra dans l'office :

— Je suis contente que vous soyez venue, Rose. Alice vient de m'accuser d'avoir un homme dans ma chambre, dit Sarah, non sans habileté.

— J'ai seulement parlé de voix...

— Oh! c'est tout, des voix? fit Sarah.

— Ne soyez pas stupide, Alice, dit Rose. Vous rêviez, je vous l'ai dit.

— Non, elle ne rêvait pas, dit Sarah brusquement.

Il y eut un silence. Sarah attendit qu'ils la regardent tous :

— Elle avait tout à fait raison. Elle a en effet entendu des voix, avoua-t-elle.

— La vôtre? demanda Mrs Bridges.

— Oui.

— Qui d'autre? dit Rose.

— Vous ne le devinez pas? Aucun de vous ne le devine?

Sarah regarda autour d'elle, elle les avait tous médusés. On aurait entendu une mouche voler dans la pièce.

— Celle d'Emily, dit-elle avec une sincérité tranquille. Elle a été en contact avec moi, ajouta-t-elle. Je ne comptais pas vous le dire, mais j'ai des pouvoirs qui ne sont pas donnés à beaucoup.

Ils ne la croyaient pas.

— Vous voulez que je le prouve?

— Oui, vas-y, prouve-le, dit Rose.

Sarah promit qu'elle le prouverait ce soir même après le dîner.

Une des leçons les plus profitables que Sarah eût apprise de Mme Sophie était l'art de la mise en scène; après le dîner, elle entreprit avec le plus grand sérieux de donner aux autres domestiques des instructions sur l'endroit exact où devaient aller la table, les chaises et les bougies. Elle classait Mrs Bridges et Doris comme des croyants en puissance, Rose et Edward comme des sceptiques, Alice comme inconnue, de sorte que lorsqu'elle les plaça, elle mélangea les sceptiques et les croyants.

Quand les lumières furent éteintes, Sarah alluma tout aussi cérémonieusement les bougies.

— Ça ne me plaît pas. Ça ne me plaît pas, pleurnicha Doris.

— Tenez-vous tranquille ou allez vous coucher, dit Mrs Bridges.

— Que dirait Mr Hudson, s'il était ici? fit remarquer Alice.

— Il n'est pas ici, il est en Ecosse, il peut dire ce qu'il veut, fit Mrs Bridges d'un ton sec.

Il était clair qu'elle était très agitée.

— Tu n'y arriveras pas, dit Rose.

— Attendez seulement, rétorqua Sarah.

— Est-ce que vous n'avez pas besoin de quelque chose appartenant à la défunte, dit Edward avec innocence, espérant prendre le médium en faute.

— J'ai un bouton, dit Sarah qui le sortit et le montra à tout le monde. Je l'ai trouvé dans sa chambre.

— Sur mon âme, elle peut vraiment y arriver, marmonna Mrs Bridges, et elle avança considérablement la cause de Sarah en disant cela.

— Tenez-vous par les mains, ordonna Sarah.

Ils lui obéirent en silence.

— Il y a trop de lumières, dit Sarah au bout d'un moment.

C'était un des moyens favoris de Mme Sophie pour accroître la tension.

— C'est pour que nous ne voyions pas ses trucs, dit Alice méchamment.

Doris éteignit le gaz près de la cheminée. Quand ils furent tous de nouveau installés, Sarah frappa brusquement trois fois sur la table, ce qui les fit tous sursauter. Après avoir regardé un moment en l'air fixement, elle se laissa retomber sur sa chaise, en transe. Ils la regardaient attentivement.

— Voyez, ses lèvres bougent, murmura Doris. Elle essaye de dire quelque chose.

— Chut, siffla Mrs Bridges.

— Je suis Albert Moffat, dit Sarah d'une voix faible.

— Qui est Albert Moffat ? demanda Edward, avec une absence totale de respect.

— Une personnalité psychopathétique, murmura Mrs Bridges avec colère.

Elle avait beaucoup mordu au spiritisme à un moment.

— Je suis Albert Moffat, le père de Sarah dans une autre existence, dit Sarah. Je vais amener Emily à Sarah.

— Dieu de miséricorde, soupira Mrs Bridges.

Ils étaient tous très tendus maintenant. Tous, sauf Rose. Sarah commença à avoir de petites convulsions.

— La table bouge, fit Doris en poussant un cri.

— Elle est en lévitation, corrigea Mrs Bridges.

Et c'était vrai. On entendit une sonnerie.

— Miséricorde, gémit Mrs Bridges.

— C'est le petit salon; on nous demande en haut, dit Rose.

Elle avait raison. C'était James qui sonnait pour demander du soda. Rose se leva. Mrs Bridges la repoussa sur sa chaise.

— Taisez-vous, Rose, siffla-t-elle violemment.

— Moi, Albert Moffat par le truchement de ma fille Sarah, je vous amène Emily, continua Sarah. Est-ce que vous m'entendez, Emily?

— Oui, je vous entends Albert Moffat.

La voix exacte d'Emily arriva, étouffée, de la table; or, la bouche de Sarah n'avait pas bougé.

— Elle a parlé, fit Mrs Bridges. Oh! Dieu de miséricorde.

— Avez-vous des messages pour les gens autour de cette table? demanda Sarah calmement.

Et la voix d'Emily répondit :

— J'ai des messages.

— Dites-nous vos messages.

— Je suis heureuse où je suis, je le jure. (C'était exactement l'accent d'Emily :) Et je lui pardonne. Je lui pardonne.

— Elle veut parler de William, dit Mrs Bridges. Elle pardonne à William. Oh! Emily, pardonnez-moi aussi, mon enfant. J'aurais pu vous aider avec un mot gentil. Oh! enlevez ce poids de mon cœur, mon enfant.

Il y eut une terrible pause.

— Je vous pardonne, Mrs Bridges. Je vous pardonne à tous, dit la voix d'Emily.

— Qu'elle soit bénie! Qu'elle soit bénie! s'écria Mrs Bridges, et elle s'effondra en pleurant.

Emily n'en dit pas plus. Au bout d'un moment Edward s'enhardit jusqu'à allumer la lumière. Sarah était pelotonnée sur sa chaise, inconsciente, et sur les ordres de Mrs Bridges, personne ne la toucha jusqu'à ce qu'elle revînt à elle quelques minutes plus tard.

Ce qu'il y avait d'étrange, c'est qu'elle ne se souvenait de rien. Ils furent même obligés de lui dire ce qui s'était passé entre Albert Moffat et Emily. Et cela, à en croire Mrs Bridges, c'était un signe certain que Sarah était un véritable médium.

14

L'effet de cette séance sur la réputation de Sarah fut immédiat. Tous les autres domestiques, à l'exception de Rose, la traitèrent avec une sorte de crainte respectueuse.

Le lendemain, après le petit déjeuner, Alice l'aborda et lui demanda humblement de bien vouloir l'aider à entrer en contact avec sa mère qui était morte deux ans plus tôt. Sarah promit avec bonté de faire de son mieux.

Une minute plus tard, à la surprise de Sarah, Edward, l'incrédule, l'aborda et lui demanda d'une voix étouffée s'il pouvait lui dire quelques mots en particulier.

— Qui est mort dans votre famille? Il va falloir que je commence à me faire payer, dit Sarah.

Mais Edward était toujours incrédule. D'un ton de conspirateur, il reconnut que c'était lui qui avait bougé la table et suggéra une alliance. Autrement dit, il voulait sa part du gâteau.

Sarah fut saisie d'une juste indignation. Elle n'hésita pas à rassembler tous les autres domestiques et à les informer de la monstrueuse suggestion d'Edward.

Mrs Bridges poussa des cris. Pour justifier son renom, Sarah proposa de tenir une autre séance, d'entrer de nouveau en contact avec Emily à la condition qu'Edward fût exclu. Elle sentait que cette mesure amènerait finalement Rose de son côté.

Les étranges nouvelles venues du sous-sol parvinrent au petit salon. Elizabeth était intriguée, son frère pas du tout.

— Peu m'importe qu'elle soit ta protégée, dit James ce soir-là. Il faut qu'elle parte.

— Pourquoi? demanda Elizabeth, prête à se battre.

— Parce qu'elle a mis tout le personnel sens dessus-dessous. Ils sont tous en effervescence. On peut sonner à s'en casser les doigts, personne ne vient. Voilà pourquoi.

— C'est seulement un peu d'amusement inoffensif, bonté divine.

— Inoffensif! dit James, feignant l'étonnement.

— Oh! je suis navrée, je ne me rendais pas compte qu'elle était un *véritable* médium, répondit Elizabeth avec une lourde ironie.

— Bien sûr qu'elle n'en est pas un. (Rien n'agaçait plus James que de voir sa sœur jouer les sottes :) Le mal réside dans l'effet qu'elle a sur des esprits simples comme Mrs Bridges et les autres femmes de chambre.

Il ne pouvait jamais se rappeler leurs noms.

— La dernière fois qu'elle était ici, poursuivit James, changeant de tactique, elle a bouleversé mère, père, Hudson, tout le monde.

— Et James? demanda Elizabeth d'un ton innocent.

James leva vivement les yeux et Elizabeth vit qu'elle avait touché un point sensible.

— Oui. Et James? Qu'est-ce qu'il a fait à Sarah pour qu'elle s'évanouisse à sa vue, des années plus tard. Hein?

Elizabeth n'avait pas l'intention de lâcher prise.

— Cesse de faire l'enfant, dit James.

— Tu as eu une liaison avec Sarah, mon cher frère, poursuivit-elle. Reconnais-le.

— C'est une absurdité totale, fit James avec colère.

— Reconnais-le.

Elizabeth était implacable. Elle ne connaissait que trop bien son frère.

— Très bien, je le reconnais. Une fois, il y a long-temps, quelque chose s'est presque passé entre nous. Tu es satisfaite maintenant?

— Toi, tu ne l'es pas, c'est clair.

— Ne sois pas mesquine.

— Je ne suis pas mesquine, je t'aide simplement à voir clair. « Quelque chose s'est presque passé » quoi qu'il en soit. Et maintenant?

— C'est fini. Il n'y a rien.

Elizabeth regarda son frère dans les yeux.

— Pourquoi alors toutes ces histoires... Si tu es amoureux de cette fille, pourquoi ne pas l'avouer franchement?

James ne dit rien.

— Ou bien est-ce que les officiers de la Cavalerie de la maison du Roi n'ont pas le droit de tomber amoureux d'une femme de chambre?

James n'était pas amoureux de Sarah, pas le moins du monde, mais de l'avoir retrouvée dans des cir-constances aussi étranges et aussi sordides avait agi sur lui. Il se sentait coupable et se disait que d'une certaine manière c'était sa faute si elle était tombée si bas et que c'était un jeu du destin qui l'avait délibérément ramené face à elle.

Il redoutait de la rencontrer dans la maison et en plusieurs occasions il avait évité de revenir à Eaton Place à cause d'elle.

— Cela ne te regarde vraiment pas, dit-il à sa

sœur. Je veux que Sarah parte de la maison. D'ici à la fin de la semaine.

— Et moi, je refuse, rétorqua Elizabeth.

— C'est moi qui suis responsable pendant que nos parents sont absents, répondit James. C'est moi qui prends les décisions.

— Pas en ce qui concerne les problèmes domestiques. Tu prends le rôle de père, moi je prends celui de mère. Je suis navrée, James.

La seconde séance fut dans une large mesure une répétition de la première, sauf qu'Elizabeth y assistait sur sa demande et qu'Edward avait été exclu et s'était retiré d'un air boudeur dans l'office du maître d'hôtel, marmonnant qu'il avait mieux à faire que de perdre son temps avec des truqueurs.

Tout se passa exactement comme prévu jusqu'à ce que Sarah en arrive aux mots :

— Moi, Albert Moffat, par le truchement de ma fille de jadis, Sarah, je vous amène...

A ce moment-là, Doris se leva avec un cri et désigna la porte. Dans l'encadrement se tenait la silhouette noire d'un homme vêtu d'un chapeau melon et d'un manteau démodé.

— Albert Moffat! gémit Mrs Bridges. Que le Seigneur ait pitié de nous!

La silhouette bougea et il y eut un fracas de chaises qui se renversaient. La lumière s'alluma brusquement et révéla Mr Hudson.

Il était revenu inopinément pour prendre les cannes à pêche et escorter Elizabeth en Ecosse.

Dès qu'un peu d'ordre eut été remis, le maître d'hôtel procéda à une enquête sur l'état chaotique dans lequel il avait trouvé la maison à son retour. Les lumières restèrent allumées tard dans l'office de Mr Hudson car chacun des domestiques les plus anciens présenta son témoignage.

Profitant de ce que Rose était occupée avec Mr Hudson, Sarah informa Alice d'un ton de confidence qu'elle avait été en contact avec Emily plus tôt dans la journée. L'esprit de la fille de cuisine avait suggéré qu'elle pourrait ramener la mère d'Alice le soir même si sa fille acceptait de passer dans l'ancienne chambre d'Emily. Sarah offrit généreusement de changer de chambre avec Alice. L'échange ayant été accompli, Alice demeura assise nerveusement sur le lit de la petite pièce, se demandant quand quelque chose allait arriver. Sarah lui avait dit d'éteindre la lumière, mais elle n'avait pas osé le faire.

Brusquement, elle se rendit compte qu'elle entendait une voix assourdie.

C'était le même accent irlandais qu'elle avait entendu au cours de la séance, la voix d'Emily.

— Alice, demanda la voix. Alice, êtes-vous là, Alice? C'est Emily. Est-ce que vous m'entendez? Si vous êtes patiente, je vais m'occuper de vous amener votre mère. Je la cherche dans les grandes salles célestes...

Alice était une fille qui prenait les choses tout à fait au pied de la lettre; que ce fût parce que Emily, qui ne l'avait jamais connue, s'était adressée à elle par son nom de baptême ou parce que les mots : « grandes salles célestes » paraissaient un peu trop beaux pour être vrais, elle commença à avoir des doutes.

Au bout d'un moment passé à réfléchir profondément, elle sortit sur la pointe des pieds, longea le passage qui menait à son ancienne chambre à coucher et ouvrit la porte. Sarah était agenouillée sur le lit, les mains en porte-voix et parlait au mur.

— Je crois que je la vois, Alice, disait-elle avec la voix d'Emily.

— Espèce de chameau, cria Alice, et elle tomba sur elle.

Alice était une fille grande et forte et, bien que

Sarah eût été la terreur de son quartier dans sa jeunesse, elle avait bien vingt-cinq kilos de moins qu'elle. Ce fut un combat où on se tira les cheveux, on se griffa, on s'arracha les vêtements.

Alice avait enfin cloué au sol Sarah, qui hurlait et lui donnait des coups de pied, quand Rose entra.

— Alice! cria-t-elle.

Elle prit le pot à eau et en versa le contenu sur toutes deux. L'effet fut immédiat et satisfaisant.

— C'est elle qui a commencé, fit Sarah. Elle a sauté sur moi, Rosie.

— Vous m'avez trompée, cria Alice. Vous et vos voix. De la tromperie!

— Alice! dit Rose essayant de la calmer.

— Non, ne me touchez pas, vous. Vous êtes dans le coup avec elle. Vous voulez vous débarrasser de moi pour que vous puissiez être dans cette chambre ensemble, fit Alice, avec des sanglots dans la voix. Très bien, vous pouvez l'avoir, parce que je n'en veux pas. Je ne resterai pas dans cette maison une minute de plus.

Elle sortit de la chambre en courant.

— Qu'est-ce que tu lui as fait? demanda Rose d'un ton soupçonneux.

— Rien.

Sarah était l'image de l'innocence.

— Elle a parlé de : « tromperie », n'est-ce pas? demanda Rose. N'est-ce pas?

Sarah sourit :

— Tu sais, reconnut-elle, c'est de la ventriloquie, c'est comme ça que ça s'appelle. C'est quand même un don.

Rose mit les poings sur les hanches.

— Il n'y a pas de mal à ça, poursuivit Sarah. Ça a rendu Mrs Bridges heureuse. Ç'aurait pu rendre Alice heureuse aussi, si elle n'avait pas tout découvert. Cette espèce de vache stupide.

— Je ne sais pas quoi penser, je dois dire, fit Rose.

— Il fallait que je revienne avec toi, Rose. Tu es contente, n'est-ce pas?

— Ça ne va pas t'avancer beaucoup. Je pars pour l'Écosse avec miss Elizabeth demain matin et Mr Hudson veut te voir immédiatement.

— Il va avoir besoin d'une nouvelle femme de chambre, maintenant? dit Sarah effrontément.

— Tu en as du toupet! dit Rose.

Sarah se blottit sous les draps.

— Bonne nuit maintenant, Rosie, dit-elle avec la voix d'Emily.

Rose secoua la tête. Que pouvait-on faire avec une fille comme ça?

Mr Hudson s'était trouvé incapable de prendre les sévères mesures disciplinaires qu'il croyait bonnes pour ramener l'ordre dans la maison : il était gêné par la participation malheureuse de miss Elizabeth à la séance. Devant le départ soudain d'Alice, il n'avait guère d'autre choix que de permettre à Sarah de rester jusqu'au retour d'Écosse des Bellamy, tout comme elle-même l'avait prophétisé. Mais il donna des ordres précis à Mrs Bridges pour que, au moindre ennui, on lui télégraphie à Perth.

Un matin, une semaine plus tard, James était venu pour prendre son courrier, et se trouvait devant la cheminée du petit salon quand Sarah ouvrit la porte et entra. Ils furent surpris tous les deux de se voir. Chose étrange, ils se trouvaient exactement dans la même situation que le soir fatidique, quatre ans plus tôt.

— Excusez-moi Sir, dit Sarah. Est-ce que je peux arranger le feu?

— Oui, Sarah, répondit James. Je ne savais pas que vous étiez toujours ici.

Il était surpris de voir quel changement une bonne nourriture et des soins avaient apporté à la jeune fille.

— Oui, Sir, répondit Sarah, le regardant droit dans les yeux. Vous ne vouliez pas que je revienne, d'abord, n'est-ce pas, Sir? Vous avez fait de votre mieux pour vous débarrasser de moi?

James fronça les sourcils :

— Ecoutez, je ne vais pas... commença-t-il.

— Qu'est-ce que vous avez contre moi, Sir? poursuivit Sarah hardiment avant qu'il pût finir sa phrase. (Elle n'avait rien à perdre.)

— C'est que, répondit James, je pense simplement que vous êtes une... une mauvaise influence.

— Alors vous ne subirez pas cette « mauvaise influence » beaucoup plus longtemps, Mr James. Je m'en vais mardi. Je fais seulement mes journées de préavis.

— Je vois. J'espère que ma sœur vous donnera de bonnes références.

— Sûrement. C'est une gentille fille, votre sœur, répondit Sarah qui ne faisait aucun effort pour se rapprocher du feu. Je ne continue pas dans cette place, merci.

James haussa les épaules. Il n'avait pas le moins du monde envie de commencer une longue discussion sur l'avenir de Sarah. Cette fois il n'était pour rien dans son départ.

— Vous retournez à Whitechapel? demanda-t-il pour dire quelque chose.

— J'espère que non, répondit Sarah. Il se pourrait que je monte sur la scène.

James acquiesça :

— C'est vrai, dit-il en pliant ses lettres et en se préparant à partir. Vous avez montré un considérable talent théâtral récemment. Bonne chance.

Il se dirigea vers la porte.

— Merci, Sir, dit Sarah.

Quand James eut franchi la porte, elle tira la langue dans sa direction.

James ne parvenait pas à chasser de son esprit cette rencontre avec Sarah; dès qu'il pensait avoir chassé pour de bon le souvenir de la jeune fille, celui-ci revenait le hanter.

« Qu'est-ce que vous avez contre moi, Sir ? » avait-elle demandé, et il était incapable de répondre sincèrement. Il se disait qu'il avait envie de réparer dans une certaine mesure son injustice et un matin, alors qu'il passait en revue les chevaux de son escadron, il se rappela brusquement le sergent Fox.

Mr Fox avait été sous les ordres de James pendant plusieurs années et, après sa retraite, il s'était installé comme agent théâtral et occupait un bureau dans Seven Dials. James, sachant que c'était un type capable et efficace, avait prêté de l'argent à l'ex-sergent pour l'aider à mettre en route son affaire. Maintenant Mr Fox pourrait faire quelque chose en retour.

Après avoir parlé à Fox, James écrivit à Sarah à Eaton Place en joignant une introduction pour l'agent théâtral et en souhaitant à la jeune fille le plus de chance possible pour son avenir.

Mr Fox était un grand homme jovial avec une moustache noire frisée et une rose à la boutonnière. Dans son expérience limitée du théâtre, il n'avait encore jamais rencontré de femme ventriloque, mais comme il aimait à le dire, il faut un commencement à tout. Il fut impressionné par la forte personnalité de Sarah et par sa ravissante silhouette, et il se dit que si elle n'arrivait à rien avec son talent de ventriloque, elle irait en tout cas très bien au dernier rang d'une troupe de girls du West End. Au grand ravissement de Sarah, il accepta de l'inscrire dans ses livres et de la faire débuter dans la profession qu'elle avait choisie : et par la même occasion, de sauver la conscience de son ancien chef d'escadron.

15

— Si nous sommes obligés de gratter le fond du
panier pour marier Elizabeth, c'est entièrement sa
faute, dit un jour Lady Marjorie à son mari. Elle est
née intelligente, la pauvre enfant, sans avoir assez
d'esprit pour le cacher.

Ils projetaient d'emmener Elizabeth pour le week-
end afin qu'elle y rencontre un très ennuyeux jeune
homme qui avait pour seules qualités d'être riche
et second fils d'un marquis.

— Elle apprendra avec le temps, dit Bellamy. Nous
devons être indulgents.

Mais le vingt et unième anniversaire d'Elizabeth
n'était éloigné que de quelques jours et Bellamy lui-
même commençait à s'inquiéter de la vie presque
monacale que menait sa fille.

Avant le week-end, Elizabeth dit à sa mère qu'elle
ne pourrait pas venir. On l'avait invitée à une réception très importante, avec des amis nouveaux. Lady
Marjorie n'avait pas vu sa fille aussi animée depuis
des mois.

— Qui sont ces nouveaux amis? demanda-t-elle
d'un ton soupçonneux. De quelle sorte de gens s'agit-il?

Elle voulait dire par là : est-ce que c'étaient des gens respectables, de la classe d'Elizabeth?

— Ce sont des gens intelligents, mère, expliqua Elizabeth. Des gens qui parlent de choses qui ont de l'importance. Je me sens tout heureuse quand je suis avec eux.

Elle ne mentionna pas le fait qu'elle n'avait pas encore vraiment fait la connaissance de ces nouveaux amis si excitants :

— Je suis honorée qu'on m'invite dans leur cercle, poursuivit-elle. Ce sont pour la plupart des poètes et des peintres et des gens qui écrivent des livres. Des amis de Henrietta Winchcomb, ajouta-t-elle astucieusement.

Lady Marjorie demanda à son mari de trancher à propos de ce week-end.

— Elle est assez grande maintenant pour choisir ses propres amis, déclara-t-il.

— Pas s'ils ne sont pas convenables, rétorqua Lady Marjorie.

— C'est à Elizabeth de le décider.

Elizabeth fut ravie qu'on lui accorde sa liberté et, bénissant son père, elle se précipita chez Liberty's et dépensa une partie importante de son argent de poche mensuel pour une djibbah or et argent. Comme elle l'expliqua à Rose quand elle la déballa, la djibbah était le dernier vêtement à la mode.

— Les femmes le portent dans East End. J'y vais samedi soir, dans le quartier de Bloomsbury. Il faut donc que je m'habille comme les indigènes, expliqua Elizabeth. (Elle leva les bras en l'air :) Défais-moi, servante fidèle. Débarrasse-moi de ces horribles baleines. J'ai vingt et un ans lundi et j'aimerais être libérée de leur tyrannie.

Rose haussa les sourcils et commença à délacer sa jeune maîtresse. Le côté flottant et les couleurs vives de la djibbah ne la séduisaient pas.

— A quoi cela sert-il d'avoir un corps, Rose, demanda Elizabeth, si c'est pour le déformer?

— On parle de corps maintenant, c'est ça? dit Mrs Bridges quand elle entendit parler de la djibbah. C'est du propre!

Si Elizabeth avait dit à ses parents que la personne qui donnait la réception n'était autre que la célèbre extrémiste, miss Evelyn Larkin, ils lui auraient sans aucun doute interdit d'y aller.

La vérité était que le prosélytisme de miss Pinkerton, quand il s'agissait de donner de la soupe aux pauvres, avait commencé à lasser les deux jeunes femmes. L'air de 1908 bourdonnait d'idées nouvelles, de théories nouvelles et elles attendaient avec impatience un changement. Elles lisaient d'innombrables pamphlets, elles étudiaient les Préfaces de Mr Bernard Shaw et elles allèrent à une conférence sur « Le mécanisme de la distribution dans les finances de l'Etat », mais même l'enthousiasme évident de Mr Webb ne sut pas les inspirer. Tout le monde reconnaissait que le pays était en plein gâchis mais personne n'allait au delà de cette constatation. Henrietta et Elizabeth voulaient de l'action, pas des paroles; Evelyn Larkin promettait un monde nouveau, non dans l'avenir, mais tout de suite. La première fois qu'elle lui fut présentée, le soir de la réception, Elizabeth trouva que miss Larkin avait l'air d'une belle sorcière noire. Elle était la fille d'un maître d'école des Midlands et parlait avec un accent de terroir prononcé; ses yeux d'un noir de jais semblèrent pénétrer ceux d'Elizabeth et quand elle lui serra la main elle avait la poignée de main d'un homme.

— Nous sommes des gens spéciaux, dit Evelyn Larkin à ses disciples. Nous avons rejeté toutes les conventions stupides de nos ancêtres. Nous pouvons être totalement francs, libres de toute hypocrisie ou convention. C'est nous qui menons les événements. Ensemble, nous pouvons créer un monde nouveau. Nous devons combattre le démon du mercantilisme. Pas seulement avec des paroles, mais avec des actes.

Il y eut un grondement d'enthousiasme. Elizabeth se dit qu'elle n'avait jamais entendu de discours aussi splendide. Si seulement son père voulait bien essayer de comprendre les gens comme Evelyn Larkin.

Au début, Elizabeth avait été étourdie et surprise par l'atmosphère sombre et enfumée de la longue pièce nue, avec sa cheminée de cuivre martelé et ces extraordinaires lithographies de Vienne sur les murs blancs. Il y avait plein de gens assis sur des coussins qui parlaient, fumaient et buvaient. Jamais de sa vie, Elizabeth n'avait vu un aussi étrange rassemblement de vêtements extraordinaires. Henrietta put lui désigner quelques personnes. L'homme en bleu de travail et en casquette russe était Gustave, un anarchiste, mais aussi, d'après Henrietta, un amour de garçon. La très grosse dame qui fumait un cigare et dont la robe en mousseline de soie multicolore semblait maintenue par plusieurs rangées de perles d'ambre était la romancière, jadis célèbre, Perdita. Henrietta désigna la camarade étudiante qui l'avait d'abord introduite dans le cercle d'Evelyn Larkin. Elle était allongée, très près d'un jeune homme à l'air intense avec des lunettes à verres épais, un costume de tweed pelucheux et une cravate rouge; son nom était Stanley et le couple était engagé dans une liaison expérimentale.

Lawrence Kirbridge dépassait totalement les espérances d'Elizabeth. Complètement allongé sur un divan près du feu, il était le centre de l'intérêt général. Bien que le poète fût simplement vêtu d'une chemise blanche à col ouvert et d'un pantalon de flanelle gris, Elizabeth pensa qu'elle n'avait jamais vu personne d'aussi beau. Il avait l'aura d'un dieu grec.

Quand il lui fit signe de venir s'asseoir sur un coussin à ses pieds, elle rougit de plaisir et fut presque prise de vertige.

Evelyn Larkin était assise dans l'ombre et observait. Perdita vint vers elle :

— Une néophyte qui a faim d'action, une page blanche, fit-elle d'une voix coassante. Dans quel harem avez-vous volé cette petite odalisque?

— N'allez pas la corrompre, Perdita, ma chère, l'avertit Leslie.

— Moi, la corrompre! (Perdita rit :) Elle est faite pour les barricades, si vous voulez mon avis... Elles sont plus dures qu'elles n'en ont l'air, ces petites demoiselles patriciennes.

— Elle est très jeune, répondit Evelyn. (Et ses yeux se durcirent brusquement quand elle vit la main de Lawrence Kirbridge s'égarer sur l'épaule d'Elizabeth.)

— La poésie est aussi naturelle que manger ou faire l'amour, annonça le jeune poète à la pièce entière. C'est la vie, l'esprit glorieux des choses.

Il agita ses belles mains dans l'espace comme pour évoquer cet esprit.

— Est-ce que vous lisez la poésie, Elizabeth? demanda-t-il.

— Oui, répondit Elizabeth nerveusement. J'admire énormément vos poèmes, mais je dois avouer que je ne les comprends pas toujours.

— Ma poésie n'est pas faite pour être comprise, expliqua le grand homme. Laissez-la déferler sur vous comme les grandes vagues écumantes sur le corps du nageur nu.

Il commença à réciter l'un de ses propres poèmes et Elizabeth se laissa aller en arrière pour essayer de faire ce qu'on lui avait ordonné.

La conversation éclata et gronda dans la pièce comme un orage d'été.

— Mr Bernard Shaw est la preuve vivante qu'un régime antialcoolique et végétarien produit un esprit parfait, s'écria Stanley avec enthousiasme.

— Et faire de la bicyclette donne un corps parfait, fit l'amie d'Henrietta, pour ne pas être en reste. Les Webb font souvent soixante kilomètres à bicyclette.

Henrietta se leva :

— Dans l'Etat idéal, on ne devrait permettre de procréer qu'à ceux qui sont parfaits physiquement et mentalement, proclama-t-elle avec une conviction absolue.

Elizabeth fut stupéfaite de voir Gustave lui donner un grand baiser sur la bouche.

— C'est absurde, Henrietta, rétorqua Lawrence Kirbridge. Mon père était professeur de physique et marié à la septième fille, très ennuyeuse, d'un baronnet du Dorset, plus ennuyeux encore. Regardez-moi. Je suis brillant et cent fois plus sensible que mes parents.

— C'est là qu'entre en jeu l'amour libre, répondit Henrietta d'un ton triomphant. Une amitié véritable avec un homme n'est pas possible sans intimité physique et sans que l'on soit aussi sa bien-aimée et sa maîtresse.

Gustave se pencha en avant et l'attira sur ses genoux :

— Si une femme cohabite avec douze hommes brillants différents, poursuivit Henrietta nullement troublée, sa vie sera douze fois...

— Mes chers et innocents enfants, l'interrompit Perdita, écoutez un moment la voix de l'expérience. Si on pouvait absorber la sagesse comme de la soupe chaude, simplement en couchant avec un génie, je devrais être la femme la plus sage de la chrétienté. Rodin a jadis fait mon torse — mais tout ce que je me rappelle de lui, ce sont ses fortes et dures mains.

Ils la regardèrent avec un étonnement admiratif; même Henrietta était réduite au silence.

Quelqu'un annonça que Lawrence Kirbridge allait avoir la bonté de lire des poèmes le lendemain, qui était un dimanche.

— Oh! Seigneur, dit Henrietta, je suis navrée, j'ai oublié de vous le dire; ces sales lecteurs de Bible ont déjà mis la main sur la salle.

Lawrence fut pris d'une juste fureur et Elizabeth eut brusquement une idée merveilleuse. Rougissant d'excitation et terriblement désireuse de plaire à ses nouveaux amis, elle suggéra que la lecture eût lieu chez elle, à Eaton Place. Ses parents étaient à la campagne et il y avait largement assez de place.

— Ce serait divin si vous pouviez tous venir, dit-elle.

— Soyez bénie, mon enfant, vous êtes une véritable amie de l'Art. (Lawrence la récompensa d'un baiser cérémonieux :) Pour marquer l'occasion, j'écrirai un poème à ma lady de la Kasbah.

Il la fit se lever et tint sa main en l'air :

— Quelque chose dans le style des « rubayat ». Le poème comprendra sept stances, chacune aussi exquise, éphémère et sans signification que le cil d'un moustique ou la première rougeur pâle de l'aube. Il sera calligraphié à l'encre rouge sur du papier vélin d'or. Il n'y aura qu'un seul exemplaire. (Il s'agenouilla devant Elizabeth :) Nous le lirons ensemble à raison d'une stance chaque jour, promit-il. Puis nous mourrons; car c'est là notre tragédie.

Tout le monde battit des mains. Evelyn Larkin prit le poète par la main et l'éloigna avec fermeté. Plus tard, quand Elizabeth voulut les trouver pour faire ses adieux, Henrietta lui expliqua qu'Evelyn et Lawrence n'étaient pas disponibles.

— Ils communient avec la nature, dit-elle.

Le lendemain matin, Elizabeth ne se leva qu'à 11 heures et demie. Elle vibrait encore d'excitation au souvenir de toutes les choses merveilleuses qu'elle avait vues et entenducs à la réception le soir précédent. Quand elle descendit enfin, elle arpenta le petit salon vide, comme si ses parents étaient assis à leurs places habituelles.

— Bonjour, mère. Bonjour, père, dit-elle, donnant à chacun d'eux un petit baiser imaginaire : Oui. J'ai passé une merveilleuse soirée, merci. Des gens fascinants! Je suis navrée d'être descendue un peu tard. J'ai trop dormi à cause d'un excès de punch au rhum et de conversations intellectuelles. A propos, ils viennent tous prendre le thé.

Se rappelant ce fait, elle s'approcha de la fenêtre près de la cheminée et sonna.

— Il y avait là un très charmant jeune homme, poursuivit-elle. Des yeux si excitants et une voix comme une caresse. Quand il m'a regardée et qu'il a dit ces beaux sonnets qu'il avait composés... j'ai eu presque l'impression qu'on me déshabillait.

Elle s'étira voluptueusement.

— Elizabeth! dit-elle d'un ton sec, prenant la voix de sa mère.

— Je suis navrée, mère, s'excusa-t-elle. Vous ne comprendriez pas. (Elle ne connaissait pas vraiment sa mère :) J'ai eu l'impression qu'il pénétrait droit... droit jusqu'au plus profond de mon âme — qu'il me possédait. J'ai été littéralement saisie et jetée sur la selle de son destrier blanc et nous avons galopé à travers le désert dans le crépuscule de ma virginité.

— Je vous demande pardon, miss, dit Mr Hudson qui était entré sans bruit.

Elizabeth sursauta :

— Oh! Hudson, s'exclama-t-elle. J'étais... J'étais juste en train d'apprendre par cœur les passages d'un livre.

246

— Oui, miss, dit Mr Hudson de sa voix neutre.

— J'attends des amis pour le thé, dit-elle.

— Oui, miss Elizabeth. Combien?

Elizabeth n'en avait pas la moindre idée :

— Oh! six, sept, peut-être huit ou neuf.

A 4 heures et demie il y avait vingt-huit disciples, nonchalamment étalés sur le sol du petit salon, à écouter Lawrence lire *D'Atlante à Calydon* de Swinburn.

Rose et Edward enjambèrent les corps prostrés, avec des assiettes de petits sandwiches et de gâteaux qui disparurent comme par magie.

La brusque demande de renforts de victuailles provoqua une grande activité dans la cuisine.

— Où vais-je trouver une douzaine de pains un dimanche après-midi? dit Mrs Bridges d'un ton plaintif. Est-ce que quelqu'un y a pensé? Non que je n'aime pas voir des jeunes gens avoir bon appétit...

— A la manière dont ils les engloutissent, fit remarquer Rose, on pourrait penser qu'aucun d'eux n'a fait de repas convenable depuis une semaine.

— Ni pris de bain depuis un mois, ajouta Edward en faisant la grimace, tandis que Doris s'étranglait de rire.

— Comment sont-ils? demanda-t-elle.

— Ils ont l'air sortis d'un zoo, si vous voulez mon avis, fit Rose.

— Je suppose que ce sont tous des gens que miss Elizabeth a ramassés dans l'East End. Elle ne peut pas résister aux chiens perdus; elle n'a jamais pu. Regardez Sarah, dit Mrs Bridges.

Mr Hudson, qui entrait dans la cuisine, la corrigea.

— Non, Mrs Bridges, dit-il. Aucune personne de la classe ouvrière n'entrerait dans cette maison habillée comme ça. Elles auraient plus de respect. Ce sont des socialistes, si vous me demandez mon avis.

— Je ne sais pas ce qui pousse miss Lizzy à s'acoquiner avec de telles gens. Je ne sais vraiment pas, dit Edward.

— Elle a ça dans le sang, dit Mrs Bridges. Je n'oublierai jamais le soir où sa tante Helena a dansé toute nue sur la pelouse à Southwold. Sans sourciller.

Désapprouvant le tour que prenait la conversation, Mr Hudson poussa de nouveau ses troupes en haut.

— Est-ce qu'elle était complètement nue? demanda Doris, stupéfaite.

— Allez vous rincer la bouche, gronda Mrs Bridges. Et continuez la vaisselle.

Quand Doris fut partie, elle s'assit, soupira et se passa la main dans les cheveux.

— Le vice qu'il peut y avoir dans ce monde, murmura-t-elle dans la cuisine vide.

En haut, la réception prenait son rythme. Quelqu'un avait sorti une guitare et jouait une chanson d'amour espagnole, Perdita et Gustave avaient trouvé le plateau de boissons soigneusement caché dans une armoire par Mr Hudson, et Stanley pérorait près du canapé.

— Je me sens avili d'entrer seulement dans ce mausolée, dans ce monument à l'extorsion et à l'oppression, cria-t-il, le poing levé et les yeux brillants d'un véritable zèle révolutionnaire.

— On devrait l'abattre et le jeter sur le tas d'ordures avec ses habitants.

— Comment pouvez-vous être aussi ingrat, Stanley? protesta Henrietta, loyale envers son amie. Après qu'Elizabeth nous a invités et donné de si merveilleuses choses à manger.

— Ils sont tous un peu fous, si vous voulez mon avis, rapporta Rose en descendant avec d'autres assiettes sales.

— Bon à jeter sur le tas d'ordures avec ses habitants, cita Edward avec indignation. Je lui en aurais presque donné du tas d'ordures, le petit...

Il fut réduit au silence par une voix forte qui chantait *La Marseillaise*.

Gustave fit son apparition, le carafon à whisky à la main. Mrs Bridges, Rose, Doris et Edward demeurèrent cloués sur place.

— Pauvres esclaves! s'écria Gustave avec un geste de désespoir. C'est donc ici la galère où vous passez vos petites existences sans soleil, sans espoir!

Il se laissa tomber sur une chaise. Les domestiques se regardèrent. Rose avait raison. En voilà un qui avait certainement perdu la boule.

— Est-ce que vous désirez quelque chose, Sir? fit Edward gravement.

— Oui, je désire quelque chose, répondit Gustave en s'appuyant au pilier près de la fenêtre. Je désire une bombe pour faire sauter ces barreaux de prison.

Il désigna la fenêtre de l'office qui, comme toutes les fenêtres d'office de Londres, avait des barreaux pour la protéger des intrus.

— Vous êtes nés libres, mes enfants, fit Gustave. Pourquoi rester à jamais enchaînés dans ce sombre sous-sol?

Edward se dirigea vers la porte.

— Arrachez l'uniforme de la servitude, fit Gustave en se précipitant sur l'habit d'Edward. Mais il le manqua.

Quand Edward revint avec Mr Hudson et Henrietta, Gustave tenait Doris fermement par le bras.

— Pourquoi devriez-vous passer toute votre vie comme une esclave à frotter les parquets, lui disait-il d'un ton implorant, jusqu'au moment où vous serez une vieille chose fanée? (Ce disant, il désignait sans courtoisie Mrs Bridges.) Un jour je vous mènerai, vous autres, domestiques esclaves de Londres, jusqu'au soleil. Les ruisseaux de Belgravia seront rouges du sang des tyrans.

— Gustave! s'écria Henrietta, furieuse. Je suis navrée, dit-elle en s'excusant aux domestiques. Comme il est étranger, il ne comprend pas très bien nos façons.

— On devrait l'expulser, dit Mrs Bridges quand ils furent partis, l'enfermer tout au moins.

— J'ai trouvé qu'il y avait pas mal de vrai dans ce qu'il disait, fit remarquer Doris d'un ton pensif, et elle fut immédiatement envoyée au lit.

En haut, la réception dégénérait rapidement et Elizabeth regrettait amèrement d'avoir jamais invité qui que ce fût à prendre le thé. Elle se demandait comment elle pourrait se débarrasser d'eux.

Le malheur voulut que la nouvelle de la mort d'un cousin éloigné ramenât les Bellamy plus tôt de la campagne, ce week-end-là. C'était doublement regrettable. Quand ils entrèrent dans le vestibule, Gustave était juste assez sobre pour les accueillir en les envoyant à la guillotine au nom du peuple et, quand ils ouvrirent la porte du petit salon, Evelyn Larkin était en train d'exécuter une danse espagnole sur une table précieuse en marqueterie.

Le silence tomba lentement dans la pièce. Elizabeth se précipita vers ses parents.

— Mère, père, dit-elle d'un ton désespéré. Puis-je vous présenter...

— Je pense que ce n'est absolument pas le moment de faire des présentations, répondit Lady Marjorie d'un ton glacial.

Et elle lui tourna le dos et monta aussitôt dans sa chambre.

Elizabeth rattrapa son père dans le vestibule.

— Père, dit-elle. Pourquoi ne puis-je pas donner une réception?

— Tu appelles ça une réception? (Elizabeth ne l'avait jamais vu aussi furieux :) C'est le spectacle le plus scandaleux que j'aie jamais vu. Tu as transformé cette maison en un vulgaire music-hall, et un dimanche par-dessus le marché. Tu n'as eu aucune pensée pour ta mère. Ni pour les malheureux domestiques qui sont obligés de tout nettoyer derrière vous.

Et parce qu'elle savait très bien qu'il y avait beaucoup de vrai dans ces paroles, c'est avec colère et humiliation qu'elle regarda ses nouveaux amis sortir dans un silence lourd de mépris.

Le vingt et unième anniversaire d'Elizabeth aurait pu difficilement commencer sous de plus mauvais auspices. Elle se disputa avec Rose en s'habillant, parce que Rose ne voulait pas prendre son parti au sujet de la réception, et quand ses parents refusèrent également de la lui pardonner, elle quitta la maison, furieuse, laissant ses cadeaux non ouverts, en disant qu'elle allait s'excuser auprès d'Evelyn Larkin de l'avoir reçue aussi peu aimablement la veille au soir.

Quand Elizabeth arriva à l'appartement d'Evelyn, celle-ci était encore au lit, et ce fut Lawrence qui répondit à la porte, vêtu de sa robe de chambre.

— J'ai horreur de ces enfants de riches pomponnés et à moitié élevés qui arborent leur socialisme tout récent comme un chapeau, dit Evelyn à Lawrence quand il lui apprit qui venait lui rendre visite. Miss Bellamy m'ennuie à mourir.

— Moi, elle m'enchante, répondit-il.

— Ça ne m'a pas échappé, dit Evelyn avec un sourire sans gaieté.

— En ce cas, je vais la renvoyer.

— Non. Faites-la entrer. Qu'elle me trouve toute chaude dans le lit de mon amant. Cela avancera son éducation. Et à propos d'éducation, je vais me montrer amicale avec cette enfant. C'est son anniversaire, après tout. Je vais mettre à l'épreuve la force de ses prétendues convictions politiques.

Lawrence était soupçonneux.

— Il ne faut pas lui faire de mal, dit-il.

— Pas à son corps, je n'y toucherai pas, expliqua Evelyn d'un ton doux. Peut-être à sa fierté. Maintenant, allez me la chercher.

Elle n'eut aucune difficulté à persuader Elizabeth que ce serait merveilleux de passer son vingt et unième anniversaire — jour de son émancipation — à faire du travail politique pour le bien de la société.

Pendant le déjeuner, elles discutèrent du plan de campagne et, dans l'après-midi, vers l'heure où Mrs Bridges mettait la dernière main à son gâteau d'anniversaire, Elizabeth ramassa une demi-douzaine de gamins pieds nus dans Paddington, les emmena dans un magasin de chaussures, et les fit équiper des meilleures chaussettes et des meilleures bottes qu'on pouvait acheter.

Quand le vendeur lui donna la facture, Elizabeth refusa de payer.

— Vous aviez des bottes sur vos rayons que vous ne pouviez pas vendre, expliqua-t-elle au petit homme ahuri. Les enfants de leur côté ne pouvaient pas les acheter. Maintenant vous avez moins de bottes qui vous ennuient et les enfants sont convenablement chaussés. Ainsi, peu à peu, nous avançons vers une société juste.

Evelyn Larkin qui avait accompagné son élève jusque-là, lui fit un signe d'approbation et prit congé, et Elizabeth resta assise, seule, pendant que le vendeur allait chercher un agent de police.

Les Bellamy attendaient toujours que leur fille rentre à la maison pour son thé d'anniversaire quand le téléphone sonna pour leur dire qu'elle était au poste de police de Paddington Green.

Evelyn Larkin était assise devant son radiateur à gaz et mangeait des crêpes souriant à la pensée que Richard Bellamy était obligé d'abandonner pour l'après-midi ses conspirations de tory afin d'aller tirer sa sotte de fille des griffes de la loi.

Contrairement à l'agressif inspecteur Cape, le commissaire de police de Paddington était un policier de la vieille école et il reconnaissait un gentleman quand il en voyait un. Il fut d'accord avec Richard Bellamy pour penser que la meilleure solution était de traiter toute cette affaire comme une espièglerie d'enfant, et quand le vendeur eut été convenablement dédommagé de l'ennui que l'incident lui avait causé, Elizabeth fut rendue à son père.

De retour à la maison, Elizabeth resta ferme et impénitente :

— Je veux seulement dire que je considère ce que j'ai fait comme totalement justifié moralement et politiquement, dit-elle. Si les gens ne sont pas disposés à souffrir pour leurs principes, il reste bien peu d'espoir pour le monde.

— Qui t'a dit cela? fit Lady Marjorie. Ton amie miss Larkin, je suppose?

— Oui, dit Elizabeth d'un ton agressif. Mon amie miss Larkin, qui est bonne et intelligente et qui se préoccupe de l'humanité.

Elle refusa catégoriquement d'aller à Southwold comme ses parents l'incitaient à le faire, et elle refusa également de renoncer à voir Evelyn Larkin.

Elle tourna finalement les talons et sortit en courant de la maison, en claquant derrière elle la porte d'entrée.

Richard Bellamy passa son bras autour de l'épaule

de sa femme. Ils étaient tous deux profondément affligés.

— Richard, est-ce que nous avons eu raison de dire ce que nous pensions? demanda Lady Marjorie qui désirait s'entendre dire que ce n'était pas sa faute si Elizabeth se conduisait comme elle le faisait.

— Parfaitement raison, ma chère, répondit Bellamy tristement. Elle subit maintenant des influences plus fortes que la nôtre.

Quand Elizabeth retourna à l'appartement d'Evelyn Larkin, au fond de Bloomsbury, il faisait déjà sombre et il commençait à neiger; Elizabeth avait froid, la scène avec ses parents l'avait bouleversée et elle avait besoin de réconfort.

Ce fut Evelyn qui ouvrit la porte.

— Que voulez-vous? demanda-t-elle.

— J'ai quitté la maison, expliqua Elizabeth.

— C'est stupide.

— Mais c'est à cause de vous.

— C'est encore plus stupide.

Quand Elisabeth la supplia de la garder, Evelyn lui dit de se sauver et de se trouver un endroit où loger, puis elle lui claqua la porte au nez.

Elizabeth resta assise sur les marches du perron pendant trois bonnes minutes, incapable de croire qu'Evelyn pensait ce qu'elle disait. Puis, ahurie et hébétée, elle descendit lentement dans la rue comme dans un rêve. Quand elle arriva à Tottenham Court Road, la neige se transforma en grésil, rendant les rues glissantes et détrempées. C'était une partie de Londres qu'Elizabeth ne connaissait pas du tout; il y avait des échopes éclairées par des brûleurs à gaz dont la flamme nue se tordait et crachait dans le vent froid du nord qui hurlait dans la rue. Les gens étaient pauvres et, tous les cent mètres, il y avait un pub d'où s'échappaient des chansons d'ivrognes. Contrairement au soir du bal de Londonderry House, personne ne proposa de l'aider; les femmes devant qui elle passait lui lançaient des regards hostiles, des hommes ivres la côtoyaient en titubant avec des phrases obscènes et quand elle se réfugia un moment sous une porte cochère, un agent de police lui braqua sa lampe électrique sur la figure et lui ordonna sèchement de circuler. La neige fondue avait pénétré dans ses bottes et elle commençait à ne plus sentir ses pieds. Son manteau était trempé et elle commença à pleurnicher, puis à pleurer des larmes de détresse qui ruisselaient, glacées, sur ses joues. Pourquoi tout le monde était-il si cruel avec elle? Qu'avait-elle fait pour mériter cela? Elle passa devant un grand hôpital. Cela leur apprendra si j'attrape une pneumonie et si je meurs, se dit-elle. Il y avait un taxi dans une file devant elle, et le chauffeur était dehors à se chauffer les mains auprès d'un brasero. Elizabeth ouvrit son sac à main de ses doigts engourdis; il y avait juste assez d'argent pour aller à Holland Park.

Henrietta ne posa pas de questions; après lui avoir retiré ses vêtements mouillés, elle la mit dans un bain chaud avec beaucoup de farine de moutarde, puis elle l'envoya au lit avec un bol de soupe chaude. Quelques minutes plus tard, Elizabeth sombrait dans le sommeil profond de l'épuisement total.

Peu de jeunes femmes pouvaient se vanter d'avoir eu un vingt-et-unième anniversaire aussi fertile en événements.

16

Le lendemain, Elizabeth était encore très fatiguée
et elle commençait à sentir la réaction de tous les
chocs de la semaine précédente. Henrietta décida
qu'elle devait rester tranquillement à la maison jusqu'au moment où elle serait plus forte.

Après ce qui s'était passé, Henrietta coupa évidemment toute relation avec Evelyn Larkin et quand
Elizabeth lut dans le journal que les Webb avaient
besoin de gens pour distribuer des tracts en faveur
de la réforme de la loi des pauvres, les deux jeunes
filles décidèrent de répondre à l'appel. Pendant
qu'Henrietta était à ses cours, Elizabeth s'occupait
en faisant des centaines d'enveloppes dont elle prenait les noms sur l'annuaire des rues de Londres.
Elle fut extrêmement surprise un matin de voir
Lawrence Kirbridge passer la voir, après avoir apparemment rencontré, Henrietta dans la rue. Il logeait
avec de vieux amis dans St. John's Wood et se montra évasif sur le sujet d'Evelyn Larkin. Henrietta
apprit par la suite à Elizabeth qu'elle avait entendu
dire que Lawrence s'était séparé d'Evelyn à cause
d'Elizabeth. Celle-ci se sentit coupable, mais fière

aussi d'avoir un ami assez noble pour se sacrifier pour elle.

La seule personne à qui Elizabeth avait dit où elle se cachait était Rose. Elle savait que Rose ne la laisserait jamais tomber si elle était dans l'ennui et en effet, le jeudi suivant, jour de congé de Rose, la femme de chambre fit son apparition avec une petite valise contenant des affaires d'Elizabeth.

Plus tard, elle fut arrêtée par Mr Hudson alors qu'elle montait furtivement l'escalier de service.

— N'est-ce pas la valise de miss Elizabeth?

Rose savait qu'il était inutile de le nier.

— Je l'ai emmenée à réparer pour quand elle reviendra, expliqua-t-elle d'un ton aussi convaincant que possible.

Mr Hudson pinça les lèvres et ajusta ses lunettes — signes fâcheux, comme Rose ne le savait que trop bien.

— Ne mentez pas, ma fille, dit-il d'un ton sévère. Vous savez où elle est!

Rose se pencha et posa la valise.

— Oh! Rose. Je n'aurais pas pensé ça de vous, continua le maître d'hôtel. Vous savez comme Madame a été bouleversée et vous saviez pendant tout ce temps où était miss Elizabeth, et vous le leur avez caché.

Rose regarda ses pieds, et en dépit des efforts de Mr Hudson refusa de trahir le secret de sa jeune maîtresse.

Le maître d'hôtel lui dit de s'asseoir sur une chaise près de la grande table dans l'office.

— Voyons, Rose, demanda-t-il avec douceur, pourquoi avez-vous fait ça? Tout ce que je veux, c'est une explication raisonnable.

Il s'assit en face d'elle.

— Miss Elizabeth m'a demandé mon aide, expliqua Rose.

— Elle n'aurait pas dû. Ce n'était pas juste envers vous.

— Mais ça ne m'a pas ennuyée.

— Ça aurait dû, dit Mr Hudson gravement. Parce que c'est votre réputation que vous allez perdre et que personne n'a le droit de vous demander cela.

— Je ne vois pas pourquoi, dit Rose.

— Vous ne le voyez pas, Rose? (Mr Hudson la regarda tristement par-dessus ses lunettes comme saint Pierre examinant un ange déchu :) Je vais être obligé de dire au maître demain que vous savez où est miss Elizabeth et que bien que vous sachiez combien Madame était bouleversée, vous n'avez rien dit. Et il le dira à Madame, et alors ils sauront tous les deux qu'après toutes ces années où vous avez été chez eux ils ne peuvent pas vous faire confiance.

Il s'arrêta, regarda Rose et secoua lentement la tête :

— Ils vont être navrés de l'apprendre. Je sais que moi je le suis.

Rose demeura assise à fixer la table un long moment; puis elle éclata en sanglots.

— Oh! Mr Hudson, gémit-elle, je ne sais pas comment faire!

Mr Hudson se leva et la laissa aux voix de sa conscience.

Le lendemain après-midi, Elizabeth et Lawrence Kirbridge allèrent à Herne Hill pour distribuer des tracts. Ils firent la plus grande partie du chemin en tramway et Elizabeth fut stupéfaite de constater combien c'était bon marché et quelle étrange et fascinante nouvelle vision de Londres cela lui donnait.

Quand ils revinrent, c'était le crépuscule et elle s'agenouilla pour faire le feu :

— Henrietta sera de retour bientôt, dit-elle. Vous restez dîner?

— Je ne peux pas, répondit Lawrence. Je vais à l'opéra.

— Oh!

Lawrence avait d'autres amis, beaucoup d'amis, Elizabeth le savait, mais elle ne parvint pas à cacher la déception dans sa voix.

Elle attisa les flammes avec un petit soufflet de bois décoré de pyrogravures.

— Vous ne devriez pas rester assise à la lumière du feu, dit Lawrence.

— Je ne devrais pas?

Il y avait une petite fêlure dans sa voix lorsqu'elle répondit. Il ne lui avait jamais encore parlé de cette manière.

— Il y a quelque chose dans une femme et la lumière du feu. Je suppose que cela nous fait penser à l'enfance, continua-t-il. Cela fait que nous nous sentons en sécurité, alors qu'en réalité c'est la chose la plus dangereuse au monde.

Il se leva d'un bond comme s'il s'était surpris dans un rôle sérieux.

— Il faut que je parte, dit-il.

Il prit un journal dans sa poche et le lança à Elizabeth. Elle le ramassa et l'ouvrit. C'était *The Westminster Gazette* et l'un des poèmes de Lawrence y était publié.

— Votre poème, s'exclama Elizabeth ravie. Vous avez transporté ce journal avec vous toute la journée?

Lawrence fut gêné.

— Je suis navré de vous l'avoir donné maintenant.

Elizabeth lisait le poème.

— Oh! non, c'est merveilleux!

— Vous le pensez vraiment?

Il avait l'air assez content. Elizabeth leva les yeux vers lui. Quelle drôle de personnage timide et peu sûr de lui il était en réalité, pensa-t-elle. Il n'était pas du tout l'arrogant jeune lion intellectuel plein de confiance en lui qu'il prétendait être en public.

— Le rédacteur en chef a insisté pour couper deux

vers. Il a dit qu'ils constituaient une attaque contre la religion et le mariage.

— C'était vrai?

— Oui, bien sûr. Mais je ne pensais pas qu'il était assez malin pour s'en rendre compte.

Ils rirent ensemble. Lawrence ouvrit la porte et Elizabeth se redressa sur ses genoux :

— Lawrence!

Il se retourna.

— Je crois que je suis en train de tomber amoureuse de vous. Est-ce que ce serait une erreur?

— Une erreur terrible pour vous, répondit-il immédiatement. (Et il la vit changer de visage.) Mais merveilleuse pour moi.

Il était parti. Elizabeth resta un long moment à genoux devant le feu à se demander ce que Lawrence pensait vraiment d'elle, les mots lui venaient si facilement qu'elle ne pouvait jamais être sûre qu'il pensait vraiment ce qu'il disait. Elle se demanda si elle avait fait une erreur en lui parlant de ses sentiments. Elle frissonnait de honte quand elle se rappelait sa sotte conduite avec Klaus von Rimmer à qui elle avait avoué qu'elle l'aimait pendant le thé chez Gunter. Comme il avait dû la trouver affreuse et stupide, et ce n'était pas étonnant qu'il se fût enfui. Cela ne l'avait pas vraiment beaucoup troublée avec Klaus, mais cela la troublait vraiment, vraiment beaucoup avec Lawrence. Ce serait terrible si elle le faisait fuir en se montrant trop possessive. Elle se demanda si c'était cela qui s'était passé avec Evelyn. Elle avait été jalouse et possessive en effet, et elle avait certainement été la maîtresse de Lawrence; ou bien était-ce le contraire? Avait-il été son — il y avait un mot pour le dire, un mot italien; « cicisbeo ». Elizabeth le chercha dans le dictionnaire abrégé d'Oxford d'Henrietta; *cicisbeo : galant reconnu d'une femme mariée.* Ce n'était pas le mot exact, mais de toute manière Elizabeth ne voulait pas que Lawrence fût son galant reconnu, elle voulait qu'il l'aime tout autant qu'elle l'aimait. Mais elle vendait la peau de l'ours avant de l'avoir tué, comme aurait dit Rose; Lawrence ne l'avait même pas encore embrassée.

Ses pensées furent interrompues par un coup frappé à la porte.

— Entrez, dit-elle d'un ton distrait.

Elle se retourna et vit son père à la porte. Il avait l'air déplacé, dans la petite pièce en désordre, avec sa jaquette et son pantalon rayé.

— Bonjour, Elizabeth.

— Bonjour, père.

Elle se leva et l'embrassa tout comme s'il était entré dans sa chambre à la maison. Elle était contente et soulagée de le voir. Elle s'inquiétait au sujet de ses parents depuis des jours, surtout le matin au réveil. Maintenant elle était contente qu'ils aient réussi à la trouver et que son père soit venu à sa rencontre, sur son propre terrain.

— Tu as exprimé ta protestation, dit-il. Je la comprends. Maintenant tu peux rentrer à la maison.

— Cela ne marcherait pas, répondit Elizabeth. Je ne peux pas vivre comme vous et mère — à vous préoccuper de ce que vous portez, de ce que vous mangez et de ce que vous dites. Ce serait comme participer à une perpétuelle mascarade. Lawrence est d'accord avec moi — c'est exactement la même chose avec sa mère.

— Qui est Lawrence?

— Lawrence Kirbridge, le poète. C'est un autre ami à moi, répondit Elizabeth, avec un rien de défi dans la voix.

— C'est ce jeune homme plutôt précieux qui écrit des poèmes contre la religion et le mariage.

— Il écrit des poèmes *pour* un tas de choses aussi, mais vous ne le remarqueriez pas. (Elizabeth haussa les épaules avec colère.) Il écrit sur la vérité et l'honnêteté et sur le fait d'être jeune et de savoir que le monde vous appartient.

Richard Bellamy résista à la tentation de renvoyer miss Larkin à la figure de sa fille.

— Mais, Elizabeth, tu ne seras pas toujours jeune, dit-il d'un ton calme.

— C'est une raison de plus pour ne pas trahir la jeunesse pendant que je la possède.

Pendant un moment ils poursuivirent le dialogue, consacré par l'usage, du parent et de l'enfant par-dessus le fossé des générations, et Bellamy nota avec intérêt que chaque argument avancé par Elizabeth était soutenu par l'opinion de Mr Lawrence Kirbridge, le poète.

Richard Bellamy n'avait pas été membre du Parlement depuis un demi-siècle sans apprendre cette leçon que, pour faire accepter un argument convaincant, il était essentiel de connaître exactement les faits dont on parlait. Il passa un après-midi très profitable dans la bibliothèque de la Chambre des communes, et commença à lancer le nom de Lawrence Kirbridge dans la conversation avec sa femme; de légères allusions, pas assez fortes pour alarmer Lady Marjorie, mais suffisantes pour éveiller sa curiosité.

Un jour, à l'heure du thé, il fit remarquer d'un ton détaché qu'il y avait un sonnet du jeune poète dans *The Westminster Gazette*; il se hâta d'ajouter qu'il n'approuvait ni ne comprenait complètement l'œuvre en question.

— En tout cas, il parvient à les faire publier, dit Lady Marjorie. Je suppose que c'est quelque chose.

Bellamy savait que sa femme avait tendance à juger la réussite dans la vie par les résultats tangibles.

— Il est en train de se faire un nom, vous savez, se risqua-t-il à dire.

— Vraiment!

— Oui. Un tas de gens semblent penser qu'il est

très doué. Hier encore Hugh Cecil parlait de lui.

Il jeta un coup d'œil à sa femme par-dessus son journal pour voir si elle faisait attention à ce qu'il disait.

— Son oncle, J. G. Kirbridge, a été député tory de Bristol North pendant des années.

Il espérait qu'il n'en avait pas trop dit.

— Je crois que père le connaissait très bien, répondit Lady Marjorie.

— Bien sûr, les Kirbridge sont tous d'anciens élèves du collège de Winchester, ajouta Bellamy d'un ton détaché.

Il y eut une pause très longue, pendant laquelle il se concentra sur la valeur des actions en Bourse.

— Je suppose que nous pourrions lui demander de venir déjeuner, dit Lady Marjorie.

Elizabeth se montra extrêmement soupçonneuse à propos de cette invitation à déjeuner, tout comme les Troyens se méfiaient des Grecs quand ils offraient des cadeaux.

Elle fut sincèrement surprise de constater que Lawrence semblait ravi à cette idée, et décida que la seule manière de lui montrer quels gens impossibles étaient en réalité ses parents consistait à accepter d'y aller avec lui.

Il y eut une grande excitation à l'office quand Mrs Bridges descendit du petit salon pour annoncer le retour de l'enfant prodigue pour déjeuner. On se posa aussi énormément de questions sur le jeune homme de miss Elizabeth.

— Ce Mr Lawrence Kirbridge est un poète, leur dit Rose, ravie d'être la source de renseignements confidentiels.

— C'est un poète et il ne le sait pas, dit Mr Pearce, avec son humour habituel.

— Il parle très joliment, poursuivit Rose, et c'est le plus beau gentleman que j'aie jamais vu.

— Beau, ça ne suffit pas, il faut de belles actions, dit Mrs Bridges.

— Et qui dit que ce n'est pas le cas? dit Edward, ce qui fit rire Doris.

— Sortez, cria Mrs Bridges. Je ne sais vraiment pas pourquoi Mr Hudson tolère ce garçon dans cette maison.

— Et je suis certaine que miss Lizzy ne pourrait pas trouver un meilleur gentleman. J'en suis sûre, déclara Rose loyalement.

— Si c'est une de ces canailles qui sont venues prendre le thé avant son anniversaire, je vous le laisse, dit Mrs Bridges, réservant son jugement.

Toute la visite fut un cauchemar pour Elizabeth. Avant le déjeuner, Lady Marjorie procéda à un interrogatoire de Lawrence sur sa famille et leurs relations, et cela d'une manière si snob et si gênante qu'elle ne put s'empêcher de s'exclamer :

— Oh! mère, qu'importe à qui il est apparenté!

Lawrence, chose étrange, semblait penser que cela importait et il se vanta de ses belles relations pendant ce qui parut des heures, jusqu'à ce que Mr Hudson entrât pour annoncer que le déjeuner était prêt. Pendant le repas, Elizabeth demeura figée dans un silence torturé, écoutant Lawrence pérorer de son ton le plus m'as-tu-vu sur un grand nombre de sujets dont il ne savait en réalité pas grand-chose.

Cela l'agaça d'autant plus que sa mère avait l'air de trouver toutes ces absurdités très divertissantes, et quand son père félicita Lawrence pour son éloquence et lui dit qu'il ferait un jour un excellent homme politique, elle ne put s'empêcher d'intervenir.

— Nous ne croyons pas à la politique telle qu'elle existe aujourd'hui, dit-elle d'un ton de défi. Pas plus que nous ne croyons à la religion — ou au mariage.

Ce fut un moment gênant, mais Lawrence les fit bientôt rire de nouveau avec sa description d'un oncle fou qui avait été mangé par les cannibales dans les mers du Sud.

Quand il fut l'heure de partir, Richard Bellamy demanda à Lawrence s'il accepterait de venir à un déjeuner qu'il donnait pour quelques anciens élèves de son collège à l'Atheneum.

— C'est très aimable à vous, Sir, répondit Lawrence. Cela me ferait très plaisir.

Cela donna l'occasion à Elizabeth d'avoir le dernier mot.

— Vous saurez où le trouver, dit-elle en souriant doucement, tout en raccompagnant Lawrence hors de la pièce. Henrietta est partie pour le pays de Galles et Lawrence vient habiter chez elle avec moi.

Elle fut ravie du regard stupéfait qu'elle lut sur le visage de ses parents quand la porte se referma derrière eux.

— Il leur a plu, fit remarquer Rose d'un ton triomphant à Mr Hudson, tandis qu'ils descendaient par l'escalier de service.

— Il n'est pas tout à fait ce à quoi nous sommes habitués, répondit le maître d'hôtel, mais je dois reconnaître qu'il a des manières assez agréables.

Au fond, les débuts de Lawrence Kirbridge à Eaton Place furent une espèce de triomphe.

A Pâques, Elizabeth et Lawrence allèrent camper dans le New Forest où ils rejoignirent d'anciens amis de Cambridge de Lawrence. Ils étaient charmants, gais et intelligents, enfants de médecins, de professeurs ou de pasteurs, et ils prirent beaucoup de plaisir à leur compagnie. Les filles dormaient dans une tente et les garçons dans une autre et ils parlaient interminablement la plus grande partie de la journée et la moitié de la nuit, de la vie et de la mort et du mystère de la beauté et de l'amour.

Elizabeth s'était attendue à ce que, dans l'atmosphère libre et bohème de cette vie en plein air, on fasse beaucoup l'amour comme on en parlait, mais pour autant qu'elle pouvait voir, ils étaient tous aussi chastes que des nonnes. Un jour qu'ils étaient allongés sur un talus et que Lawrence caressait les cheveux d'Elizabeth, quelque chose dut s'éveiller dans sa mémoire.

— Vous n'avez pas à vous inquiéter au sujet de moi et d'Evelyn, vous savez, dit-il brusquement.

— Je ne m'inquiète pas, répondit Elizabeth un peu surprise.

— Ce n'était pas une grande réussite. C'est peut-être aussi parce qu'elle ne m'aurait pas laissé partir si facilement. (Il rit :) Elle attache de l'importance à ces choses.

— Pas vous?

— Bien sûr que si.

— Je suis certaine que moi, j'en attacherai.

Mais bien qu'il dût savoir qu'elle se serait volontiers donnée à lui séance tenante, il se contenta de rire et la fit se lever.

Après avoir pris tant de mal à faire comprendre à tout le monde qu'elle vivait dans le péché, Elizabeth se sentait plutôt dupée.

Le père de Lawrence était mort et sa mère habitait près de Ringwood et, à la fin des vacances, ils allèrent lui rendre visite; Lawrence prévint Elizabeth de ne pas faire allusion aux séjours en camping car cela pourrait bouleverser la vieille dame. Mrs Kirbridge était beaucoup plus âgée qu'Elizabeth ne s'y attendait, à peu près aussi âgée que ses grands-parents, charmante et douce, avec dans les yeux la même lueur pétillante que Lawrence. Elle habitait une très vieille maison dans un ravissant jardin, entourée de toute une meute de terriers bruns. Après le thé, Mrs Kirbridge emmena Elizabeth voir ses roses et elles parlèrent de toutes sortes de choses, y compris de Lawrence, et sa mère déclara très calmement et comme en passant qu'elle pensait qu'il était grand temps qu'il se marie. Ce n'était pas la première fois qu'Elizabeth avait entendu faire allusion à cette même idée ce printemps-là. Un jour qu'elle s'était rendue à Eaton Place pour prendre des affaires, sa mère lui avait dit très franchement que sa conduite immorale nuisait à la carrière de son père, qu'elle se montrait gâtée et égoïste et les rendait tous malheureux. Elle dit aussi clairement que Lawrence leur avait fait une bonne impression et que s'il demandait la main d'Elizabeth il aurait presque certainement l'approbation paternelle.

Rose, de son côté, ne se gênait pas pour exprimer son souhait de voir Elizabeth conduite à l'autel tout en blanc, mais ce n'était guère surprenant de la part d'une domestique. Ce fut quand Henrietta, cet apôtre de l'amour libre, demanda à Elizabeth quand elle et Lawrence allaient fixer la date qu'elle commença vraiment à trouver que le monde entier était aveugle à toute raison et enchaîné par les conventions.

Elle le dit à Lawrence un soir, dans la chambre d'Henrietta, alors qu'elle était assise, appuyée contre ses genoux.

— Pourquoi pas le mariage en effet? dit-il. Si cela doit rendre vos parents heureux, pourquoi pas?

— Parce que c'est contre nos principes, répondit Elizabeth avec une certaine violence.

— Oh! si nous le faisions seulement parce que nous avons peur des conventions ou peur des gens qui ont peur des conventions, je suis d'accord. Mais quel mal cela nous ferait-il de dire quelques mots sans signification dans une quelconque et vilaine grande église pseudo-gothique et puis ne plus y penser? fit Lawrence.

— Cela nous ferait beaucoup de mal, répondit Elizabeth fermement, à nous et aux choses en lesquelles nous croyons.

— Mais comment cela peut-il nous changer si nous n'y croyons pas?

Lawrence haussa les épaules.

— Oh! ce n'est pas seulement le fait de nous marier. (Elizabeth se leva et s'approcha de la fenêtre :) C'est d'aller rejoindre leur monde, leur monde gras et confortable. Cela nous rendra gras et confortables aussi.

Brusquement une affreuse pensée lui vint à l'esprit, celle que Lawrence serait très heureux dans ce monde gras et confortable. Elle chassa immédiatement cette pensée.

— Ne me demandez pas ça! supplia-t-elle. Je vous en prie, ne me le demandez pas!

Il ne le lui demanda pas et après elle se rappela ses paroles : « En quoi cela peut-il nous changer si nous n'y croyons pas? ». Et elles lui parurent assez raisonnables. Si la seule manière de parvenir à la plénitude et au bonheur était de passer par une certaine forme de mariage, il semblait ridicule de ne pas accepter ce fait. Elle se dit que ce n'était rien de plus qu'une énorme farce tribale pour amuser leurs familles et leurs relations et bien sûr leurs domestiques et, quand ce serait fini, elle et Lawrence pourraient mener leur vie comme ils le désiraient.

Un mariage en blanc en juin! Quand le bruit se répandit à Eaton Place qu'Elizabeth allait se marier et qu'un faire-part fut publié effectivement dans le *Times*, on se réjouit beaucoup du haut en bas dans la maison, et il sembla à ses parents qu'une période malheureuse de la vie d'Elizabeth s'achevait réellement et qu'enfin elle était revenue à la raison.

17

Un jour, James Bellamy remarqua dans son courrier une enveloppe rose adressée d'une écriture très enfantine. A l'intérieur il y avait une carte.

On pouvait y lire :

MISS CLEMENCE DELICE
CHANTS ET DANSES.
SPECIALITE VENTRILOQUIE

Au dos la même écriture enfantine avait gribouillé : « *Empire Stretam la semaine prochaine. Sarah.* »

Pendant un moment James pensa que c'était une farce, puis il se rendit compte qu'il s'agissait d'une sorte d'invitation. Il sourit, content que son introduction auprès de Mr Fox eût amené Sarah aussi loin que le Théâtre de l'Empire à Streatham, puis il jeta la carte dans le feu.

Un soir de la semaine suivante, que James se trouvait sans rien à faire, au lieu d'aller s'asseoir à son club pour y jouer aux cartes, il décida que cela pourrait être assez drôle d'aller jeter un coup d'œil sur le numéro de Sarah.

Quand James arriva au théâtre, la seconde séance avait déjà commencé, mais il put avoir une petite loge. Le public était du genre chahuteur « Vendredi soir, c'est la paye ». Le tour de Sarah arriva, deux numéros avant le premier entracte. Elle chanta une chanson qui s'appelait : « Qu'allons-nous faire de l'oncle Arthur? » où il était question d'un vieux gentleman qui, en dépit de son âge, avait toujours une passion insatiable pour les dames. C'était une chanson « osée », même pour le music-hall edwardien. Sarah chantait et dansait aussi; quand elle mima : « Le faire couper comme un chat? » la salle s'écroula de rire. Elle fit un *bis* et le public tout entier reprit le refrain.

James fut stupéfait; non pas parce que Sarah savait chanter ou danser, mais parce qu'il était évident qu'elle avait un talent réel pour la scène.

Pendant l'entracte, il envoya sa carte de visite dans les coulisses et en fut récompensé, car elle lui revint avec, griffonnée au dos, une invitation à venir dans la loge de Sarah après le spectacle.

C'était la première loge que Sarah eût jamais occupée; bien qu'elle eût à peine un mètre quatre-vingts de long et autant de large et qu'elle ne fût séparée de celle d'une jongleuse que par un rideau de velours, Sarah en était très fière.

Quand James entra, elle enlevait son maquillage devant un morceau de miroir posé sur la minuscule coiffeuse.

— Bonjour, Mr James.

Elle se retourna et sourit.

— Bonjour, Sarah. (James regretta brusquement d'être venu. En coulisse tout était si sordide et vulgaire :) Félicitations!

— Merci, Sir.

— Allons donc. (James se força à rire et la tension s'allégea très légèrement :) Je trouve que vous avez été splendide. Je n'ai jamais entendu tant d'applaudissements.

— C'est toujours comme ça le vendredi soir, dit Sarah modestement. Remarquez bien que si je montais sur scène et si je récitais la prière du Seigneur en hollandais, ils se déchaîneraient tout autant. Je suis navrée de n'avoir rien à vous offrir comme rafraîchissement.

— Oh! ne vous inquiétez pas pour ça. Si vous êtes libre, peut-être pourrions-nous aller quelque part, suggéra-t-il.

Quand il était venu au théâtre, c'était la dernière chose qu'il avait en tête.

Sarah se retourna et le regarda.

— Vous n'avez pas besoin de m'inviter, vous savez, dit-elle. Quand je vous ai envoyé cette carte, je ne pensais pas que vous viendriez vraiment un soir. C'était juste une manière de vous remercier de tout le mal que vous vous êtes donné.

James acquiesça :

— En tout cas, je suis très content d'être venu, Sarah, ou devrais-je dire miss... je suis navré, je ne me rappelle pas.

— Sarah fera l'affaire.

— Ecoutez, Sarah, poursuivit James, je... euh... je le pense vraiment. J'ai vraiment envie d'aller quelque part avec vous.

— Très bien, Mr James, si vous le pensez vraiment, répondit Sarah avec une pointe de son effronterie de jadis. Si vous pouvez juste défaire les deux crochets du haut puis attendre dehors devant l'entrée des artistes, je n'en aurai pas pour longtemps.

Ils trouvèrent un endroit où l'on servait à souper, et James insista pour prendre une bouteille de champagne. Cela délia la langue de Sarah et pendant leur repas elle lui parla de sa réussite surprenante et météorique dans la profession qu'elle avait choisie.

Modestement, elle en attribua la plus grande part à un peu de chance et à l'intervention de Mr Fox.

A la suite d'ennuis qu'avait eus un numéro de chiens à Wolverhampton, l'agent y avait rapidement expédié Sarah; il l'avait fait mettre au bas de l'affiche comme aide d'un ventriloque professionnel. Celui-ci s'était révélé terriblement ivrogne, mais Sarah était restée avec lui pendant la tournée dans les Midlands jusqu'à ce que, un soir, à Stoke-on-Trent, il se fût trouvé tout à fait incapable de monter sur scène et que, en désespoir de cause, le directeur eût permis à Sarah de faire le numéro. Pour remplir les creux elle avait improvisé des chansons et ça avait marché.

Un autre des clients de Mr Fox avait composé : « Oncle Arthur » et ç'avait été un tel succès qu'elle avait abandonné son numéro de ventriloque pour se concentrer sur la chanson. Cette chanson avait immédiatement plu au public èt elle se retrouvait maintenant sur les hauteurs vertigineuses de Streatham.

Après le dîner, James raccompagna Sarah chez elle, et dans le taxi qui le ramenait de l'autre côté de la Tamise, il commença à fredonner l'air de « Oncle Arthur ». Brusquement il se rendit compte qu'il n'avait pas pris un tel plaisir à une soirée depuis des mois.

La vie dans l'armée commençait à paraître ennuyeuse et inutile à James Bellamy; la plupart de ses amis avaient quitté ou étaient allés à l'étranger ou à l'état-major; or, lui, bien qu'il fût maintenant capitaine, n'avait pas de véritables ambitions militaires. La monotonie des obligations mondaines et des réceptions l'ennuyait et le mess était toujours plein de jeunes gens bruyants qui se conduisaient comme lui six années plus tôt.

Pour les hommes de la classe, de l'âge et de l'expérience de James les possibilités dans la vie civile étaient strictement limitées. Il ne s'intéressait pas à la politique et bien qu'il aimât la chasse au renard, la pensée d'avoir une meute de chiens ne le séduisait pas. Tout ce qui était en liaison avec le commerce ou les affaires, ou la Cité de Londres, était absolument hors de question. James s'était donc mis à traîner, à trop boire, à trop jouer, à s'ennuyer, à se sentir seul et de mauvaise humeur.

La réussite de Sarah agit sur lui comme un tonique. Comme Mr Fox s'arrangeait pour que ses engagements fussent toujours dans la région de Londres où des impresarios du West End pouvaient facilement la remarquer, et où son humour cockney était le plus apprécié, James prit l'habitude de se rendre au théâtre où elle jouait et de l'emmener dîner tous les vendredis soir.

Vers l'époque du dramatique vingt et unième anniversaire d'Elizabeth, Sarah jouait à l'Old Bedford à Camden Towen, au même programme que le grand Dan Leno. A la fin de la représentation, James l'attendit dans sa loge avec une bouteille de champagne déjà à demi vide.

Sarah le regarda d'un œil critique quand elle entra.

— Je pensais que vous ne viendriez pas ce soir, dit-elle. Je vous croyais de service à la caserne.

— Je me suis arrangé, expliqua James en lui versant un verre de champagne. J'ai dit que j'avais trouvé un endroit plaisant pour dîner à Hampstead — tout près.

— Où personne ne vous reconnaîtra comme le fils de Mr Richard Pemberton Bellamy, M.P.

— Ce n'est pas la question, Sarah.

— Si, c'est la question, dit Sarah. C'est toujours un « endroit plaisant à Hampstead ». Très bien; si ce n'est pas la question nous irions au Ritz, c'est un joli petit endroit plaisant, n'est-ce pas? Montrez-moi aux amis de votre père et de votre mère. « Voilà le fils de Lady Marjorie avec sa nouvelle petite amie qui n'est qu'une petite artiste de music-hall qui chante des chansons osées sur scène. » « Mon Dieu, mon Dieu » (Sarah fit semblant de tenir un face-à-main) quel genre elle a : toutes ces plumes et ces bijoux. Il paraît qu'elle était femme de chambre... »

James l'interrompit.

— Taisez-vous, s'exclama-t-il. Vous savez que je vous emmènerai au Ritz si vous voulez. Peu importe ce que disent mes parents et mes stupides amis.

— Pour moi, ça m'importe, dit Sarah très sérieusement. Ça m'importe, Jimmy. Je ne veux pas que vous m'emmeniez au Ritz ou dans un autre endroit chic, pas tant que vous ne serez pas sûr que vous en ayez envie. Que nous ne saurons pas où nous en sommes. Je veux que vous sachiez si je suis à vos yeux tout juste bonne pour sortir un soir ou deux ou bien alors quelque chose de plus sérieux. Vous voyez ce que je veux dire.

— Sarah, je vous assure..., commença James, mais Sarah l'arrêta.

— Vous n'avez pas besoin de m'assurer quoi que ce soit, Jimmy, mais il y a une chose que vous devez me promettre.

— N'importe quoi dans les limites de la raison... Un collier...

— Je ne veux rien de tel de vous, Jimmy. Je veux seulement que vous me promettiez d'y aller doucement avec tout ça. (Elle désigna le champagne.) Trop de bouteilles de ce champagne et vous deviendrez tout bouffi et dépravé. Et ça ne me plairait pas.

Elle mit ses bras autour de James et le regarda droit dans les yeux.

— Ça ne me plairait pas que mon brave capitaine soit dépravé.

Elle l'embrassa et alla jeter la bouteille de champagne vide dans sa corbeille à papier. Puis elle rit et lui tourna le dos.

— Allons, capitaine, si vous voulez être assez bon pour me dégrafer, je vais me changer, puis nous appellerons un taxi et nous retournerons chez moi pour prendre une tasse de cacao.

Sarah avait un petit appartement près de King's Cross. Elle fit à dîner à James et après il insista pour l'aider à faire la vaisselle.

— Je n'aurais pas dû venir ici ce soir, vous savez, dit James.

— C'est ce que Hudson dit toujours, répondit Sarah, et ils rirent tous les deux à ce souvenir.

— Au diable Hudson, dit James.

Et il prit la main de Sarah, puis laissa ses doigts remonter lentement sur son bras.

— Au diable le régiment? demanda Sarah.

Ce soir-là ils achevèrent la scène qu'Alfred avait interrompue cinq années plus tôt dans le boudoir de Lady Marjorie.

Une fois qu'elle eut fait le plongeon, Elizabeth fut étonnée de découvrir qu'elle prenait vraiment plaisir à tout le ridicule processus du mariage.

A la grande joie de tout le monde, elle revint habiter à Eaton Place, et mère et fille s'entendirent mieux qu'elles ne l'avaient fait depuis des années. Il y avait des listes à rédiger, des invitations à envoyer et des visites à faire à St Paul's de Knightsbridge, où le mariage devait avoir lieu, et où les Bellamy allaient à l'église tous les dimanches; et des robes à faire pour Elizabeth et Henrietta, qui devait être sa seule demoiselle d'honneur. Des cadeaux arrivaient tous les jours, et Elizabeth commença à trouver que c'était follement amusant.

Un jour, Mr Hudson entra dans le petit salon pour lui dire qu'on la demandait dans le vestibule.

Elle trouva tous les domestiques alignés au bas de l'escalier et Mr Hudson lui fit cadeau d'une pendulette gravée en leur nom. Elizabeth fut complètement prise au dépourvu et profondément émue. Quand elle remercia Mr Hudson, elle ne put s'empêcher de l'embrasser, et après cela elle dut faire toute la rangée et les embrasser tous jusqu'à ce qu'elle arrivât à Doris. Doris fut prise de fou rire et ils se mirent tous à rire, même Mr Hudson.

— Pourquoi tout le monde est-il si gentil quand on se marie ? demanda par la suite Elizabeth à sa mère.

— Ils se souviennent de leur propre amour, répondit Lady Marjorie et le bonheur leur paraît brusquement très vulnérable. Ils veulent le sauvegarder soigneusement.

A mesure que le grand jour approchait, le remue-ménage des préparatifs dans la maison augmenta jusqu'à ce que, enfin, on installât le vélum dehors, à la porte d'entrée, signe que tout était prêt. A l'intérieur de la maison, chaque pièce d'argenterie et de verrerie que possédait la famille avait été nettoyée, polie et exposée. Les cadeaux étaient tous disposés dans la salle à manger et les petites chaises dorées, les tables et les caisses de champagne avaient été sorties de la camionnette du traiteur et rentrées dans la maison. Le petit salon et le grand salon avaient été à moitié vidés de leurs meubles et décorés de grands vases de fleurs, et enfin le gâteau de mariage que Mrs Bridges et Doris avaient mis une semaine à faire avait été monté en secret et enfermé dans une armoire du salon, à l'abri des regards indiscrets.

Quand les cloches commencèrent à sonner, le balayeur de Belgrave Place qui en avait reçu l'ordre, prévint Mr Hudson. C'était le signal pour James qui était garçon d'honneur, et il partit avec sa mère dans une voiture de remise, tandis que Mr Hudson conduisait les domestiques en rang d'oignons à travers Belgrave Square et le long de Wilton Crescent jusqu'à l'église.

Dehors, Mr Pearce fit briller une dernière fois le pare-chocs de la Renault, et à l'intérieur de la maison brusquement silencieuse, Richard Bellamy attendit sa fille, tout en se souvenant de son propre mariage et en sachant exactement ce qu'elle devait éprouver.

Elizabeth commença à se sentir le cœur serré. Elle regarda la chambre familière dans laquelle elle avait dormi aussi loin qu'elle pouvait se le rappeler, et elle fut prise d'un brusque sentiment de regret. Elle se regarda dans le long miroir et trouva qu'elle avait l'air ridicule; tout ce qui lui manquait, c'était une paire d'ailes et une baguette et elle ferait très bien sur le sommet de l'arbre de Noël.

— Ne me laisse pas oublier mon bouquet, dit-elle à Rose.

— Non, répondit Rose. Et souvenez-vous de ce que Madame a dit sur la manière de le tenir.

— Pas sur l'estomac comme si je cachais un bébé et pas dans mes bras comme si j'en allaitais un.

— Miss Elizabeth! s'exclama Rose, et elles rirent toutes les deux.

Rose souleva le voile très haut et le rabattit sur la tête d'Elizabeth.

— Pensez donc, une lune de miel à Vienne! dit-elle, la bouche pleine d'épingles.

— Oui, dit Elizabeth. Rose.

— Oui, miss Elizabeth.

— Au cas où vous auriez des doutes à ce sujet, je suis toujours très pure vous savez.

— Oui, miss Elizabeth.

— Vous aviez des doutes, n'est-ce pas, Rose?

— C'est-à-dire que, comme vous disiez tout le temps que vous ne croyiez pas au mariage... en tout cas, je suis contente de l'apprendre.

— Moi pas, dit Elizabeth, prise d'un brusque désespoir. Sans vous, Rose, je ne serais pas ici maintenant dans cette robe ridicule.

Rose fut horrifiée.

— Oh! Miss Elizabeth, j'ai voulu bien faire.

Elizabeth sourit tristement :

— Tout le monde veut toujours bien faire et maintenant j'ai tellement peur.

Elle frissonna et tous ses nerfs se tendirent. Rose n'osa pas la serrer dans ses bras de peur d'écraser la soie crème de la robe.

— Mais vous l'aimez, n'est-ce pas? demanda-t-elle.

— J'aimerais bien le savoir, répondit Elizabeth. J'aimerais bien savoir... jusqu'à quel point il aime les charades.

Voyant l'expression inquiète et intriguée de Rose, Elizabeth sourit de nouveau et l'embrassa.

— Je l'aime, si, oh, je l'aime! Peut-être que tout est mieux comme ça.

— Je suis sûre que oui, dit Rose d'un ton ferme.

Quoi qu'il arrivât, Rose avait bien l'intention de veiller à ce qu'Elizabeth ne s'enfuie pas le jour de son mariage.

Tandis que James la conduisait à son banc, à l'avant de l'église, Lady Marjorie eut la même affreuse pensée.

— Ne vous inquiétez pas, lui assura son fils. Père la conduira jusqu'à sa place.

Lady Marjorie se retourna et examina l'église qui se remplissait rapidement. Elle était juste en train de penser que les amis et les relations des Kirbridge avaient l'air bien ennuyeux et médiocres, quand son regard fut attiré par la silhouette d'une très jolie jeune fille qui arrivait dans l'allée centrale. Son visage lui parut vaguement familier et, horrifiée, Lady Marjorie reconnut brusquement sa seconde femme de chambre de jadis. Sarah s'était arrêtée au milieu de l'église et faisait des signes aux domestiques des Bellamy dans la galerie. La mariée devait arriver d'un moment à l'autre. Surprenant le regard de sa mère, James se précipita et poussa rapidement Sarah sur un siège vide.

— Ne vous inquiétez pas, Jimmy, lui chuchota Sarah avec un clin d'œil. Je ne lui gâcherai pas son entrée.

Mais lorsqu'elle repensait à son mariage, Elizabeth ne se rappelait qu'une impression de visages souriants et de gens réjouis à la lumière du soleil et la masse d'immenses chapeaux dans l'église comme une mer d'ombrelles colorées. Henrietta, sa seule demoiselle d'honneur, pleura beaucoup et Mr Balfour l'embrassa et fit un discours.

Après qu'on eut coupé le gâteau Sarah franchit la porte familière de feutrine grise et descendit les marches de pierre sombre pour aller voir ses amis à l'office.

Ils étaient très excités d'avoir une pareille célébrité parmi eux et Edward ouvrit une bouteille de champagne, tandis que Sarah s'asseyait à la table et leur racontait des histoires, sa vie derrière les feux de la rampe. Ils lui demandèrent de chanter et de dédicacer son portrait qui occupa la place d'honneur sur la cheminée, à côté de celle de James Bellamy au couronnement. Puis elle chanta : « Oncle Arthur » et ils se joignirent tous à elle, même Mrs Bridges.

En chantant et en dansant Sarah les conduisit autour de la table; quand elle parvint à la porte qui menait au passage de la cuisine, elle faillit se cogner à Mr Hudson.

— Sarah! dit-il d'une voix tonitruante. (Puis il se rappela leur position relative dans la société et il ajouta avec une certaine ironie :) Je vous demande pardon, miss Delice!

— Ce n'est rien, Hudson, répondit Sarah avec la

voix de Lady Marjorie, et Edward et Doris se plièrent en deux de rire.

— Les autres invités se rassemblent dans le vestibule pour le départ de la mariée, miss, fit observer Mr Hudson avec dignité.

— Et moi, je me rassemble ici, répondit Sarah.

Ne faisant pas attention à elle, Mr Hudson ordonna à ceux qui étaient toujours soumis à sa discipline de prendre leur place sur le trottoir et quand ils passèrent devant lui, il donna à chacun une ration de riz et de confettis.

On appela : Sarah! du haut de l'escalier.

— Je suis ici, Jimmy! répondit Sarah.

Et elle tira la langue à Mr Hudson qui se contenta de lui lancer un dernier regard de désapprobation derrière ses lunettes avant de se retourner et de suivre les autres dans l'escalier qui menait à la rue.

Quand James la trouva, Sarah était seule dans la cuisine.

— Que diable faites-vous ici? lui demanda-t-il.

Il était d'humeur joyeuse.

— Je revis d'anciens souvenirs.

— Vous en avez détesté chaque instant.

— Pas chaque instant, répondit Sarah avec un sourire pensif. (Elle haussa les épaules :) Je n'ai plus ma place nulle part, maintenant, n'est-ce pas? Ni en bas ni en haut... Ni dans les appartements de Madame.

James la souleva et la posa sur le buffet de cuisine comme une poupée.

— Vous avez votre place avec moi, dit-il.

— Vraiment? demanda-t-elle d'un ton plein de doute.

Pendant un long moment ils se regardèrent, puis James l'embrassa.

— Il faut monter, dit-il. Elizabeth est prête à partir.

— J'aimerais bien que nous partions aussi!

— Où? à Vienne?

— Je préférerais aller à Paris.

— Paris, dit James, réfléchissant. Très bien, s'écria-t-il brusquement avec un large geste désinvolte. Allons-y!

— Non?

Les yeux de Sarah s'ouvrirent très grand d'étonnement ravi.

— Pourquoi pas?

— Au diable le théâtre, dit-elle.

— Au diable le régiment! répondit-il.

— Vive la République! crièrent-ils ensemble, et James la prit dans ses bras et la porta en haut.

Plus tard, ce soir-là, Richard Bellamy entra dans le boudoir de sa femme pour le rite des boutons de manchettes.

— J'ai vraiment trouvé qu'Elizabeth était jolie aujourd'hui, dit Lady Marjorie.

— Elle était tout à fait ravissante, répondit Bellamy. Si c'est le mot qu'on peut employer pour une mariée. Même votre tante Kate l'a dit.

— J'espère que tout va bien marcher pour eux, poursuivit Lady Marjorie. Elle a beaucoup changé ces derniers temps. Bien sûr, le premier enfant, c'est tellement important, ajouta-t-elle pensivement.

— Lawrence a la tête sur les épaules, fit Bellamy. J'ai eu une longue conversation avec lui. Je pense que si nous lui faisions miroiter un joli siège au Parlement — avec les élections générales qui doivent avoir lieu l'année prochaine...

— La poésie et la politique?

Lady Marjorie sourit et mit les boutons de manchettes dans le gousset de son mari.

— A son âge j'écrivais des poèmes, dit Bellamy d'un ton pensif. Des poèmes pas mal du tout.

— Richard! dit sa femme incrédule.

Bellamy lui sourit :

— Vous ne m'avez attrapé que quand j'avais vingt-cinq ans, ma chère, dit-il. J'avais déjà jeté ma gourme.

Lady Marjorie soupira :

— James a vingt-huit ans, j'aimerais bien qu'il se marie.

Richard Bellamy se dirigea vers la porte.

— Ne tardez pas trop, chéri, dit Lady Marjorie. Nous sommes fatigués tous les deux.

— Non, je ne tarderai pas, dit Bellamy. Je pense que vraiment James est le cadet de mes soucis.

En bas dans l'office du maître d'hôtel, Mr Hudson et Mrs Bridges partageaient une bouteille du meilleur porto de Mr Bellamy et envisageaient les possibilités d'une pension de famille au bord de la mer.

ROMANS-TEXTE INTÉGRAL

ÉDITIONS J'AI LU

31, rue de Tournon, 75006-Paris

diffusion
France et étranger : Flammarion - Paris
Suisse : Office du Livre - Fribourg
Canada : Flammarion Ltée - Montréal

« Composition réalisée en ordinateur par IOTA »

IMPRIMÉ EN FRANCE PAR BRODARD ET TAUPIN
7, bd Romain-Rolland - Montrouge.
Usine de La Flèche, le 10-12-1976.
1392-5 - Dépôt légal 4e trimestre 1976.